成人期の自閉症スペクトラム
診療実践マニュアル

編集 神尾陽子
国立精神・神経医療研究センター精神保健研究所　児童・思春期精神保健研究部　部長

医学書院

成人期の自閉症スペクトラム診療実践マニュアル

発　行	2012年5月15日　第1版第1刷Ⓒ
	2020年4月1日　第1版第4刷

編　集　神尾陽子
　　　　かみおようこ

発行者　株式会社　医学書院
　　　　代表取締役　金原　俊
　　　　〒113-8719　東京都文京区本郷1-28-23
　　　　電話　03-3817-5600（社内案内）

組　版　ビーコム

印刷・製本　日経印刷

本書の複製権・翻訳権・上映権・譲渡権・貸与権・公衆送信権（送信可能化権を含む）は株式会社医学書院が保有します．

ISBN978-4-260-01546-2

本書を無断で複製する行為（複写，スキャン，デジタルデータ化など）は，「私的使用のための複製」など著作権法上の限られた例外を除き禁じられています．大学，病院，診療所，企業などにおいて，業務上使用する目的（診療，研究活動を含む）で上記の行為を行うことは，その使用範囲が内部的であっても，私的使用には該当せず，違法です．また私的使用に該当する場合であっても，代行業者等の第三者に依頼して上記の行為を行うことは違法となります．

JCOPY　〈出版者著作権管理機構　委託出版物〉
本書の無断複製は著作権法上での例外を除き禁じられています．複製される場合は，そのつど事前に，出版者著作権管理機構（電話 03-5244-5088, FAX 03-5244-5089, info@jcopy.or.jp）の許諾を得てください．

執筆者一覧

編集

神尾　陽子	国立精神・神経医療研究センター精神保健研究所児童・思春期精神保健研究部部長

執筆(五十音順)

飯田　順三	奈良県立医科大学教授・人間発達学
石川　大道	福島県立矢吹病院精神科
板垣俊太郎	福島県立医科大学神経精神医学講座
井上　勝夫	北里大学医学部精神科学・地域児童精神科医療学特任講師
井口　英子	関東医療少年院
内山登紀夫	福島大学大学院人間発達文化研究科教授
梅永　雄二	宇都宮大学教育学部教授・教育学研究科(特別支援教育)
上床　輝久	京都大学健康科学センター
太田　豊作	奈良県立医科大学精神医学講座
奥寺　　崇	クリニックおくでら・院長
小野　和哉	東京慈恵会医科大学専任講師・精神医学
神尾　陽子	国立精神・神経医療研究センター精神保健研究所児童・思春期精神保健研究部部長
沓沢有希子	福島県立医科大学神経精神医学講座
黒田　美保	淑徳大学総合福祉学部実践心理学科准教授
小石　誠二	山梨県立精神保健福祉センター所長
小山　智典	前国立精神・神経医療研究センター精神保健研究所精神発達研究室室長
近藤　直司	東京都立小児総合医療センター児童・思春期精神科部長
澤田　将幸	医療法人杏和会阪南病院
白尾　直子	広島県立総合精神保健福祉センター地域支援課専門員
末廣　佑子	奈良県立医科大学精神医学講座
高橋　秀俊	国立精神・神経医療研究センター精神保健研究所児童・思春期精神保健研究部室長
武田　俊信	龍谷大学文学部臨床心理学科教授
長内　清行	舞鶴医療センター精神科
中西　葉子	天理よろづ相談所病院精神神経科
深津　玲子	国立障害者リハビリテーションセンター企画・情報部発達障害情報・支援センター長
宮尾　益知	国立成育医療研究センターこころの診療部発達心理科医長
山野　可織	櫻和メンタルクリニック
山室　和彦	奈良県立医科大学精神医学講座
義村さや香	京都大学大学院医学研究科精神医学教室

序

　近年,一般精神科で,発達障害のある患者さんの増加に関心が集まり,それに伴い,精神医学会や専門誌などで成人期の発達障害がテーマに取り上げられる機会が増えてきました.約20年以上前には,成人を診る一般精神科医でこの不思議な障害に関心を持つ人はほとんどいませんでした.発達障害は児童精神科医や小児科医が専門とする領域で,患児が大人になってからも児童期からの主治医がフォローすることが多かったからです.当時,Lorna Wing はすでに自閉症スペクトラム概念を提案していましたが,平均知能域の自閉症スペクトラムの人々がこれほど多いとは誰も予想していませんでした.当時,私が最初に出会った高機能自閉症の青年も,統合失調症と誤診されていました.今日,児童精神科を受診する発達障害児は増える一方ですが,児童期に受診したことがない発達障害の成人が一般精神科を受診するケースもまた増えていることは,医療サイドや社会全体の認識の変化のあらわれと考えられます.

　典型的な発達障害の子どもを診たことのない一般精神科医の方々にとって,発達障害は精神遅滞とニアリーイコールのイメージが強く,特に自閉症スペクトラムは主症状に効果的な薬剤がまだなく,コミュニケーションがとれないと精神療法も難しいことから,一体,精神医療にできることはあるのだろうか,という懸念を示される方が少なくありません.実際,精神科を受診する,平均知能を持つ,自閉症スペクトラムの成人のほとんどが,これまで未診断,未支援だった人々です.児童期には自閉症状が見逃されるほど軽度だったかもしれませんし,目立たないようにマスクすることを身につけてきたのかもしれません.いずれにしろ,児童期の客観的情報が得られにくいなかで,現症から,発達障害の診断,その精神病理や治療全般について論じる精神医学的な方法論は確立していませんし,成人にとって重要な,就労に関する福祉や高等教育のサービス体系の整備はまさに始まったばかりの状況です.また,成人するまで自身の発達特性を知らなかった本人や,知らずに育ててこられた家族にとっては,診断名を告げる以前の問題として,本人の発達特性についての心理教育的な説明を行ったとしてもそれを受け止めるのに時間がかかる場合もあり,本人や家族への告知についてはまだ手探りで行わなくてはならない状況があります.

　本書は,この領域のエビデンスが乏しい現状のなか,発達障害のある成人患者の診療に日々取り組んでおられる一般精神科医の皆さんに,知っておいていただきたい必要最小限の情報をカバーできることを第一の目標として,エキスパートのコンセンサスに基づいて編まれました.それに加えて,日頃発達障害の患者さんの診療に熱心に携わっておられる小児科をはじめとして他科の医師,あるいは医療機関でチーム治療に当たっておられるさまざまな職種の専門家の方にとって,診療のお役にたてれば大変光栄です.そもそも本書の下敷きとしたものは,厚生労働省　精神・神経疾患研究委託費「精神科医療における発達精神医学的支援に関する研究(主任研究者　沼知陽太郎；平成20年度,神尾陽子；平成21〜22年度)」[1]における3年間の研究成果に基づき,作成したマニュアル[2]です.本書は,現時点でのエキスパート・コンセンサスとなるよう,当該マニュアルを加筆,修正し,あらたな執筆者を加えて,コラムをお願いしました.編集の過程においては,この領域での臨床経験が豊富な精神科医や臨床研究に携わる研究者でおられる,当時の研究班員の先生方とは何度も話し合いを重ねました.時に見解

が異なることもありましたが，コンセンサスが得られるものだけを選りすぐり，まだ不十分ではあるけれども現状ではベターと思われる情報のみを残しました．編集の関係上，多くのリクエストをお願いしなくてはなりませんでしたが，分担執筆にあたられた先生方はご多忙ななかを縫って迅速な対応をしていただきました．心から感謝いたします．従来になかった新しい視点で現象を記述し，洞察していくというプロセスはとても難しいものでしたが，執筆に携わった先生方と共同で取り組めたことは，私にとってわくわくするとても貴重な機会でした．

　本書は，成人期で初めて医療にアクセスした，自閉症スペクトラムを基盤にもつ平均知能の精神科ケースに焦点を絞って記述することといたしました．したがって，自閉症スペクトラム障害（広汎性発達障害）かどうかの診断分類を厳密に行うことに主眼を置くのではなく，患者の自閉症的特性についての理解を深め，それを踏まえて診療を行う際の工夫や留意点を強調しています．今日の乏しいエビデンスを補うべく，経験知にもとづく臨床上のヒントも多く盛り込まれています．患者さんの背景に潜在するASD特性とはどのようなものか，それを客観的に確認するための診断手続きはどのようなものか，患者さんとのコミュニケーションをとるためのコツにはどのようなものがあるか，また医療以外の利用可能なサービスや他機関との連携のとり方などについて，一読していただくだけで，基礎知識を増やし，経験知を高めていただけるものにしたいと考えました．このため，本書は2部構成をとっています．第I部は簡潔に要約された解説を主とし，第II部は，典型例，非典型例を含む症例集といたしました．

　今回お届けする本書が，読者の皆さんの発達障害に対する関心を広げるきっかけとなり，さらに皆さんが主役となって，同僚たちとのチーム医療，地域での医療連携，そして福祉や教育との本当の意味でのネットワーク作りにつなげていかれますことを期待しています．そして発達障害のある人々が，当たり前に地域のどこででも必要な時に精神科治療や関連するサービスを受けられるような，地域包括ケア社会が実現する日が近いことを心から願っています．

　最後に，これまで出会った発達障害の方々やご家族の皆様に心からの感謝をささげます．どんなに苦しいときも，自身の経験をシェアすることへのリスペクトを持ち続け，決して希望を失わず明日を変えていこうとする熱意に助けられ，多くのことを学ばせていただきました．お名前を挙げられなかった多くの同僚の皆さんにも感謝いたします．

　ようやく最近になって，発達障害成人についてのエビデンスが少しずつ蓄積され始めました．近い将来，より確固たるエビデンスにもとづいて，本書の内容が修正されるとしたら，執筆者一同の望むところであります．

2012年4月

神尾陽子

1) 神尾陽子：精神科医療における発達精神医学的支援に関する研究．平成20～22年度厚生労働省精神・神経疾患研究開発費　総括研究報告（主任研究者：神尾陽子）．pp1-8, 2011.
2) 神尾陽子（編著）：解説と事例で理解する自閉症スペクトラム障害のある精神科患者への対応；精神科医のための臨床実践マニュアル．平成20～22年度厚生労働省精神・神経疾患研究開発費総合研究報告書　別冊，国立精神・神経センター精神保健研究所，2011.

目 次

診断基準　ICD-10	xii
診断基準　DSM-Ⅳ-TR	xviii
診断基準　DSM-5（米国精神医学会草案）	xxii
自閉症スペクトラム障害の診断アルゴリズム　　　　　　　　　　高橋秀俊	xxiii

解説編

第1章　精神科医療で出会う自閉症スペクトラム障害のあるおとなたち
　　　　　　　　　　　　　　　　　　　　　　　　　　　　　　　神尾陽子　2

はじめに	2	ASDと合併精神疾患	7
ASDについてのファクト	4	そして，ASD成人は変わっていく	10
広汎性発達障害から自閉症スペクトラム障害へ	6	最後に	10

Q&A　自閉症スペクトラム障害は遺伝するのでしょうか？　　　　　　山室和彦　5
コラム　自閉症の男性と女性の違い　　　　　　　　　　　　　　　　神尾陽子　13

第2章　ASDに特有な認知および言語特性　　　　　　　　　　　神尾陽子　15

言語	15	遂行機能	19
記憶	17	知覚	20
注意	19	対人	21

Q&A　ASDの人が向いている職業，向いていない職業は？　　　　　　内山登紀夫　23
Q&A　周囲の人が迷惑していることをうまく伝えるには？　異性間トラブル防止の工夫　　内山登紀夫　24

第3章　ASD特性に応じた面接の工夫　　　　　　　　　　　　　井上勝夫　25

面接の組み立て	25	病名とその状態についての患者本人への	
患者から話を聴取する	26	説明の際の基本姿勢	28
診察医としての意見や助言を伝える	27	そのほか留意すべきこと	29

Q&A　アスペルガー症候群ではない受診者への対応は？　　　　　　　内山登紀夫　26
Q&A　周囲の理解を得るために，配偶者や職場の上司に
　　　患者のASD診断を伝えるべきなのでしょうか？　　　　　　　井上勝夫　30
Q&A　発達早期の情報が得られない成人を診断する時の対応は？　　　井上勝夫　30

第4章 診断面接の進め方 ……………………………………………… 太田豊作／飯田順三 31

- 診断方法 …………………………………… 31
- 生育歴のとり方 …………………………… 32
- 臨床検査 …………………………………… 33
- 専門医への紹介 …………………………… 34
- **コラム** 自閉性スペクトル指数日本版（AQ‑J）使用上の注意点 ……………………… 太田豊作 31

第5章 ASD/PDD 評価尺度 ……………………………………………………………… 小山智典 38

- 養育者からの生育歴聴取に基づく評価尺度 …… 38
- 本人との面接での行動観察に基づく評価尺度 … 39
- 質問紙による評価尺度 …………………… 41
- **Q&A** DISCO を用いるメリットは？ ……………………………………………… 内山登紀夫 40

第6章 成人期における ASD の鑑別診断 ……………………………………………… 板垣俊太郎 44

- 注意欠如・多動性障害 …………………… 45
- 統合失調症 ………………………………… 46
- 強迫性障害 ………………………………… 48
- 気分障害・不安障害 ……………………… 48
- **コラム** ASD と ADHD の関連性 …………………………………………………… 板垣俊太郎 45
- **Q&A** 統合失調症か自閉症スペクトラムか判断に迷う患者には
  どのように対応したらよいのでしょうか？ ………………………………… 高橋秀俊 47
- **コラム** 青年期のひきこもり問題と ASD ……………………………………………… 近藤直司 51

第7章 発達障害とパーソナリティ障害 ………………………………………………… 奥寺 崇 52

- 診断学上の位置づけ ……………………… 52
- 発達障害とパーソナリティ障害の臨床上の鑑別点 … 53
- まとめ ……………………………………… 54

第8章 特性や状態に応じた治療の進め方 ……………………………………………… 小野和哉 56

- 特性に応じた治療の進め方 ……………… 56
- 状態に応じた治療の進め方 ……………… 57
- **コラム** 2 種類の ASD ………………………………………………………………… 小野和哉 58

第9章 薬物治療 ………………………………………………………………………… 井口英子 60

- 薬物以外の治療法の可能性を探る ……… 60
- 副作用に注意して，投与は慎重に，観察は丁寧に行う ……………………… 60
- 薬物治療開始前と処方内容変更の際には，わかりやすく丁寧に説明する ……… 63
- **コラム** コクラン・レビューより① ASD におけるリスペリドンを用いた治療 ……… 神尾陽子 61
- **コラム** コクラン・レビューより② ASD における SSRI を用いた治療 ……………… 神尾陽子 62

| コラム | わが国におけるADHD成人患者の薬物治療の現状 | 板垣俊太郎 | 63 |
| Q&A | 本当に「夜は眠れている」のでしょうか？ | 井口英子 | 64 |

第10章 家族への対応 ……………………………………………………………… 宮尾益知 65

| 親子関係に配慮した家族へのサポート | 65 | 家族への支え | 67 |
| 家族機能としての問題 | 66 | | |

第11章 身体化する患者への対応 ………………………………………………… 宮尾益知 68

| 共感的コミュニケーション不全としての | | 精神医学からみた身体化：身体化障害 | 69 |
| アレキシサイミア | 68 | 治療 | 70 |

第12章 精神障害者保健福祉手帳用の診断書作成の注意点 ……………… 小石誠二 71

適切な記載に重要なポイント	71	身体疾患の除外	77
診断書記入例	72		
Q&A 復職を成功させるために気をつけることは？		中西葉子	78

第13章 医療と福祉，労働，教育との連携のために医療者が知っておくべき基礎知識
ASD成人の社会参加に向けて ……………………………………………… 深津玲子 79

福祉サービスの利用	79	主治医の意見書	81
労働・雇用支援	79	福祉,労働,教育の支援で課題となる医療的問題	82
高等教育（大学）支援	80		
コラム 医療から福祉サービス利用につないで成功した事例		飯田順三	82
Q&A 障害者雇用のなかで一般就労を目指すか，あるいは福祉型就労につなぐかの見極めは？	深津玲子	83
Q&A ASD者の就労上の課題は何でしょうか？		梅永雄二	84
Q&A ASD者の就労には，どのような支援制度があるのでしょうか？		梅永雄二	84
Q&A 企業はASD者を雇用する際，どのような支援を行っているのでしょうか？	梅永雄二	84
Q&A ASD者の就労において医師に期待される役割とは？		梅永雄二	84

症例編

Case 1	家族はつらさをわかってくれない 家族とのトラブルが絶えない30歳女性	86
Case 2	周囲が変なせいで… 拒食やフラッシュバックが前景の21歳女性	89
Case 3	人と違うことを隠すのに必死だった ひきこもりから脱出したいと願う18歳女性	92
Case 4	頑固で一度思うとそれに固執してしまう 職場の配慮で復職がスムーズだった35歳女性	95
Case 5	わたし，どこも悪くないと思うんです 不登校からひきこもり，家族への攻撃に発展した24歳女性	97
Case 6	がんばっている自分を認めてほしい 勉強家，ときどきアスペルガー障害の28歳女性	100
Case 7	お金はなくても人形が欲しい 職場不適応から買い物依存に陥った38歳女性	103
Case 8	わたし，アスペルガーがあるんです 結婚・出産・離婚で不適応が強まった40歳女性	106
Case 9	面接で何と答えればよいのかわからない 面接の不合格続きに不安が高まった28歳女性	109
Case10	納得できたので，もう悩まないことにしました 電話相談で気持ちの整理がついた20歳女性	112
Case11	自分は何をやってもダメなんです 統合失調症と診断されていた27歳男性	115
Case12	診断は予想どおりとは言うものの… 診断告知後，自殺企図のあった18歳男性	118
Case13	なんとか息子をひきこもりから脱出させたい 精神科治療の中断を繰り返してきた31歳男性	122
Case14	迷惑行為をやめられない 強迫性障害で入院中にアスペルガー症候群と診断された27歳男性	125
Case15	服飾業界でセンスを活かしたい パニック様発作や幻聴で救急外来受診を繰り返した21歳男性	128
Case16	将来はフリーターくらいしか道がない 診断名にショックを受けた23歳男性	132
Case17	自分だけ浮いている 思春期に入って注察念慮が現れた16歳男性	135

Case18	対人恐怖や感覚過敏が楽になった	138
	多剤併用処方による脱抑制で悪化した26歳男性	
Case19	本当は26歳警察官．特殊支援学級の生徒ではありません	141
	学校に居場所がなかった14歳男性	
Case20	変わり者の僕を，いつも周りの人たちが助けてくれた	144
	就職活動ができなくなった21歳男性	
Case21	論理的でない言動が許せない	147
	母親の介護ストレスから統合失調症を疑われた46歳男性	
Case22	心が無になった時にしてしまう	149
	リストカットがやめられなくなった24歳男性	
Case23	手帳をもらって就労支援を受けたい	151
	児童青年期の自閉症診断が支援につながらなかった28歳男性	
Case24	僕の生年月日はたぶん○月○日です…	154
	アスペルガー症候群かどうか知りたくて来院した19歳男性	
Case25	仕事って何のこと？	157
	職場不適応で解離性健忘を引き起こした33歳男性	
Case26	社内での行動がおかしいと言われました	160
	産業医の紹介で就労が継続できた27歳男性	
Case27	「大学を卒業したい」から「働きたい」へ	163
	発達の遅れや特性に応じた支援なく大学に進学した23歳男性	
Case28	この学校に通えて本当に楽しかった	167
	児童期初診例1	
Case29	先生，友だちができたよ	170
	児童期初診例2	
Case30	自分に合ったアルバイトで達成感を得る	173
	児童期初診例3	

■ 症例執筆（五十音順）

飯田順三，石川大道，板垣俊太郎，井上勝夫，井口英子，上床輝久，太田豊作，小野和哉，
神尾陽子，杏沢有希子，小石誠二，澤田将幸，白尾直子，末廣佑子，武田俊信，長内清行，
中西葉子，深津玲子，山野可織，義村さや香

付録1	自閉症スペクトル指数日本版（AQ-J）		176
付録2	日本語版M-CHAT		178
付録3	Autism Diagnostic Observation Schedule	黒田美保	179
索引			181

装丁デザイン・糟谷一穂

診断基準 ICD-10

F84　広汎性発達障害　Pervasive developmental disorders

　相互的な社会関係とコミュニケーションのパターンにおける質的障害，および限局した常同的で反復的な関心と活動の幅によって特徴づけられる一群の障害．程度の差はあるが，これらの質的な異常は，あらゆる状況においてその患者個人の機能に広汎にみられる特徴である．多くの場合，幼児期から発達は異常であり，ほんのわずかな例外を除いて，この状態は生後5年以内に明らかとなる．常ではないが通常は，ある程度の全般的認知機能障害がある．しかしこの障害は個人の精神年齢（遅滞のあるなしにかかわらず）に比較して偏った行動によって定義される．広汎性発達障害の群全体の下位分類については，多少の見解の不一致がある．

　一部の症例では障害は，いくつかの医学的な病態に伴っているか，あるいは原因となっているようで，そのうちでは乳幼児けいれん，胎児性風疹，結節性硬化症，脳リピドーシス，脆弱X染色体異常が最もふつうである．しかしながら，この障害は合併する医学的な病態のあるなしにかかわらず，行動的特徴に基づいて診断すべきである．しかし，この病態は別にコード化しなければならない．もし精神遅滞が存在するなら，それは広汎性発達障害に普遍的な特徴ではないので，別にF70-F79にもコードすることが重要である．

F84.0　小児自閉症 Childhood autism

　3歳以前に現れる発達の異常および／または障害の存在，そして相互的社会的関係，コミュニケーション，限局した反復的な行動の3つの領域すべてにみられる機能異常の特徴型によって定義される広汎性発達障害．この障害は女児に比べ男児に3倍ないし4倍多く出現する．

診断ガイドライン

　通常，先行する明確な正常発達の時期は存在しないが，もし存在しても，それは3歳以下までである．相互的な社会関係の質的な障害が常に存在する．これらは，他者の情緒表出に対する反応の欠如，および／または社会的文脈に応じた行動の調節の欠如によって示されるような，社会的-情緒的な手がかりの察知の不適切さ，社会的信号の使用の拙劣さと，社会的，情緒的，およびコミュニケーション行動の統合の弱さ，そしてとくに社会的-情緒的な相互性の欠如という形をとる．同様に，コミュニケーションにおける質的な障害も普遍的である．これらはどのような言語力があっても，それの社会的使用の欠如，ごっこ遊びや社会的模倣遊びの障害，言葉のやりとりの際の同調性の乏しさや相互性の欠如，言語表現の際の不十分な柔軟性や思考過程において創造性や想像力にかなり欠けること，他人からの言語的および非言語的な働きかけに対する情緒的な反応の欠如，コミュニケーションの調節を反映する声の抑揚や強調の変化の使用の障害，および話し言葉でのコミュニケーションに際して，強調したり意味を補うための身振りの同様な欠如，という形をとる．

　またこの状態は，狭小で反復性の常同的な行動，関心，活動によっても特徴づけられる．これらは日常機能の広い範囲にわたって，柔軟性のない型どおりなことを押し

つける傾向を示す．通常，これは，馴染んだ習慣や遊びのパターンにとどまらず，新しい活動にも当てはまる．とくに幼児期には，ふつうでない物体，典型的な場合は柔らかくない物体に対する特別な執着が見られることがある．小児は，無意味な儀式によって，特殊な決まりきったやりかたに固執することがある．これらは日時，道順あるいは，時刻表などへの関心に関連した，常同的な没頭であることがあり，しばしば常同運動がみられる．物の本質的でない要素（たとえばそのにおいや感触）に特別な関心をもつこともよくある．個人の環境において，いつも決まっていることやその細部の変更（たとえば，家庭において飾りや家具を動かすことなど）に抵抗することがある．

これらの特異的な診断特徴に加えて，自閉症の小児が，恐れ／恐怖症，睡眠と摂食の障害，かんしゃく発作や攻撃性など一連の非特異的な問題を呈することがしばしばある．（手首を咬むなどの）自傷はかなり一般的であり，とくに重度の精神遅滞が合併している場合にそうである．自閉症をもった多くの人が，余暇を過ごす際，自発性，積極性，創造性を欠き，（課題自体は十分能力の範囲内のものでも）作業時に概念を操作して作業をすることが困難である．自閉症に特徴的な欠陥の特異的な徴候は成長するにしたがい変化するが，これらの欠陥は，社会性，コミュニケーション，興味の問題というパターンがほぼ同様のままで成人に達しても持続する．診断がなされるためには，発達の異常は生後3年以内に存在していなければならないが，この症候群はすべての年齢群で診断しうる．

自閉症にはすべての水準のIQが随伴するが，約4分の3の症例では，著しい精神遅滞が認められる．

〈含〉自閉症障害

　　　　幼児自閉症（infantile autism）
　　　　小児精神病
　　　　カナー症候群

【鑑別診断】広汎性発達障害の他の亜型は別にして，以下のものを考慮することが重要である：二次的な社会的‒情緒的諸問題を伴った受容性言語障害の特異的発達障害（F80.2），反応性愛着障害（F94.1）あるいは脱抑制性愛着障害（F94.2），何らかの情緒／行為障害を伴った精神遅滞（F70‒79），通常より早期発症の統合失調症（F20.‒），レット症候群（F84.2）．

〈除〉自閉症精神病質（F84.5）

F84.1　非定型自閉症　Atypical autism

発症年齢の点か，あるは診断基準の3つの組合せすべてを満たさない点で，自閉症とは異なった広汎性発達障害．したがって，発達の異常および／または障害が3歳を過ぎてからはじめて現れるものか，および／または，自閉症の診断に要求される精神病理の領域のすべて（すなわち，相互的な社会的関係，コミュニケーション，そして限局した常同的な反復行動）のうち，1つないし2つの領域において十分に明白な異常を欠いているものの，残りの領域では特徴的な異常がみられるものである．非定型自閉症はきわめてしばしば重度の精神遅滞のある小児で認められるが，これは機能水準が非常に低いため，自閉症の診断に要求される特異的な偏った行動を示す余地がほ

とんどないためである．また，これは言語受容の重篤な特異的発達障害をもつ小児に出現する．したがって非定型自閉症は自閉症とは区別される状態を構成すると考えられる．

〈含〉非定型小児精神病
　　　自閉的傾向を伴う精神遅滞

F84.2　レット症候群　Rett's syndrome

　これまで女児のみに報告されている原因不明の病態で，特徴的な発症，経過，症状パターンに基づいて鑑別されてきた．初期には一見正常あるいは正常に近い発達の後，獲得していた手先の技能や言葉が一部あるいは完全に喪失し，それとともに頭囲の増加が減速するもので，通常生後7〜24カ月の間に発症するのが典型的である．手をもむ常同運動，過呼吸および目的をもった手の運動の消失が特徴的である．社会性および遊びの面での成長は最初の2,3年で止まるが，社会的な関心は保たれる傾向にある．小児期中期には，側弯あるいは後側弯に伴って軀幹の失調や失行が出現する傾向があり，時には舞踏病アテトーゼ様の運動が認められる．常に重度の知能障害にいたる．小児期早期あるいは中期に，しばしばてんかん発作が出現する．

診断ガイドライン
　症例の大多数は生後7〜24カ月の間に発症する．最も特徴的な症状は，目的をもった手の運動と獲得していた繊細な運動操作力の喪失である．これは以下のものを伴う．すなわち，言語発達の一部の喪失あるいは欠如，特有の常同的なねじるような手もみ運動，あるいは胸や顎の前で両腕を屈曲させた"手洗い"運動，常同的に唾液で両手を濡らす行為，食物の適度な咀嚼の欠損，頻回な過呼吸のエピソード，大小便のコントロールの獲得にはほとんど常に失敗すること，しばしばよだれを過剰にたらして舌を過度に突出したりすること，社会生活への関わりの喪失，典型的には，小児は幼児期に，人びとを見ながら，あるいは「心を見抜くように」見ながら，一種の「社交的微笑」をすることは保たれているが，人びとと社会的な関わりをもつことはない（社会的関わりはしばしば後になって発達するようになるが）．両足の位置と歩幅は広くなりがちで，筋トーヌスは低く，通常，軀幹の運動は協調性が悪くなり，側弯あるいは後側弯になる．約半数の症例では，青年期あるいは成人期に，重度の運動機能障害を伴った脊髄の萎縮を来すようになる．その後，通常上肢よりも下肢に著しい強剛性痙縮が出現する．てんかん性発作は大部分の症例に起こり，通常何らかの型の小さな発作を伴い，一般に8歳前に発症する．自閉症と対照的に，故意の自傷や複雑な常同的な運動への没頭あるいは決まりきった習慣はまれである．

　【鑑別診断】レット症候群は，初期において主に目的をもった手の運動の欠如，頭囲の増加の減速，失調，常同的な「手洗い」運動，適切な咀嚼の欠如に基づいて鑑別される．診断は進行性の運動機能の低下という障害の経過から確定される．

F84.3　他の小児期崩壊性障害　Other childhood disintegrative disorder

　（レット症候群以外の）広汎性発達障害で，機能における特徴的異常の発症とともに，社会的機能，コミュニケーション機能，および行動障害の発症に先立って明らか

な正常の発達期間が存在すること，そして明らかに数カ月にわたって，以前に獲得された能力が，少なくともいくつかの領域において，喪失していることによって定義される．しばしば漠然とした疾病の前駆期がある．言うことをきかなくなり，いらいらし，不安で過動を示す．そのあと興味の貧困化が起こり，続いて行動の崩壊を伴って言語喪失が起こる．一部の症例では（障害が進行性の診断可能な神経学的病態と関連しているとき）技能の喪失は常に進行性であるが，多くの症例ではしばしば数カ月にわたる悪化ののち進行が停止し，その後平衡状態，それから限局性の改善をみる．予後は通常非常に悪く，大多数に重度の精神遅滞が残る．この病態が自閉症とどの程度異なるかは不明である．障害が脳症に伴って起こると考えられる症例もあるが，診断は行動面での特徴に基づいて行うべきである．神経学的病態を伴うときは，別に分類すべきである．

診断ガイドライン

この診断は，少なくとも2歳まで外見上は正常に発達したのち，それまでに獲得した技能が明らかに喪失したことに基づいてくだされる．この障害は質的な社会機能の異常を伴っている．重篤な言語の退行，あるいは言語喪失，遊び，社会的技能および適応行動のレベルの退行が通常みられ，時に運動統制の解体を伴う大小便のコントロールの喪失がしばしば起こる．典型的には，これに周囲への全般的な関心喪失，常同的で反復性の奇妙な運動，および社会的相互関係とコミュニケーションに関する自閉症に似た障害が付随する．ある点でこの症候群は成人期における認知症と似ているが，以下の3つの主な点でそれと異なる．（通常ある型の器質的脳機能障害が推定されるが）同定可能な器質的疾患や障害の証拠が認められないことがふつうである．技能の喪失の後，ある程度の回復のみられることがある．そして社会性およびコミュニケーションの障害は，知的低下というよりも，自閉症に典型的にみられる質的偏りである．これらの理由すべてから，この症候群はF00-F09ではなく，ここに含められる．

〈含〉幼児性認知症
　　崩壊性精神病
　　ヘラー症候群
　　共生精神病
〈除〉てんかんに伴う後天性失語(F80.3)
　　選択性緘黙(F94.0)
　　レット症候群(F84.2)
　　統合失調症(F20.-)

F84.4　精神遅滞[知的障害]および常同運動に関連した過動性障害
Overactive disorder associated with mental retardation and stereotyped movements

これは疾病論的な妥当性が確定していない，定義の不十分な障害である．このカテゴリーがここに含まれるのは以下の理由による．重度の精神遅滞を伴う小児（IQ50以下）で，多動や注意に大きな問題を呈し，しばしば常同行動を示す．このような小児は（IQが正常な者とは異なり）中枢神経刺激薬が奏功しない傾向があり，刺激薬を与えられると（時に精神運動制止を伴い），重篤な不機嫌反応を示すことがある．青年期

になると，過動性は活動低下に置き換わる傾向がある（これは正常知能の多動児には通常みられないパターンである）．この症候群は，特異的であれ全般的であれ，さまざまな発達の遅れを伴っているのがふつうである．

行動のパターンが，どの程度まで低いIQのためか，器質的脳損傷のための関数かは不明である．また，中等度の精神遅滞を伴い，多動症候群を呈する小児の障害をここに含めるべきか，F90.-に含めるべきか明確ではない．現段階では，それらはF90.-に包含される．

診断ガイドライン

診断は発達上不相応な重篤な過動，常同運動，および重度精神遅滞の組合せによってくだされる．診断のためには，これら3つすべてが存在しなければならない．もしF84.0，F84.1あるいはF84.2の診断基準を満たすなら，代わりにそれらの病態と診断するべきである．

F84.5　アスペルガー症候群　Asperger's syndrome

疾病分類学上の妥当性がまだ不明な障害であり，関心と活動の範囲が限局的で常同的反復的であるとともに，自閉症と同様のタイプの相互的な社会的関係の質的障害によって特徴づけられる．この障害は言語あるいは認知的発達において遅延や遅滞がみられないという点で自閉症とは異なる．多くのものは全体的知能は正常であるが，著しく不器用であることがふつうである；この病態は男児に多く出現する（約8：1の割合で男児に多い）．少なくとも一部の症例は自閉症の軽症例である可能性が高いと考えられるが，すべてがそうであるかは不明である．青年期から成人期へと異常が持続する傾向が強く，それは環境から大きくは影響されない個人的な特性を示しているように思われる．精神病エピソードが成人期早期に時に出現することがある．

診断ガイドライン

診断は，言語あるいは認知的発達において臨床的に明らかな全般的な遅延がみられないことと，自閉症の場合と同様に相互的な社会関係の質的障害と行動，関心，活動の，限局的で反復的常同的なパターンとの組合せに基づいて行われる．自閉症の場合と類似のコミュニケーションの問題は，あることもないこともあるが，明らかな言語遅滞が存在するときはこの診断は除外される．

〈含〉自閉性精神病質
　　　　小児期の統合失調質障害
〈除〉強迫性パーソナリティ障害（F60.5）
　　　　小児期の愛着性障害（F94.1，F94.2）
　　　　強迫性障害（F42.-）
　　　　統合失調型障害（F21）
　　　　単純型統合失調症（F20.6）

F84.8　他の広汎性発達障害　Other pervasive developmental disorders

F84.9　広汎性発達障害，特定不能のもの　Pervasive developmental disorder, unspecified

これは残遺診断カテゴリーで，広汎性発達障害の一般的記載に合致するが，十分な

情報を欠いたり，矛盾する所見があるために，F84の他のコードのいずれの診断基準も満たしえない障害に対して用いられるべきである．

〔融道男，中根允文，小見山実，他（監訳）：ICD-10 精神および行動の障害 臨床記述と診断ガイドライン 新訂版．pp261-268，医学書院，2005〕

診断基準 DSM-Ⅳ-TR

広汎性発達障害　Pervasive Developmental Disorders

299.00　自閉性障害　Autistic Disorder

A. (1), (2), (3)から合計6つ(またはそれ以上), うち少なくとも(1)から2つ, (2)と(3)から1つずつの項目を含む.
  (1) 対人的相互反応における質的な障害で以下の少なくとも2つによって明らかになる.
    (a) 目と目で見つめ合う, 顔の表情, 体の姿勢, 身振りなど, 対人的相互反応を調節する多彩な非言語的行動の使用の著明な障害
    (b) 発達の水準に相応した仲間関係を作ることの失敗
    (c) 楽しみ, 興味, 達成感を他人と分かち合うことを自発的に求めることの欠如(例：興味のある物を見せる, 持って来る, 指差すことの欠如)
    (d) 対人的または情緒的相互性の欠如
  (2) 以下のうち少なくとも1つによって示されるコミュニケーションの質的な障害：
    (a) 話し言葉の発達の遅れまたは完全な欠如(身振りや物まねのような代わりのコミュニケーションの仕方により補おうという努力を伴わない)
    (b) 十分会話のある者では, 他人と会話を開始し継続する能力の著明な障害
    (c) 常同的で反復的な言語の使用または独特な言語
    (d) 発達水準に相応した, 変化に富んだ自発的なごっこ遊びや社会性をもった物まね遊びの欠如
  (3) 行動, 興味, および活動の限定された反復的で常同的な様式で, 以下の少なくとも1つによって明らかになる.
    (a) 強度または対象において異常なほど, 常同的で限定された型の1つまたはいくつかの興味だけに熱中すること
    (b) 特定の機能的でない習慣や儀式にかたくなにこだわるのが明らかである.
    (c) 常同的で反復的な衒奇的運動(例：手や指をぱたぱたさせたりねじ曲げる, または複雑な全身の動き)
    (d) 物体の一部に持続的に熱中する.
B. 3歳以前に始まる, 以下の領域の少なくとも1つにおける機能の遅れまたは異常：(1)対人的相互反応, (2)対人的コミュニケーションに用いられる言語, または(3)象徴的または想像的遊び
C. この障害はレット障害または小児期崩壊性障害ではうまく説明されない.

299.80　レット障害　Rett's Disorder

A. 以下のすべて：
  (1) 明らかに正常な胎生期および周産期の発達
  (2) 明らかに正常な生後5カ月間の精神運動発達

(3) 出生時の正常な頭囲
B. 正常な発達の期間の後に，以下のすべてが発症すること：
　　(1) 生後5〜48カ月の間の頭部の成長の減速
　　(2) 生後5〜30カ月の間に，それまでに獲得した合目的的な手の技能を喪失し，その後常同的な手の動き（例：手をねじる，または手を洗うような運動）が発現する．
　　(3) 経過の早期に対人的関与の消失（後には，しばしば対人的相互反応が発達するが）
　　(4) 歩行または体幹の動きに協調不良がみられること
　　(5) 重症の精神運動制止を伴う，重篤な表出性および受容性の言語発達障害

299.10　小児期崩壊性障害　Childhood Disintegrative Disorder

A. 生後の少なくとも2年間の明らかに正常な発達があり，それは年齢に相応した言語的および非言語的コミュニケーション，対人関係，遊び，適応行動の存在により示される．
B. 以下の少なくとも2つの領域で，すでに獲得していた技能の臨床的に著しい喪失が（10歳以前に）起こる：
　　(1) 表出性または受容性言語
　　(2) 対人的技能または適応行動
　　(3) 排便または排尿の機能
　　(4) 遊び
　　(5) 運動能力
C. 以下の少なくとも2つの領域における機能の異常：
　　(1) 対人的相互反応における質的な障害（例：非言語的な行動の障害，仲間関係の発達の失敗，対人的ないし情緒的な相互性の欠如）
　　(2) コミュニケーションの質的な障害（例：話し言葉の遅れないし欠如，会話の開始または継続することが不能，常同的で反復的な言語の使用，変化に富んだごっこ遊びの欠如）
　　(3) 運動性の常同症や衒奇症を含む，限定的，反復的，常同的な行動，興味，活動の型
D. この障害は他の特定の広汎性発達障害または統合失調症ではうまく説明されない．

299.80　アスペルガー障害　Asperger's Disorder

A. 以下のうち少なくとも2つにより示される対人的相互反応の質的な障害：
　　(1) 目と目で見つめ合う，顔の表情，体の姿勢，身振りなど，対人的相互反応を調節する多彩な非言語的行動の使用の著明な障害
　　(2) 発達の水準に相応した仲間関係を作ることの失敗
　　(3) 楽しみ，興味，達成感を他人と分かち合うことを自発的に求めることの欠如（例：他の人達に興味のある物を見せる，持って来る，指差すなどをしない）
　　(4) 対人的または情緒的相互性の欠如

B. 行動，興味および活動の，限定的，反復的，常同的な様式で，以下の少なくとも1つによって明らかになる．
  (1) その強度または対象において異常なほど，常同的で限定された型の1つまたはそれ以上の興味だけに熱中すること
  (2) 特定の，機能的でない習慣や儀式にかたくなにこだわるのが明らかである．
  (3) 常同的で反復的な衒奇的運動（例：手や指をぱたぱたさせたり，ねじ曲げる，または複雑な全身の動き）
  (4) 物体の一部に持続的に熱中する．
C. その障害は社会的，職業的，または他の重要な領域における機能の臨床的に著しい障害を引き起こしている．
D. 臨床的に著しい言語の遅れがない（例：2歳までに単語を用い，3歳までにコミュニケーション的な句を用いる）．
E. 認知の発達，年齢に相応した自己管理能力，（対人関係以外の）適応行動，および小児期における環境への好奇心について臨床的に明らかな遅れがない．
F. 他の特定の広汎性発達障害または統合失調症の基準を満たさない．

299.80　特定不能の広汎性発達障害（非定型自閉症を含む）
Pervasive Developmental Disorder Not Otherwise Specified (Including Atypical Autism)

　このカテゴリーは，対人的相互反応の発達に重症で広汎な障害があり，言語的または非言語的なコミュニケーション能力の障害や常同的な行動・興味・活動の存在を伴っているが，特定の広汎性発達障害，統合失調症，失調型パーソナリティ障害，または回避性パーソナリティ障害の基準を満たさない場合に用いるべきである．例えば，このカテゴリーには，"非定型自閉症"——発症年齢が遅いこと，非定型の症状，または閾値に達しない症状，またはこのすべてがあるために自閉性障害の基準を満たさないような病像——が入れられる．

〔髙橋三郎，大野裕，染矢俊幸（訳）：DSM-Ⅳ-TR 精神疾患の分類と診断の手引（新訂版）．pp55-59，医学書院，2003〕

【DSM-Ⅳからの変更点】

特定不能の広汎性発達障害

　1つの発達障害(すなわち,対人的相互反応の発達,コミュニケーション技能,常同的な行動,興味,活動)のみに広汎性発達障害が存在する症例にこの診断名が不用意に使用されるという誤りを訂正するために定義が変更された.これにより,定義では,対人的相互反応の障害とともに,コミュニケーション技能の障害,もしくは常同的な行動,興味,または活動の存在を伴う必要があるとされている.

〔髙橋三郎,大野裕,染矢俊幸(訳):DSM-Ⅳ-TR 精神疾患の診断・統計マニュアル(新訂版). p792, 医学書院, 2004〕

【参考:DSM-Ⅳ】

299.80　特定不能の広汎性発達障害(非定型自閉症を含む)

　このカテゴリーは,相互的人間関係または言語的,非言語的意志伝達能力の発達に重症で広範な障害のある場合,または常同的な行動,興味,活動が存在しているが,特定の広汎性発達障害,精神分裂病,分裂病型人格障害,または回避性人格障害の基準を満たさない場合に用いるべきである.例えば,このカテゴリーには,"非定型自閉症"——発達年齢が遅いこと,非定型の症状,または閾値に達しない症状,またはこのすべてがあるために自閉性障害の基準を満たさないような病像が入れられる.

〔高橋三郎,大野裕,染矢俊幸(訳):DSM-Ⅳ精神疾患の診断・統計マニュアル. p93, 医学書院, 1996〕

診断基準 DSM-5（米国精神医学会草案，2011年1月26日改訂）

A09 自閉症スペクトラム障害　Autism Spectrum Disorder

　　A，B，C，およびDの基準を満たさなければならない．
A．さまざまな状況において持続する対人的コミュニケーションおよび対人的相互交流の障害で，全般的な発達の遅れでは説明できず，以下の3項目すべてによって示される：
　1．対人-情緒的な相互性の障害；その範囲は，興味，情緒，感情，反応を他者と共有することの減少によって生じる正常でない対人的接近や正常な会話のやりとりの失敗から，対人的相互交流を開始することの完全な欠如，にまで及ぶ．
　2．対人的相互交流のために用いられる非言語的コミュニケーション行動の障害；その範囲は，アイ・コンタクトやボディ・ランゲージの異常，あるいは非言語的コミュニケーションの理解や使用の障害によって生じる統合の不十分な言語的および非言語的コミュニケーションから，表情や身振りの完全な欠如，にまで及ぶ．
　3．発達水準に相応した，仲間関係を築くことと維持することの障害（養育者との関係以外で）；その範囲は，ごっこ遊びの共有や友人を作ることが難しいことから生じるさまざまな社会的状況で適切にふるまうために行動を調整することの困難から，人への関心の明らかな欠如，にまで及ぶ．
B．行動，興味，および活動の限局された反復的な様式で，以下の少なくとも2つによって示される：
　1．常同的あるいは反復的な言語，運動，あるいは物の使用；（例えば，単純な常同運動，エコラリア，物の反復的な使用，あるいはその人独自の言いまわし）．
　2．習慣や言語あるいは非言語的行動の儀式的パターンへの過度のこだわり，あるいは変化に対する過度の抵抗；（例えば，儀式的動作，同じ道順や食べ物への要求，反復的な質問，あるいはささいな変化に対する極度の苦痛）．
　3．強度あるいは対象において異常なほどの限局的で固着した興味；（例えば，普通ではない物への強い執着や没頭，極めて限局的あるいは固執的な興味）．
　4．感覚情報に対する反応性亢進あるいは反応性低下，あるいは環境の感覚的側面に対する異常なほどの興味；（例えば，痛み／熱さ／冷たさに対する明らかな無反応，特定の音や感触に対する拒絶反応，過度に物のにおいを嗅いだり，触ったりすること，光や回転する物体に対する没我的興味）．
C．症状は児童期早期に存在しなければならない（しかし，周囲からの社会的要求が能力の限界を超えるまでは完全に明らかとはならないかもしれない）．
D．症状全体で日常生活の機能を制限し，損なう．

【編注：DSM-IV-TRからの変更点】
下位分類がすべてASDの大カテゴリーに含まれた点，3領域が2領域になった点（対人とコミュニケーションがまとめられた），反復常同の領域に感覚過敏／鈍麻というこれまで診断基準に含められていなかった項目が含められた点，などが大きな変更点である．

自閉症スペクトラム障害の診断アルゴリズム

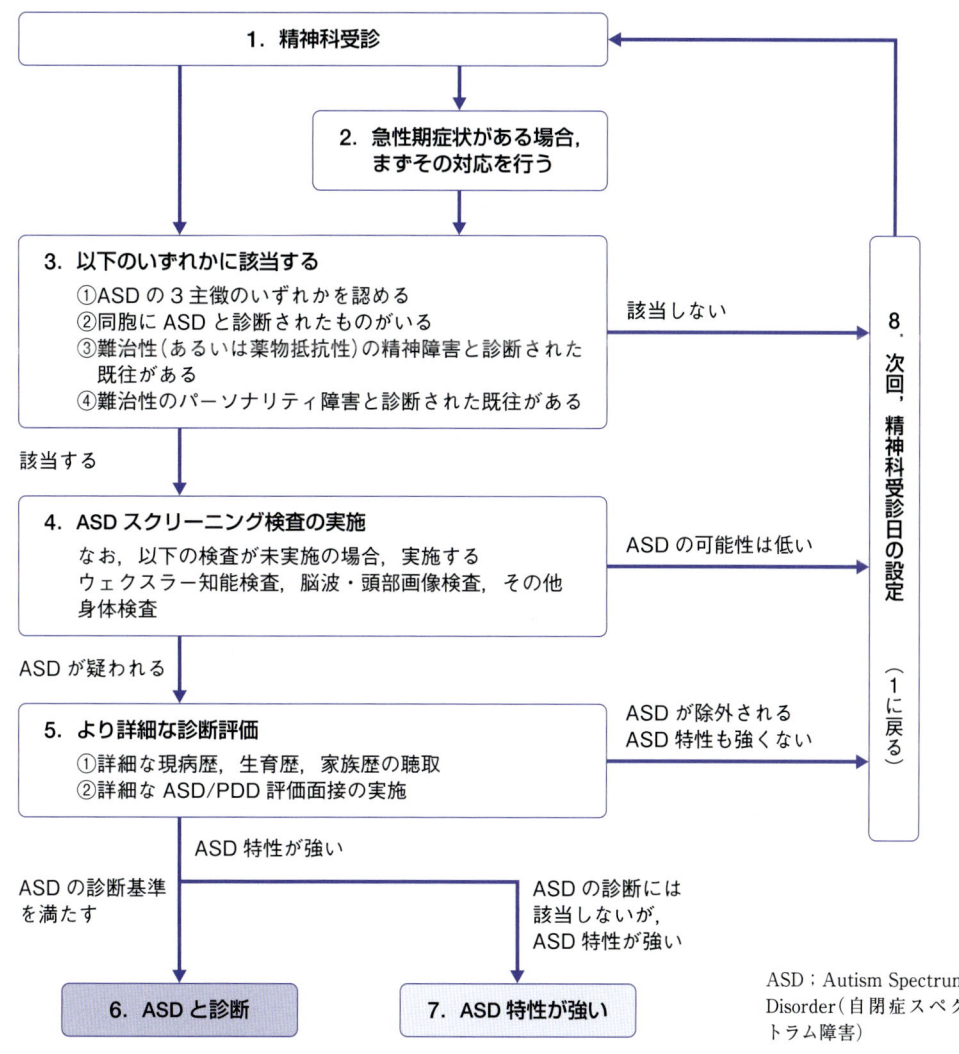

2. 急性期症状は，精神運動興奮，重篤なうつ状態，希死念慮，などを含む．
3. ①のASDの3主徴には(1)対人相互交流の質的障害，(2)コミュニケーションの質的障害，(3)行動，関心，活動にみられる反復的および常同的パターン，がある．③の難治性（あるいは薬物抵抗性）の精神障害には，統合失調症・気分障害・強迫性障害・不安障害などが含まれ，詳細は「第6章　成人期におけるASDの鑑別診断」(p44)を参照．④難治性のパーソナリティ障害に関しては「第7章　発達障害とパーソナリティ障害」(p52)を参照．
4. ASDスクリーニング検査としては，PARS(幼児期項目のみ)，AQ-J(本人用)，SRS-A(本人用と親・家族用)などを行う．詳細は「第5章　ASD/PDD評価尺度」(p38)を参照．
5. ①の詳細な現病歴，生育歴，家族歴の聴取にあたっては「第2章　ASDに特有な認知および言語特性」(p15)「第3章　ASD特性に応じた面接の工夫」(p25)「第4章　診断面接について」(p31)を参照．②詳細なASD/PDD評価面接にはPARS，ADOS，ADI-Rなどが含まれ，詳細は「第5章　ASD/PDD評価尺度」(p38)を参照．
6. ASDと診断後は，合併精神障害・パーソナリティ障害も含めた総合的な診断〔第6章(p44)，第7章(p52)を参照〕を行い，治療方針を決定する．治療については，第8章(p56)以降を参照．
7. 6.に準じて総合的な診断と治療方針の決定を行う．
8. ASDとは診断できないが，精神科受診にいたった問題に対する対応を行う．

（高橋秀俊）

解説編

第1章

精神科医療で出会う自閉症スペクトラム障害のあるおとなたち

はじめに

近年,精神科を受診する成人患者の中で自閉症スペクトラム障害(autism spectrum disorder；ASD. 臨床的には,アスペルガー症候群,アスペルガー障害,高機能自閉症,あるいは広汎性発達障害など,さまざまな用語が使われている)と診断されるケースが増えてきた.診断する医師によってもさまざまに診断名が変わる患者たちは,呼ばれる名前が何であろうと,対人交流の障害,話し言葉の特異性,反復的儀式的行動の特徴的な3症状をもっており,症状の程度によって自閉症スペクトラム(図

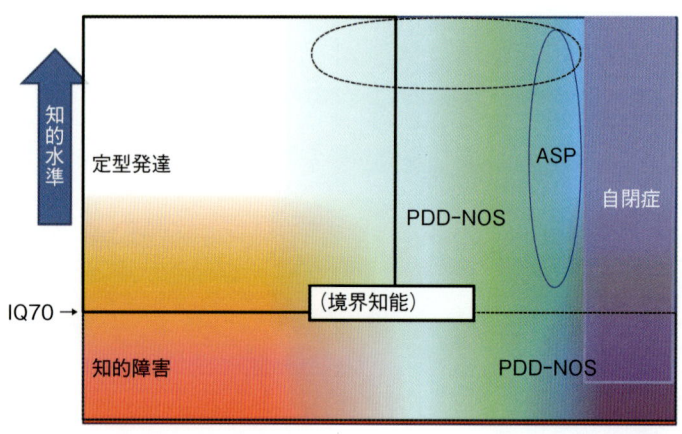

図1-1 自閉症スペクトラム
自閉症スペクトラムは知能水準と無関係に現れ,大部分は正常範囲の知能の人々にみられる.自閉症スペクトラム診断の下位分類は自閉症症状の数と程度でほぼ決まるが,実際はその程度はなめらかに連続する.あたかも,虹の7色の光は私たちの目には違う色の帯として見えるが,実際はその波長の短い赤から長い紫までなめらかに連続するのに似ている.
ASP：アスペルガー症候群,PDD-NOS：特定不能の広汎性発達障害
〔神尾陽子：自閉症スペクトラムと発達認知神経科学.岩田誠,河村満(編)：発達と脳—コミュニケーション・スキルの獲得過程.p21,医学書院,2010より一部改変〕

1-1）の上のどこかに位置づけられる．読者のみなさんが，以前に言語のない自閉症の子どもに会ったことがあるとすれば，そのケースは図1-1の右下に位置づけられ，一方，現在精神科医療現場でひどく対応に苦労している，見たところ自閉的に見えない高学歴の成人患者は縦中央ラインのあたりの上部（◯で示したあたり）に位置づけられる．言語をもたない自閉症児と社会適応に苦しむ高学歴の成人患者という2人は，一見，共通点がなさそうであるが，同じ自閉症スペクトラムに含まれるという考え方は，大雑把であいまい，非論理的，非科学的に思われるかもしれない．

　みなさんが出会うASD成人患者の多くは，次に挙げるシンイチのように，上の2人の中間に位置するのではないだろうか．たいていは児童期に学校生活で不適応があったとしても学業成績が良かったために問題視されず，大学あるいは職場で初めて社会的不適応が露呈し，ようやく精神科受診に至るという経過を辿っている．

男性症例　シンイチ
　シンイチは赤ちゃんの頃は神経質で，夜はちょっとした物音でも目をさまして泣いていた．幼児期は本が好きで一人でも遊べる，手のかからない子どもだった．ただ気に入らないとかんしゃくを起こすので，好きにさせていた．幼稚園に行くのをいやがることはなく，保母たちには個性的な子どもと評されていた．その頃通っていた英語塾では，表記も発音も正確で優秀な成績だったので，自慢の子どもだった．小・中学校時代には学校でいじめもあったようだが，親にはあまり話さず学校を休むこともなかった．高校時代には途中から成績は下がったものの，大学に合格した．入学後実家から離れて一人暮らしを始め，大学生活への期待に胸をふくらませて張り切っていた．大学では高校までとは違う生活にとまどったが，友達を作ろうとサークル活動など努力した．ところが，努力が裏目に出ることが続き，次第に疎外感を抱くようになった．そのうち何に対しても意欲を持てなくなり，自ら，大学の診療所を受診し，アスペルガー症候群と診断された．いったんは卒業を目指したが，結局中退し，実家に戻って地元の精神科クリニックに通院することにした．自らの障害について主治医から説明を受けたことで，本人はむしろ安堵したと言う．これまでは自分が他人と違うことに劣等感を持ち，自分の変なところをカモフラージュして「普通」のふりをして生きてきた．それが，ようやく自分が他人と違う理由がわかり，そういう自分にも誇りを持てる気持ちになったと言う．もともと好きだった声優を夢見てアニメに没頭する日々を過ごす一方で，主治医の勧めで作業所に通い始めるようになった．一方，家族は初めて知る事実にショックを受け，障害に気づかないできた過去への後悔の念や，優秀で自慢だった過去とのギャップに圧倒されて感情的に混乱し，なかなか現実を受け止められないでいた．これまで本人は親に従順で受動的であったのが，作業所職員や医療スタッフらと現実の課題を話し合ううち，前向きに現実的な選択肢を考えられるようになっていった．3年後，企業の一般就労に至った．

　シンイチのように，少し変わっていると周囲が思っていても，おとなしく成績が良かったために家族や教師の注意を引かなかったケースでは，「どうして自分は何をやっても他人と違うのか」と悩んだ末，本人の意志でようやく受診する場合が少なくない．シンイチの場合，主治医の的確な診断と本人が納得できる障害の説明によって，彼は自己の尊厳を取り戻し，不適応の悪循環を断って再び社会参加への道を歩み始めた．

すべての未診断ASD成人患者の診療がこのようにスムースにいくとは限らない．家族からの生育歴や情報が得られない，本人の話以外に判断材料がない，本人とのコミュニケーションもかみ合わない，使用可能な客観的評価尺度がほとんどない，という状況の中で行わねばならないASDについての臨床判断は，ピースの足りないパズルを組み立てる作業のようである．さらに，多くの場合は合併精神症状がASD症状に重なり，臨床像も複雑で，それを解きほぐすのは，ミステリーの謎解きのように想像力を駆使しないといけない．文献を当たっても，ASD成人に対する医学的治療のエビデンスはほとんど見当たらない．それなのに，治療には普通の何倍も時間がかかり，時間をかけても信頼関係が築けたかどうかも確信を持てない．加えて，福祉サービスの要否の検討や紹介手続きも手順がわかりにくい．こんな奇妙な患者はこれまでの臨床訓練で教わったこともないし，できれば「専門医」にまかせておきたい，と敬遠されるのも無理もないかもしれない．

ところが，「専門医」はどこにも存在しないのである．発達障害の経験が豊富な児童精神科医が熟知しているのは，親が心配して受診させるASDの子どもたちであって，彼らが成人した姿はよく知っているかもしれないが，成人になって初めて受診するASD患者をそう経験しているわけではない．むしろ，ASDのある成人患者を最も診ているのは，一般精神科医の読者のみなさんなのかもしれない．そして，これからの一般精神科臨床においてASDのある成人患者は，無視できない患者層となっていくと思われるのである．

本章では，ASDについて今日明らかとなっている基礎知識を整理し，続いて，ASD患者にとってよき理解者として治療的にかかわる上で重要と考えられる3つのポイント(スペクトラム，合併精神障害，治療可能性)に分けて，歴史的背景を振り返りながら簡潔に述べる．

ASDについてのファクト

有病率

報告されているASDの有病率のほとんどは児童を対象としたもので，成人の有病率は，2007年に行われた英国の疫学調査まで知られていなかった．それによると，ASD全体で約1%[1]と，児童のそれ[2]と変わらなかったことから，ASDの有病率は加齢によって変動がないことがわかった．またASD成人の多くは未診断で，合併症状に対しても未治療のままであることも明らかになった[1]．

本書で取り上げるのは主に知能が高い高機能ASD[注]で，経験上，その大半はアスペルガー障害と臨床診断がなされていると推測される．ところが，実際には，診断を厳密に行った疫学研究によれば，アスペルガー障害の有病率は2.5/10,000人程度と，自

注：「高機能」の正式な定義はなく，多くの場合，知能指数が70以上の場合を含めるが，85以上として対象を狭く限定して使用される場合もある．

閉症の約1/4，特定不能の広汎性発達障害(pervasive developmental disorder not otherwise specified；PDD-NOS)の約1/6で，厳密にはDSMのアスペルガー障害の基準に合致する人は少ないことがわかる[2]．つまり，臨床場面で出会うASDのある成人患者の多くは，厳密にはアスペルガー障害の診断基準を満たさない，もっと軽微な症状のPDD-NOSか，あるいはさらに軽微な閾下レベルの人々と考えられる(実際のところ，このような下位区分はあまり重要ではないが)(図1-1)．

病因

多因子・多遺伝子遺伝と考えられている．

自閉症スペクトラム障害は遺伝するのでしょうか？

　現在までに数多くの家族研究，特に双生児研究が行われ，自閉症スペクトラム障害(autism spectrum disorder；ASD)に遺伝要因が関わっていることが指摘されており，兄弟間での一致率は3％から14％といわれています．
　HallmayerらによるCalifornia Autism Twins Study[1]によると，遺伝要因および環境要因がともに有意にASDのリスクを増加させるとされており，ここでいう環境要因としては，両親の年齢，出生時低体重，多産，妊娠中母体感染症などが挙げられています．一卵性双生児でのASDの一致率は約50〜80％であり，二卵性双生児でのASDの一致率は約30〜40％でした．またこの研究において，ASDにおける遺伝要因が38％，妊娠中や新生児期早期の環境要因が58％と推定され，さらには男女において有意な差は認めなかったとされています．
　これまでの知見を総合すると，ASDがいかに遺伝要因と関わっているとはいえ，環境要因のほうがより高いことや，ASDの原因遺伝子は単一ではなく，複数の遺伝子や環境要因が複合的に絡み合い影響すると考えられます．さらに，臨床においてASDの家族に，広汎性発達障害の診断基準を満たさないまでも類似した特性をもつ家族がいることが少なくないこともいわれており，いわゆる遺伝病とはまったく事情が異なることがわかります．このように考えると，障害の遺伝というより，その特性の遺伝と考えてもいいのかもしれません．

引用文献
1) Hallmayer J, Cleveland S, Torres A, et al：Genetic heritability and shared environmental factors among twin pairs with autism. Arch Gen Psychiatry 68：1095-1102, 2011

(山室和彦)

臨床経過と予後

　高機能 ASD に限ると，知能や言語の発達に明らかな遅れがないため気づかれるのがしばしば遅れるが，同年齢集団では対人的不器用さが目立ち，いじめを受けやすい．表情，視線，姿勢，声の抑揚などが独特で，場面の空気が読めない，常識的なふるまいができない，親しい友人を作れない，会話のマナーがわからない，融通がきかない，変わった趣味を持つ，などは成人になってもあまり変わらない，あるいは年齢不相応なためよけいに目立つ．注意欠如・多動性障害 (attention-deficit/hyperactivity disorder；ADHD) や，うつ病や不安障害など合併があると適応上，いっそう深刻である．その一方で，高い知能でこれらの短所をある程度カバーして，特殊な才能を活かして特殊な分野で職業人として成功する人々もいる [9]．

　高機能 ASD の人々の長期予後は，就業，学歴，居住形態など従来の判定基準では，精神遅滞を伴う ASD と比べると相対的に高い [4] が，主観的には決して満足いくものとなっていない．持てる能力を発揮して社会参加できているかという観点 [19] や，自分自身の人生についての目標や期待に照らしたクオリティ・オブ・ライフ (quality of life；QOL) の観点からは，症状が軽いことや高い IQ はそのような主観的な予後と無関係であった [7, 21]．むしろ，ニーズにあった支援を受けていることや，支援の早期開始，さらに児童期から成人期まで継続した支援があることなどの支援状況が成人後の QOL や社会参加状況を有意に向上させることがわかっている [7, 12, 19, 21]．

広汎性発達障害から自閉症スペクトラム障害へ

　精神科患者には，ASD 特徴がはっきりと認められ診断が比較的容易な患者から，ASD 的な特性が微妙な程度に窺われ，診断か個性か迷う患者まで実に幅が広いことに気づいている読者もいるだろう．自閉症スペクトラムを理解することは，一見，曖昧模糊としたように見える自閉症をめぐるさまざまな疑問を解き明かす重要な手がかりとなる．ここでは，スペクトラムという考え方が定着するまでの歴史的変遷について，主に精神医学における位置づけという観点から簡単に振り返ってみることにする．

精神病から発達障害へ

　自閉症が国際的診断体系に正式に採用されたのは，1943 年の Kanner による報告から 20 年以上経った ICD-8 が最初で，「幼児自閉症」の名称が与えられ，統合失調症の一亜型としてであった．その後，自閉症概念が大きく変化し，精神病から今日の発達障害というカテゴリーにシフトしたのは，1980 年の DSM-Ⅲ からである．DSM-Ⅲ では広汎性発達障害 (pervasive developmental disorders；PDD) という大カテゴリーが作られ，DSM-Ⅲ-R ではそのサブカテゴリーに PDD-NOS があらたに追加された．PDD-NOS は自閉症の診断閾下に相当する，症状の程度や数という点でより軽度なバリエーションから成っており，DSM が症状の幅を認めたことを意味し，スペクトル概念が反映されたと考えられる．

アスペルガー症候群の「発見」と精神医学体系への登場

1944年に小児科医であったAspergerが人格類型として記述したのは児童症例だったが，今日の「アスペルガー症候群」の名付け親は，成人して初めて精神科を受診した症例の中にその子どもたちの姿を重ね合わせた精神科医のWing[26]である．彼女は，自閉的な特徴を持ちながらも文法的に正しく話し，自閉症ほど孤立や対人無関心を示さなかった子どもたちが，学校時代に仲間はずれを経験し，青年時代には他の人々と違う自己を意識するようになり，成人になるとうつや不安のリスクが高まるといった成長のプロセスをたどることに注目し，それまで一般精神医学の関心の対象外であったアスペルガー症候群の成人に精神科医の注意を喚起した．また児童期に自閉症と診断された子どもが，成人してアスペルガー症候群と診断される移行例もあることから，アスペルガー症候群は横断的に自閉症と近似するだけでなく，縦断的な連続性もあることを示した．その結果，DSM-ⅣではPDDの新しいサブカテゴリーとして「アスペルガー障害」(アスペルガー症候群)が入ることとなった[10]．

DSM-Ⅳ-TRからDSM-5へ(前付pp xviii～xxii参照)

DSM-Ⅳ-TRでは，PDDのサブカテゴリーの自閉症，アスペルガー障害，PDD-NOSはそれぞれ症状の程度と数で操作的に定義されている．しかしながら，明確な科学的エビデンスに基づく境界があるわけではないので，どこから「顕著な障害(impairment)」となるのかはどうしても主観的になってしまう．治療や教育上の観点からは，これらの区分はニーズと必ずしも対応しない．実際のところ，それらの関係については，図1-1に示すように，自閉症から，アスペルガー障害，そしてPDD-NOSへと，症状程度により重度から軽度まで連続的に移行すると考えられている．こうした事情より，2013年に改訂が予定されているDSM-5では自閉症，アスペルガー障害，小児期崩壊性障害，PDD-NOSなどのサブカテゴリーはなくなり，すべてASDに包含されることになり，ASD内での症状の幅は客観的に評価で補うことが必要とされる．

グレーゾーン(軽症ASDあるいはASD閾下)の臨床的意義

ASDは，定型発達とは行動レベルでも，神経生物学的レベルでも，明らかに質的な差異が示されている，妥当性のある障害である．しかしながら，図1-2に示すように，ASDと定型発達との間に1本の境界線を引くことは困難で，その境界領域(男子では53～80点，女子では52～72点のあたり)にはASD診断閾上のケースの少なくとも3倍ものASD閾下ケースが存在することが一般児童集団を対象とした大規模な研究からわかってきた[8]．

ASDと合併精神疾患

ASD患者の多くは，なんらかの一般的な精神障害(うつ病や不安障害など)を合併

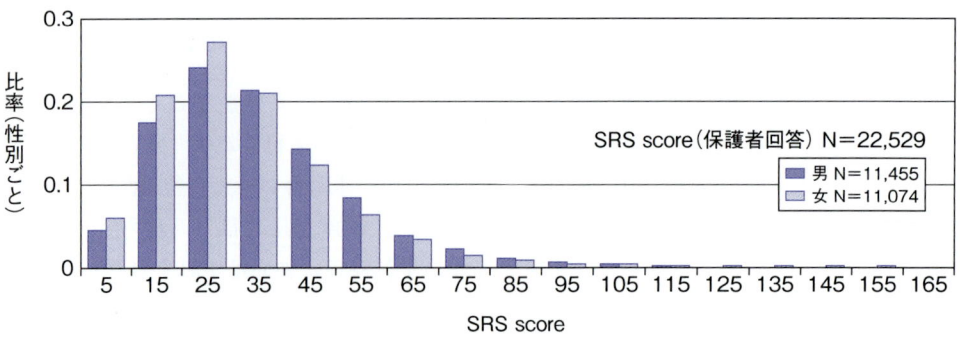

図 1-2　一般児童における自閉症的行動特徴の連続的分布
全国の通常学級に在籍する小・中学生 22,529 名について，国際的に妥当性が示されている対人応答性尺度（Social Responsiveness Scale；SRS）得点を横軸に，男女別の人数の頻度を縦軸に示した．SRS 日本語版もまた，自閉症的行動特徴の程度を連続量で示す行動尺度である [16]．分布図が示すように，子ども全体に分布する自閉症的行動特徴は，なめらかで連続的な分布を示しており，恣意的なカットオフ値で障害の有無を区分することは非常に困難であることがわかる．保護者回答 SRS の得点が男子で 81 点，女子で 73 点を超えると（児童全体の 2.5％ が相当），PDD-NOS が強く疑われる．男子で 53.5 点，女子で 52.5 点を超えると（児童全体の約 10％ が相当），ASD 閾下や軽症 ASD が疑われる．

しており，ASD のない精神科患者同様，精神科本来の治療ニーズを有している．言いかえれば，精神科医が医療場面で，合併精神障害のない，いわば「まじりっけのない」ASD 成人と出会うことのほうがむしろ稀なのである．よくある誤解の一つに，「発達障害は治らないので，医療でできることはない」というものがある．「発達障害は治らない」というのも誤りであるが，ここでは，「医療でできることはある」ということを強調しておきたい．実際に，精神科医療機関を受診し，高機能 ASD と診断された患者のうちの多くは，合併精神障害と関連した症状を主訴としており [15]，主訴からは ASD の有無は簡単には判断できない．パリとグーテンベルグの発達障害専門医療機関の受診患者の調査 [3] では，高機能 ASD 患者 122 名のうち，アスペルガー障害 67 名と PDD-NOS 50 名の患者全員に少なくとも 1 つ以上の DSM の I 軸障害が認められた〔第 6 章図 6-2(p49)参照〕．原点に戻れば，アスペルガー症候群成人を紹介した英国の Wing [26] の 34 症例も，同じく英国の Tantam [24, 25] の 40 症例も，やはりその多くはうつ病などの精神障害や問題行動を合併し，青年期以降初めて精神科を受診に至った人々であった．このように，ASD 成人と精神医療の接点は，合併精神障害だと言っても過言ではない．

　ASD のある人々のうち，精神科医療機関にアクセスのある人々はほんの一部に過ぎず [9]，前述のデータは氷山の一角を見ているだけ，という可能性もある．では地域に暮らす ASD のある人々全体を考えたとき，どのくらいの割合で ASD 以外の精神障害に罹患するのだろうか．前述の英国の疫学調査 [1] はまだ ASD 成人の合併精神障害に関するデータを発表していないので，臨床サンプル以外の ASD 成人については現在のところほとんどわかっていないが，児童についてはわずかだが国内外の報告がある．英国の大規模な疫学調査 [22] によると，地域に暮らす児童のうち，ASD と診断

された児童の約70%に少なくとも1つ以上のDSMのⅠ軸診断に該当する精神障害が認められた．東京の疫学調査[17]は，小規模である点，精神遅滞のないASD児のみを対象としている点，など英国の調査と方法に違いはあるが，その結果はきわめて似ており，約70%の高機能ASD児に少なくとも1つ以上のDSMのⅠ軸診断が認められた．いずれの調査結果でも，最多は，不安障害で，次いでADHDであった．また彼らの多くは未診断，未治療であった．一方，発達障害者支援センターなどの福祉サービスを利用する高機能ASD成人154名を対象とした全国調査からは，約4割の人々が医療機関で合併精神障害の診断を受けていることがわかった[7]．今後，ASD患者の受診が増加すれば，さらに未診断，未治療であった合併精神障害の診断が増えていくことが推測される．

合併精神障害の発症には，遺伝要因も環境要因も影響すると考えられている．ASD患者のうつ病と不安障害の好発は繰り返し指摘されているが，うつ病患者あるいは不安障害患者全体のどのくらいにASDが存在するかというデータはまだない．強迫的色彩の強い不安，すなわち心気症，離人症，強迫性障害，摂食障害などの強迫スペクトルにはASD親和性があるようである．しばしばASDを「1次障害」，合併精神障害を「2次障害」と称することがあるが，これらの「1次」「2次」には，実際のところ，なんらかの因果関係を示す根拠はないので，明らかに因果関係が認められる場合以外は，1次，2次と区別せず，単に，密接な相互関連性が存在する，と言うのが妥当と考えられる．今後，研究が進んでいけば，両者の間の関連性が明らかになる可能性がある[14]．ただし，ASDの合併精神障害の治療には，薬物以外の環境調整や教育的な介入は必須であり，たとえ薬物治療だけで症状の軽減が一定程度達成できたとしても，長期的な社会適応やQOLの改善は望めない．

ASD患者が抱えている合併精神症状を的確に診断するには，次章以降で述べるようなASD特性についての理解と，鑑別診断の際の知識が求められ，少しばかり複雑な作業となる．そのうえ，合併精神障害を有するASD患者の治療過程については，エビデンスが乏しく，残念ながら現時点では標準的治療といったものは確立していない．その代わり，臨床経験に基づく判断に頼った，根気のいる作業となる．臨床的エビデンスがあまりにも乏しいという事実は，今日の自閉症研究の飛躍的な発展と比べて大きなギャップがあり，自閉症研究は一体何をやっているのだ，と苛立ちを感じる方もおられるだろう．実際，最近の自閉症研究の流れは，ASDの多様性を認識して[6]，多様化しているが[11]，これまでの研究の多くが自閉症の病因の特定や病態解明に向けられていたため，合併精神障害がある自閉症者をわざわざ対象から除外するなどして，「まじりっけのない」自閉症者のみを対象とし，現実にはASDの大半を占める合併精神障害のあるASD者は研究の関心外に放置されてきたのは事実である．

精神科治療では一般の患者に対しても心理教育は欠かせないが，ASD患者への説明は医師からすれば十分と思えても，実際にはこちらの意図する通りに患者に伝わっていないこともしばしば経験する．時にはASD本来の変化への抵抗と状況理解の融通の利かなさから，「治療抵抗性」という印象を受けることすらある．精神遅滞を伴う自閉症成人では，ダウン症候群と比べて，一度発症した問題行動は回復しにくく，年

余にわたって持続する傾向があることが指摘されている[20]．そのため，ASD患者では行動パターンを変えていくことに主眼を置く必要があるが，精神科患者の大半を占める高機能ASD成人では，言語を用いて認知に介入することが重要となってくる．ASD患者にしばしば見られる慢性化した精神症状や固定化した行動上の問題への対応には，これまでの研究成果に裏付けられたASD者の認知特性の理解とそれに基づく非薬物的な行動介入がきっと役に立つはずである[13]．

■ そして，ASD成人は変わっていく

再び，「発達障害は治らないので，医療でできることはない」というよくある誤解に戻り，真実を確認してみよう．第1に，前述の通り，高頻度で合併する精神障害の症状は精神医学的治療のターゲットになりうる．対症療法と並行して，ASDと合併精神症状についての心理教育的指導をしてさらに症状モニターを続ければ，再発予防につながる．第2に，発達障害は「治る」と言ってしまうと語弊があるが，わが国でも早期からの支援がASDの中核症状である対人コミュニケーションの改善に有効であることを示すエビデンスは報告されており[5]，一部のケースではあるが長期予後の良好な症例が注目されている[23]（後述の症例マサトはその1例）．ASD児の行動改善を裏付ける脳メカニズムは明らかではないが，行動改善と並行あるいは先行して脳構造および脳機能の変化が生じる可能性が示唆されている．最近，神経の走行状態を可視化しその程度を算出する拡散テンソル画像（diffusion tensor image；DTI）を用いた研究[18]によって，発達障害児（読みの障害）の治療前後で読みが改善しただけでなく，大脳皮質間の神経結合性も改善したことが示された．この報告からは，人の脳の長い成熟過程において神経可塑性はこれまで考えられていたよりも大きく，そしてほとんど変わらないと信じられてきた発達障害の症状もまた，ライフステージを通して変わりうる可能性が示唆される．より生物医学的な方向を目指すDSM体系が，第Ⅳ版でPDDをⅡ軸（人格障害と精神遅滞）からⅠ軸（臨床症候群）へ移動させた理由もこの治療可能性にあるのかもしれない．

■ 最後に

ASD成人患者に対して精神科医療は何ができるのか，何をしなくてはならないか，という観点から，いくつか鍵となることを整理した．発達障害のある人は，児童期から成人期まですべてのライフステージを通して，医療だけでなく，保健，福祉，教育とあらゆるサービスによる支援を必要としている[12,13]．たとえ，医療が無力に思えるケースであっても，こうした慢性的な障害では，他の領域との連携を続けることによって一見，症状に変化がなくてもQOLが向上することが知られている．次に挙げる症例は，医療としては無力感を抱いた筆者にそのことを教えてくれ，支援者としての喜びを与えてくれた自閉症ケースである．

男性症例　マサト

　マサトは幼児期に高機能自閉症と診断され，集団療育に参加を始めた．小学校普通学級に上ってからは，クラスで原因不明のパニックをしばしば起こし，からかいの対象となりやすく，断続的に発熱やチックを繰り返した．両親は定期的に主治医（児童精神科）に相談しながら，パニックの原因となる状況を推測して，そのつど具体的な対処方法と社会ルールを教えることを根気よく続けた．また休日には，地域のスポーツ教室など家族で参加できる活動を見つけて，家族みなで社会経験を楽しみながら共有するよう努めてきた．この頃のマサトにとってはどのような機会も親の翻訳なしでは，「社会的」なものとはならなかったからである．中学校でも成績は上位で学校からは特に問題を指摘されなかったが，家族の希望で教科を担当するすべての教師にマサトの特徴を説明して，学校との密接な連携のもとで見守りを続けた．たまに診察に訪れるマサトは，相変わらず典型的な高機能自閉症の特徴がすぐにわかる少年で，年齢相応の会話になりにくかったが，生活場面での彼は確実に成長を続け，少数だが気の合う友人ができた．予想外のことに直面すると大泣きする癖は残っていたものの，大きなトラブルもなく学校生活が続いた．ストレスが続いても身体化することが減り，本人なりに意識的に対処することが増えた．本人が希望した高校に進学してからは，同級生との会話やチャットに関心が向かい，素直な性格も効を奏して，友人の言動を通して常識的なふるまいを身につけ，友人を大切にして学校生活を楽しむようになった．大学での進路選択は，家族や親族からの助言で親族に多い理工系を選択した．高校を卒業したときに，マサトはこれまでを振り返って，「小学校のいじめはきつかったけど，中学では友だちができ，この学校に通えて本当に楽しかった」と回想している．その回顧の作文は学校でも生徒募集用の広報に取り上げられた．

①成人期の社会適応は必ずしもASDの症状程度と関連しない．自閉症やアスペルガー症候群よりも自閉症状が軽微なPDD-NOSやASD閾下の人々のほうが，社会適応に困難を抱えることも多い．
②ASD成人の長期予後には，合併精神症状の有無や程度，本人の性格，そして家族の援助，専門家・非専門家を問わず支援の継続など，さまざまな要因が影響する．
③ASDの人々への支援は長く続くものである．医療だけでなく，保健，福祉，教育と幅広くかつ長い支援を続けることで，より良いメンタルヘルスとQOLが期待できる．

引用および参考文献

1) Brugha T, McManus S, Bankart J, et al：Epidemiology of autism spectrum disorders in adults in the community in England．Arch Gen Psychiatry 68：459-465, 2011
2) Fombonne E：Epidemiological surveys of autism and other pervasive developmental disorders：An update．J Autism Dev Disord 33：365-382, 2003
3) Hofvander B, Delorme R, Chaste P, et al：Psychiatric and psychosocial problems in adults with normal-intelligence autism spectrum disorders．BMC Psychiatry 9：35, 2009
4) Howlin P. Autism：Preparing for adulthood．London：Routledge, 1997（自閉症：成人期にむけての準備：能力の高い自閉症の人を中心に．ぶどう社，2000）
5) 稲田尚子，神尾陽子：自閉症スペクトラム幼児に対する早期支援の有効性に対する客観的評価：成果と考察．特集「自閉症スペクトラム障害の早期療育への前方視的研究」．乳幼児医学・心理学研究 20：73-81, 2011
6) Kamio Y, Tobimatsu S, Fukui H：Developmental disorders. In Decety J, Cacioppo J（eds）：The

Oxford Handbook of Social Neuroscience(Oxford Library of Psychology). pp848-858, Oxford, Oxford University Press, 2011

7) Kamio Y, Inada N, Koyama T：A nationwide survey on quality of life and associated factors of adults with high-functioning autism spectrum disorders. Autism 17：16-27, 2013
8) Kamio Y, Inada N, Moriwaki A, et al：Quantitative autistic traits ascertained in a national survey of 22, 529 Japanese schoolchildren. Acta Psychiatrica Scandinavica 128：45-53, 2013
9) 神尾陽子：成人の高機能自閉症・アスペルガー症候群の生活像．精神科 7：490-495, 2005
10) 神尾陽子：アスペルガー症候群の概念．統合失調症スペクトラム障害との関連における概念の変遷と動向．精神科治療学 23：127-133, 2008
11) 神尾陽子：自閉症概念の変遷と今日の動向．児童青年精神医学とその近接領域．学会発足50周年記念特集号 50：124-129, 2009
12) 神尾陽子：ライフステージに応じた支援の意義と，それを阻むもの．精神科治療学，特集 発達障害者支援のこれから―自閉症とアスペルガー症候群を中心に 24：1191-1195, 2009
13) 神尾陽子（編著）：ライフステージに応じた自閉症スペクトラム者に対する支援のための手引き．平成19-21年度厚生労働科学研究費補助金（障害保健福祉総合研究事業）「ライフステージに応じた広汎性発達障害者に対する支援のあり方に関する研究：支援の有用性と適応の評価および臨床家のためのガイドライン作成（研究代表者：神尾陽子）」総合研究報告書 別冊．国立精神・神経センター精神保健研究所, 2010. http://www.ncnp.go.jp/nimh/jidou/research/tebiki.pdf
14) 神尾陽子：教育講演 児童期から成人期へ：レジリエンスという視点．児童青年精神医学とその近接領域 52：379-384, 2011
15) 神尾陽子，井口英子：発達障害者と精神科医療の役割：最近の傾向と今後の課題．日本精神科病院協会雑誌 28：14-20, 2009
16) 神尾陽子，辻井弘美，稲田尚子，他：対人応答性尺度（Social Responsiveness Scale）日本語版の妥当性検証：広汎性発達障害日本自閉症協会評定尺度（PDD-Autism Society Japan Rating Scales：PARS）との比較．精神医学 51：1101-1109, 2009
17) 神尾陽子，井口英子，森脇愛子，他：一般児童における発達障害の有病率と関連要因に関する研究①．平成22年度厚生労働科学研究費補助金（こころの健康科学研究事業）「1歳からの広汎性発達障害の出現とその発達的変化：地域ベースの横断的および縦断的研究（研究代表者：神尾陽子）」総括・分担研究報告書, pp17-21, 2011
18) Keller TA, Just MA：Altering cortical connectivity；Remediation-induced changes in the white matter of poor readers. Neuron 64：624-631, 2009
19) 小山智典，稲田尚子，神尾陽子：ライフステージを通じた支援の重要性：長期予後に関する全国調査をもとに．精神科治療学，特集 発達障害者支援のこれから―自閉症とアスペルガー症候群を中心に 24：1197-1202, 2009
20) Melville CA, Cooper S-A, Morrison J, et al：The prevalence and incidence of mental ill-health in adults with autism and intellectual disabilities. J Autism Dev Disord 38：1676-1688, 2008
21) Renty J, Roeyers H：Quality of life in high-functioning adults with autism spectrum disorder. Autism 10：511-524, 2006
22) Simonoff E, Pickles A, Charman T, et al：Psychiatric disorders in children with autism spectrum disorders：prevalence, comorbidity, and associated factors in a population-derived sample. J Am Acad Child Adolesc Psychiatry 47：921-929, 2008
23) Sutera S, Pandey J, Esser EL, et al：Predictors of optimal outcome in toddlers diagnosed with autism spectrum disorders. J Autism Dev Discord 37：98-107, 2007
24) Tantam D：Lifelong eccentricity and social isolation I：Psychiatric, social, and forensic aspects. Br J Psychiatry 153：777-782, 1988a
25) Tantam D：Lifelong eccentricity and social isolation II：Asperger's syndrome or schizoid personality disorder？ Br J Psychiatry 153：783-791, 1988b
26) Wing L：Asperger syndrome；A clinical account. Psychol Med 11：115-129, 1981

（神尾陽子）

自閉症の男性と女性の違い

近年,性差医療という視点から,これまで男性中心に確立されてきた医療体系を見直そうという動きがある.自閉症についても,男性症例をもとに今の診断基準や病態仮説は築かれたと言っても過言ではなく,男性基準を使う限り女性のASD症例を見逃す可能性がある[1].このため近年では性差を踏まえた新たなASD診断基準作りの必要性が認識されている.特に,高機能ASDは,女性の5～10倍男性に多いとされるが,多くの未診断女性ケースが存在するものと推測される.ASDの性差のメカニズムはまだ不明で,自閉症超男性脳仮説[2]やX染色体のゲノム刷り込み仮説[3]などが検討されている.

現時点で,高機能ASD女性についてわかっていることは次の通りである.
- 高機能ASD女性の自閉症状は,幼児期には男児同様はっきりしているが,成長とともに目立たなくなる(本人が意識的にカモフラージュしている側面もある)[4,5].
- 高機能ASD成人女性は,男性よりも自閉症状は軽度である(自覚的な違和感はむしろ男性より強い).外見上はより社交的で,対人コミュニケーションの問題を代償するためか,よくしゃべり,よく書く(自伝作家には,Temple Grandin, Donna Williamsそして森口奈緒美など,内外を通して女性が多い)[5].
- 高機能ASD成人女性は,男性よりも感覚過敏,不器用,不注意が目立つ[5,6].
- 高機能ASD女性は,思春期前後から対人関係(同性,異性を問わず)にかかわるさまざまな問題が顕著になってくる[7,8].
- 高機能ASD成人女性は,男性よりも結婚率は高いが,結婚生活や育児に困難があり,QOLは低い[7,8].
- 高機能ASD女性の認知特徴は,非典型的である.一般的にはASD者は視空間情報処理が得意であることを前提として,構造化を取り入れた支援が有用であるが,ASD女性への有効性は今後検討の余地がある[4,9].

要約すると,とりわけ言語能力の高いASD女性は,高い能力が代償的に働き,発達過程が男性とは異なるようである.一見,おしゃべりで社交的に見える女性は,自閉症に特徴的な対人コミュニケーション障害がマスクされるが,その外見通りには決して内面の満足や自己評価が得られているわけではなく,苦悩を抱えながら懸命に周囲に順応しようと努力していることが窺える.そして,順応に挫折した場合に,摂食の問題や対人関係の問題,飲酒問題,うつ,不安で精神科を受診するかもしれない.あるいは,自らの問題が育児そして子どもの情緒や行動にも影響するかもしれない.子どもの気持ちが読み取れないために子育てがうまくいかなかったり,情報を共有できるママ友仲間に入れなかったり,自身の

問題以上に育児にも助けが必要かもしれない．精神科受診に至った高機能ASD成人女性患者に適切なサポートをするためには，生育歴に潜むASD特性と本人の抱く違和感に敏感になることは，治療者-患者の信頼関係を築き，適切な治療を進めていく際に重要となるだろう．

引用文献

1) 神尾陽子：自閉症にみられる性差．教育と医学 53：85-93，2005
2) Baron-Cohen S：The extreme male brain theory of autism. Trends Cogn Sci 6：248-254, 2002
3) Skuse DH：Imprinting, the X-chromosome, and the male brain；Explaining sex differences in the liability to autism. Pediatr Res 47：9-16, 2000
4) 神尾陽子：アスペルガー症候群の性差による援助の違いは？ 上島国利，三村将，中込和幸，平島奈津子（編）：EBM精神疾患の治療 2010-2011．pp343-347．中外医学社，2011
5) Lai M-C, Lombardo MV, Pasco G, et al：A behavioral comparison of male and female adults with high functioning autism spectrum conditions. PLoS ONE 6：e20835, 2011
6) 笠原麻里，小泉智恵，各務真紀，他：軽度発達障害者の育児支援に関する研究：育児困難予防のための妊娠期からのとりくみ．平成21年度厚生労働科学研究費補助金（障害保健福祉総合研究事業）「ライフステージに応じた広汎性発達障害者に対する支援のあり方に関する研究：支援の有用性と適応の評価および臨床家のためのガイドライン作成（研究代表者：神尾陽子）」総括・分担研究報告書．pp115-120，2010
7) Kamio Y, Inada N, Koyama T：A nationwide survey on quality of life and associated factors of adults with high-functioning autism spectrum disorders. Autism 17：16-27, 2013
8) Wolff S, McGuire RJ：Schizoid personality in girls：A follow-up study：What are the links with Asperger's syndrome？ J Child Psychol Psychiatry 36：793-817, 1995
9) Koyama T, Kamio Y, Inada N, et al：Sex differences in WISC-III profiles of children with high-functioning pervasive developmental disorders. J Autism Dev Disord 39：135-141, 2009

参考文献

・辻井正次，稲垣由子（監）：自閉症スペクトラムの少女が大人になるまで．東京書籍，2010（Nichols S, Marie G：Girls growing up on the autism spectrum；What parents and professionals should know about the pre-teen and teenage years. Jessica Kingsley, 2009）

〔神尾陽子〕

第2章

ASDに特有な
認知および言語特性

　ASDの認知特性については，認知神経学的研究成果からずいぶんと理解が進んだ．現時点でいえることは，ASDのある人々は通常とは異なる独特の仕方で世界を見，聴き，感じ，考えている．つまり，ASDの人々の行動が一見普通と変わらないものであっても，その処理過程や神経基盤が異なっている，ということである．Temple Grandinという，自ら高機能自閉症者で研究者でもある著名な自伝作家が自閉症でない人々をわかろうとして努力してきた自らを喩えて「火星の人類学者」と表現したように，診療の際には，医師自身が火星に降り立った人類学者になったつもりで，ASD患者の言葉，行いの意味を認知特性を考慮に入れて解釈する必要がある．ASDでない患者と同じように，慣習的なやり方で会話していると，思わぬ誤解を招くことになる．ASD患者が語ろうとしていることが何かを理解するには，聞き手は十分に彼らの認知特性に精通した上で，個々の生育歴（客観的な側面だけでなく，どのように経験したかという主観的側面も重要）を知っている（本人から聞く）ことが必要である．

　臨床場面でのやりとりから観察したり，臨床でできる標準的な検査から把握可能な，ASD患者の認知特性は，以下に挙げるような複数の領域にわたる．それぞれの領域間にも得意，不得意（強み/弱み，あるいは山/谷とも呼ばれる）のばらつきがあり，さらに各領域内にも得意，不得意がある．これはそれらの能力の獲得過程が定型発達者のそれと異なるためである．定型発達者では，脳領域間の神経結合が形成されネットワーク化するに伴って，複数の脳領域を基盤とした各領域の能力は同期的に発達していく．それに対して，ASD者では，脳領域間の機能的結合不全があり，アンバランスな神経ネットワーク化をするため，領域間あるいは領域内の能力に得意，不得意が生じる．領域間の能力が極端にアンバランスで，並はずれて優れた才能がある少数例ではサバン能力とよばれるが，たいていは個人内で相対的な能力のアンバランスがみられる．以下に，領域ごとに得意，不得意について，弱み，強み，それらと関連する臨床症状，そして介入のポイントに分けて，簡潔にまとめる．

■ 言語

　高機能ASDでは，一般に言語性IQが高いために言語理解力，コミュニケーション力を過大評価しがちなので注意を要する（図2-1）．知能が高くても，ASDの障害

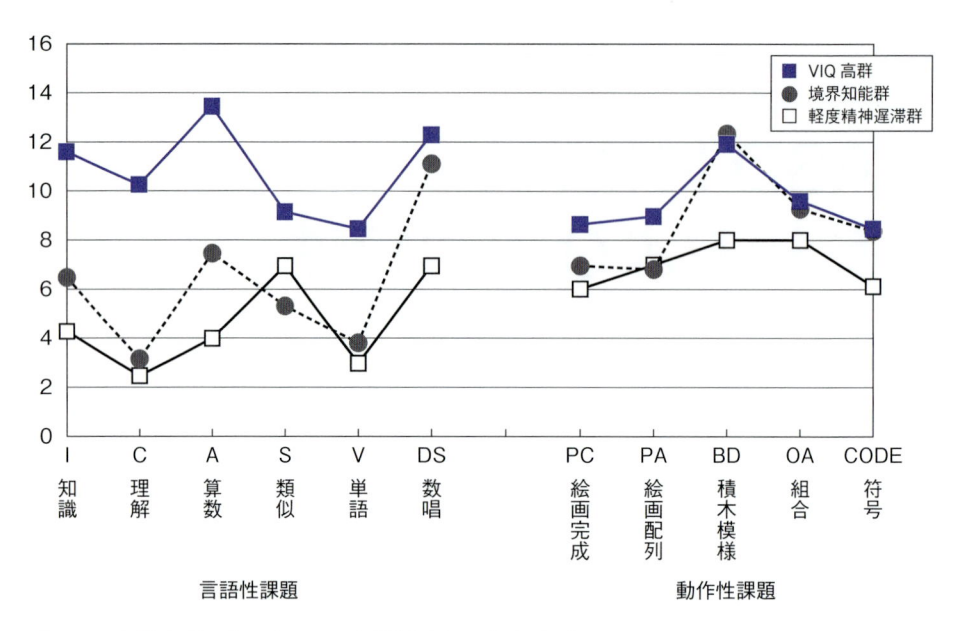

図 2-1　自閉症者のウェクスラー知能検査にみられるプロフィール
VIQ 高群のみ VIQ＞PIQ で，境界知能群と軽度精神遅滞群は VIQ＜PIQ である．VIQ 高群では，典型的自閉症とは異なる言語性課題のプロフィールがそのほかの自閉症群とは異なることに注目されたい．このことは，知能の高い自閉症の人々は必ずしもコミュニケーションに有用ではない言語を独特な学習方法で獲得してきたことを意味している．むしろ，自閉症の特性が IQ 水準に関わらずよく反映されているのは，動作性課題といえるようである．VIQ：verbal IQ, PIQ：performance IQ
（神尾陽子，十一元三：高機能自閉症の言語；Wechsler 知能検査所見による分析．児童青年精神医学とその近接領域 41：32-43, 2000）

の本質は他者との共有，シェアリングのむずかしさにあるので，言語を話す能力と言語を用いて他者と共有する能力は区別されなくてはならない．高機能 ASD 患者が話す内容は，一体何が言いたいのか，まわりくどくてよくわからない場合もあるが，こうした言語を駆使して他者とコミュニケーションをとる際にはさまざまな問題が生じる．またそうした対人トラブルを回避するために話す量が多くなり，時間をとるので聞き手を苛立たせることもある．Kanner[1]は，「自閉症児の話すことばが場にそぐわず意味不明の場合でも，本人にとっては最初に学習した際に特定の事物や場面と結びついたことばであるから，聞き手が努力してその個人的な体験に辿りつけば，なぜそのことばがその場面で選ばれたのかわかる」と述べている．高機能 ASD のある成人患者でも同様のことが言えるだろう．Asperger[2]もまた，「自閉症児のことばの形成の背景には，体験の独自性があり，外界の諸物，諸過程を新しい見方で見る能力を持つ」と，ASD の言語の本質を指摘している．言語機能は，構音，プロソディー（イントネーションなど声の調子），文法，語彙や意味，語用（会話での言語使用法）に細分化されるが，高機能 ASD 成人では，語彙数が豊富で意味に厳密なわりには，語用やプロソディーの問題は努力してもなかなか克服がむずかしい．

弱み

語用：ユーモア，皮肉，暗黙の前提や省略などといった言外の意味を読み取ることが苦手．対人認知と関連した語用，すなわち自分と相手との空間的・時間的関係の理解や視点取りの変換を要することば，例えば，これ/それ/あれ，こちらに/そちら，行く/来る，あげる/もらうなど，の理解や使用が苦手．

プロソディー：イントネーションから相手の感情を理解すること，声の調子で感情を表現すること，声の大きさを適切に調節することなどが苦手．

強み

語彙：語彙量が豊富なケースは多い．文字の意味よりも形（へんやつくり，フォント）の知覚や，誤植やフォントの違いを見つけるのが得意（例外：読み障害の合併の場合）．言葉の意味よりも音の知覚が優位なため，ダジャレなど言葉遊びが上手．一部には，感覚的に研ぎ澄まされた言語センスによって詩的な表現ができる芸術家タイプも存在する．

関連する臨床症状

自然な会話のやりとりが困難．形式ばった言葉遣いなど身近な人との会話にはそぐわない言い回しを独習しており，奇妙な印象を与えることがある．言葉の選び方にひどくこだわる．語用の問題のため，相手がすすんで情報を補足しないと正しく伝わらない．

介入のポイント

対人場面で相手を怒らせる，傷つけるなどの失敗は，言語的コミュニケーション能力の不足によることが多いので，場面に合った適切な言い回し，またはしてはいけない失礼な言い回し，を区別できるようにわかりやすく教える．特に後者は，周囲からの拒絶を減らすのに有用である．

■ 記憶

一部のサバンで，際立っている記憶力や特定の事柄に関する膨大な知識などから，ASDでは一般に記憶が良いという印象があるかもしれない．ところが実際は，記憶領域で優れた検査成績〔ウェクスラー記憶検査（WMS-R）など〕を示すのは，単純なコピー記憶（丸暗記）の場合に限る．日常生活に重要な，必要な時に必要な事柄や出来事の情報を思い出して使うということは困難である．ただし，高機能ASD者においては，こうした日常生活で支障となりうる問題は記憶検査で検知できるほどではない．何を記憶するかに注目すると，ASD者の傾向がはっきりする．たとえば，通常は，対人情動的な出来事や事柄は記憶に残りやすいが，ASD者ではそうではなく，対人情動的に中立な出来事と変わらないようである（臨床的には，極端な恐怖の感情と結

びつくと容易に外傷後ストレス障害(posttraumatic stress disorder；PTSD)様のフラッシュバックとなることがしばしば観察されるが，この場合の恐怖も通常の意味での"対人情動的"ではない)．また，通常，長い物語は，部分的には記憶間違いをしながらもその概略は記憶に残りやすいが，ASD者ではそうではなく，部分的にだけ正確に記憶されるようである．高機能ASD成人を個々に見ると，ユニークな記憶特徴のアンバランスさが臨床的に観察され，後に述べる遂行機能障害，注意，対人の領域の問題とも密接に関連して，さまざまな行動に影響する．

弱み

情報を記憶庫にインプットする際に，全体の意味を掴んで整理することが苦手．手がかりのない状況で必要な事柄を思い出そうとする際に，自ら手がかりを探して思い出すことが苦手．一連の出来事を時系列に沿って記憶したり，思い出したりすることが苦手．

強み

通常は無意味(当人にとっては何らかの意味があるかもしれないが)な数字列やことばの羅列の丸暗記が優れる(たとえば，ウェクスラー知能検査の数唱)．過去の出来事の日時などの細部情報を良く覚えている(大事なポイントは記憶していないどころか，気づいてすらいないこともある)．他人には価値があまりわからないような特殊なテーマに関して，膨大な情報量を収集するのは得意で周囲の人々を驚嘆させ，「歩く辞書」などと一目置かれることもある．

関連する臨床症状

人の顔が覚えにくいため道で会っても認識できずあいさつできないという場合もある．ささいな刺激に誘発されて過去の外傷記憶(記憶そのものは感覚的)がフラッシュバックし，パニックを来すことがある．ASD者は，通常のPTSDのように，PTSD様症状を回避しようとしない．ASD特有の反復傾向から，苦痛なのにもかかわらず繰り返し外傷記憶を反芻したり再現したりするため，ますます強く固定化する．出来事の時系列に沿って想起できないため，説明が伝わらず，統合していくこともむずかしい．

介入のポイント

情報を構造化して提供する(箇条書きにする，流れ図を書く)ことで，こうした記憶の弱点を補い，覚えやすくなる．思い出しやすい手がかりを与えたり，決めておくと，思い出しやすくなる．外傷的な感覚記憶は，状況の意味をわかりやすく何度も説明することで納得していけば，薄まっていくこともある．

注意

　ASD特有の注意の問題は，古くから注目されてきた．Asperger[2]は，自閉症の対人的障害の基盤に注意障害を想定し，乳児の視線の中にその徴候を見出していた．今では，乳幼児の共同注意の障害はASDの早期診断の指標として重視されるようになってきた．自閉症の病態メカニズムとして，古くは脳幹網様体機能不全が想定され，注意の覚醒水準（過覚醒説，低下説，過剰と低下が混在する不安定説）に焦点が当てられたが，必ずしも見解は一致しなかった．近年は，頭頂葉，小脳，前頭葉が関連する高次レベルの注意の統制機能不全に焦点が絞られている．

弱み

　周囲で起きている出来事に素早く注意を向けるのが苦手．1つのことにいったん注意を集中させると，そこから別のことに注意を切り替えることが苦手．注意を向ける範囲を適切に狭めたり広げたりなどして調節することがむずかしい，すなわち注意のスポットライトが狭すぎたり，逆に広すぎて余分な刺激まで捉えてしまい，重要な刺激を素早く探せない．

強み

　一つの作業や思考に没我的，情熱的に集中する．その結果，作業は丁寧に正確に遂行される．また学習を積み重ねて，特定の領域で達人，専門家となることがある．

関連する臨床症状

　特定の興味のあるものにしか注意が向かない．1つのことに注意を向けながら，同時に周囲にも注意を配らないといけないような状況では予期しない出来事に対応できない．たとえば，仕事の最中に自分に話しかけられていることに気づかない，別の用事を頼まれると混乱する，など．細部にのみ注意が向かい，全体像に注意が向かないため，複雑な状況判断でとんでもない間違いをしがちである．

介入のポイント

　個々の患者の状況に応じて，注意集中などの強みを活用する．注意の切り換え困難という弱みを代償する方法を工夫する．SSTなどでは，具体的場面に即してどこに注意を向けるべきかが学べる．仕事や学業に困難を抱える患者に対しては，全体を理解しながら，細部に目を向けるよう，自己点検できるように，根気よく繰り返し指導する．

遂行機能

　遂行機能は，セット変更，抑制，ワーキングメモリ，プラニング，流暢性などを指し，前頭前野機能との関連を想定している．セット変更はウィスコンシン・カード

ソーティング検査(Wisconsin Card Sorting Test；WCST)，抑制はストループ検査，Go-NoGo課題，ワーキングメモリはウェクスラー知能検査成人版(WAIS-Ⅲ)の「数唱」「語音整列」「算数」で算出する指標，プラニングはハノイの塔，そして流暢性は言語流暢性検査などが一般的である．ASD成人の遂行機能は児童期よりも改善するが，ケースによっては機能不全が残る．また遂行機能検査で障害が軽度であっても，日常的な活動で目標設定と複数段階での意思決定が必要となるような複雑な作業は難しい．

弱み

セット変更といった柔軟性を必要とする処理が苦手．ワーキングメモリを要する複雑な作業は苦手．全体を見通して複数のステップに手順を分けるような，プランニングを要する作業は苦手．

強み

遂行機能の負荷が小さい，ルーチン化した作業が得意である．

関連する臨床症状

一般に，家事のように日常的な仕事から高度な判断を要する専門性の高い仕事に至るまで判断を要するたいていの仕事においては，場面に応じて臨機応変に物事を並列的にこなさなくてはならないので，ASD成人はひどく時間がかかる．長期的目標を忘れて，限局された注意の範囲内で物事を判断するため，気がついたら大失敗，となることがある．

介入のポイント

特に有効な方法はないが，柔軟性を高めるよう根気よく訓練したり，環境側の構造化を徹底する．たとえば，通常であれば，頭の中で描けば済むような目標までのステップや並列処理のプロセスを，どこまで終えていて，残りはどのくらいかが一目でわかるように絵や図で視覚化する．作業自体を，できるだけルーチン化できるような小さなステップに分けて全体の構造をわかりやすくする．

知覚

ASD者のすべてではないが，聴覚，触覚，味覚，嗅覚，視覚などの刺激に対して過剰に過敏，あるいは逆に鈍感な反応がみられることがある．高機能ASD成人においても，周囲からはわかりにくいが，知覚過敏がパニックの原因となり，社会生活の妨げとなっているケースもある．メカニズムについてはわかっていない．

弱み

人によってさまざまであるが，聴覚では，赤ん坊の高音域の声に苛立つ，ホールで

の反響音が苦手でそうした場所へ行くことを避ける，など．触覚過敏だと特定の衣類しか着ることができない．痛みに鈍感な場合は，重篤な身体疾患に気づくのが遅れる．暑さ寒さに鈍感で衣類を調整できない．

強み

微妙な程度の知覚過敏であれば，ポジティブな意味でのこだわりに役立つかもしれない．カレンダー記憶や音楽演奏，描画などのサバン能力も視覚や聴覚などの知覚処理の特性による部分が大きい．多くの知覚刺激から特定の物を探すのが速い．ウェクスラー知能検査の積木模様や，隠し絵課題で正答が早い．錯視図形で錯覚の影響を受けにくい．

関連する臨床症状

知覚過敏が極端になると，知覚刺激だけでなく，関連する場面も回避するようになり，行動の制約が大きくなる．特定の知覚に対する恐怖から，場面恐怖，そして社交恐怖に拡大し，最終的にひきこもりに至るケースも存在する．

介入のポイント

知覚過敏があれば，苦手な知覚刺激を可能な範囲で減らすように工夫すると同時に，少しずつ慣れるように時間をかけて練習する．逆にとても好きな知覚刺激があれば，気持ちの安定に役立てることができる．たとえば，前述の Temple Grandin は，下着の縫い目の触覚刺激に耐えがたいという知覚過敏がある一方で，気持ちがつらい時には，自ら考案した締め付け機で自分の身体を強く圧迫すると心の平安が得られた，という．

対人

ASD において，対人認知の障害は中核的な問題と考えられてきた．ただし高機能 ASD 成人では，児童期からの成長過程のなかで高い言語能力や認知能力を活用し，ある程度代償に成功し，一見したところではわからない程度にまで対人的障害がカバーされているケースもある．それでも相手の非言語的メッセージを理解したり，情緒的なやりとりをすることはむずかしく，一見対人場面で問題なくうまくふるまっている高機能 ASD 成人も，内面では不安や違和感を抱えていることも多い．

弱み

表情，視線や声の調子などの非言語的な手がかりから相手の気持ちや考えを想像したり，感じ取る(メンタライジング，共感)ことが苦手．相手の意図を見抜けないので，だまされやすい．場の読めない人として周囲を困惑させることもある．

強み

　他の人を見て自然に場面に合ったふるまいを身につけることはできない代わりに，ルールとしてマナーを学習すると非常に礼儀正しくふるまう．他人の裏表がわからないのと同様，自身にも裏表がない率直さがある．ピュアな人として愛される．

関連する臨床症状

　対人行動パターンは，孤立型，受動型，積極・奇妙型などさまざまである．同じ人でも年齢とともに対人行動パターンが変わることもある．不安の強いASD者が対人場面での失敗体験が続くと，対人場面を回避するようになり，ひきこもりになってしまうケースも少なくない．衝動性と強迫の強いASD者は他罰的になって対人トラブルを起こすこともある．

介入のポイント

　対人行動を系統的に練習するさまざまなSSTプログラムが役に立ち，デイケアなどで実施されている．グループや個別のカウンセリングでの助言も有用である．

引用文献

1) Kanner L：Irrelevant and metaphorical language in early infantile autism. Am J Psychiatry 103：242-246，1946
2) Asperger H：Die "Autistischen Psychopathen" im Kindesalter. Archiv für Psychiatrie und Nervenkrankheiten 117：76-136，1944〔詫摩武元，高木隆郎（訳）：小児期の自閉的精神病質．高木隆郎，M. ラター，E. ショプラー（編）：自閉症と発達障害研究の進歩．vol.4, pp30-68, 星和書店，2000〕

参考文献

- Fein DA（ed）：The neuropsychology of autism. New York, Oxford University Press, 2011
- 神尾陽子：自閉症スペクトラムの言語特性に関する研究．笹沼澄子（編）：発達期言語コミュニケーション障害の新しい視点と介入理論．pp53-70，医学書院，2007
- 神尾陽子：自閉症の成り立ち；発達認知神経科学的研究からの再考．高木隆郎（編）：自閉症：幼児期精神病から発達障害へ．pp87-100, 星和書店，2009
- 神尾陽子：自閉症スペクトラムと発達認知神経科学．岩田誠，河村満（編）：脳とソシアル：発達と脳—コミュニケーション・スキルの獲得過程．pp19-37，医学書院，2010
- 神尾陽子：広汎性発達障害の神経心理学．市川宏伸（編）：広汎性発達障害：自閉症へのアプローチ．専門医のための精神科臨床リュミエール 19. pp47-52，中山書店，2010

〔神尾陽子〕

Q ASDの人が向いている職業，向いていない職業は？

　これはよく聞かれる質問です．ASDの人に共通しているのは，対人交流，コミュニケーション，イマジネーションの問題です．人によっては不注意や感覚過敏などの問題があることもあります．計画を立てるのが苦手だったり，一度に複数のことを処理するのが苦手な人も多いです．ただ，このような特性の現れ方は人によって千差万別です．流暢に話し，コミュニケーションには何の問題もないように見える人もいます．定型発達の人一般に向いている仕事，向いていない仕事を議論するのが無意味なように，ASD全般に向いている仕事，向いていない仕事を議論するのはむずかしいように思います．ASDの人一般に共通して言えることは，彼らは自分に合わない仕事を続けることのストレスが定型の人のそれと比べて高いだろうということです．合わない仕事を無理してやっていると，いずれ疲れてきたり，不適応を来したりします．そういう意味では本人に合った職種を選択することが大切です．また仕事によってはいろいろな部門を渡り歩かなくてはならないこともあります．たとえば，地方公務員だと窓口で市民の対応をしたかと思えば，事務室で経理の仕事をしたり，公園の管理をしたりといったように，配置転換や異動によっていろいろな経験を積みます．公務員がASDの人に適した職場かどうかという質問に対する答えは，その時々に配置される環境によって異なることになり，一概に公務員が向いているとか向いていないとかは言えないのです．銀行員についても，窓口業務なのか，コンピュータを使ってデータを管理する業務なのかで，答えは違ってくるでしょう．私の経験では，ASDの人が就いている仕事は非常に多岐にわたります．一般的には不得意と思われるような営業の仕事，対人交流が必要な教師や医師，老人介護の仕事をきちんとこなしている人もいます．配置転換などがある正社員より，いつも同じ仕事ができるデータ入力のアルバイトなどのほうが長続きすることもあります．

　本当はASDの人自身が仕事の内容をよく知って，自分でできそうだ，面白い，と思った仕事を選んでもらうのが良いのかもしれません．問題は，イマジネーションに障害があるために，多くの可能性の中からじっくりと自分に合った仕事を選択することが苦手なことです．時には，声優とかサッカー選手のような，あまり現実的でない職業を志向する人もいます．社会にはいろいろな仕事があり，多様な選択肢があることを，思春期くらいからじっくりと伝えていくと良いでしょう．コンピュータプログラマー，芸術家，研究者などがASDに向く仕事などと言われることもありますし，実際にこのような仕事に就いているASDの人も多数いると思います．しかしながらASDなら誰でもこういった仕事に向いているというわけではありません．個々のASDの人の得意・不得意は千差万別ですから，個別に考えるのが良いと思います．

（内山登紀夫）

Q 周囲の人が迷惑していることをうまく伝えるには？
── 異性間のトラブルを防止する工夫 ──

アスペルガー症候群の人は一般に規則を忠実に守る人が多いのですが，中には周囲の人に迷惑をかけたり，異性・同性を問わず対人関係でトラブルを起こすこともあります．

アスペルガー症候群の人は単純な好意を親密な友情や愛情と区別できなかったり，笑顔や「メールありがとう」のような挨拶を性的な誘惑だと勘違いすることさえあります．「心の理論」障害や社会的な合図を読むことの問題（社会的コミュニケーションの問題）のために，相手が示す拒否や困惑のサインに気づきにくいのです．「押しが強い」程度が高じるとストーカー行為につながることもあります．このような場合には，明確かつ冷静に問題点を指摘する必要があります．「A子さんはあなたと1対1で会うことは希望していない．メールも希望していない．会社では挨拶をするし，複数では一緒に食事をすることもあるが，社外で1対1で会うことはしない．今後は個人メールは一切しないように約束しましょう」といったように明確にルールを伝えます．

家庭でも「リビングでは下着姿にはならない，下着になっていいのは自室のみ」といったように家庭内のルールを決めることから始めます．異性間のトラブルを防止するためには，性に関するガイダンスを思春期前から実行することが大切です．

（内山登紀夫）

第3章

ASD特性に応じた面接の工夫

　独特な特徴を持つ成人ASD患者と面接する際，診察医は，あらかじめASDの特性をよく理解しておくことで，面接を比較的スムーズに進めることができる．ASD特性の理解が不十分であると，診察医は，診療に有害な感情を患者に向けることになる．それは，自己中心的で人に対する思いやりがない，基本的な常識すら知らない，一方的に話すだけで診察医の話を聞こうとしない，といった内容であろう．

　本章では，面接の組み立て，患者から話を聴取したり診察医としての意見や助言を伝えたりするときに，診察医が念頭に置いておくとよいASD特性〔第2章(p15)参照〕と，これに対応した面接の工夫を挙げた．さらに，他の留意点を付け加えた．

■ 面接の組み立て

> ・場の雰囲気，相手の意図や感情を読み取ることがむずかしい．
> 　　　　　　　　　　　　　　　　　　　　　　　　（第2章「対人・弱み」）
> ・前後関係を把握し，会話を始めたり終えたりすることが苦手である．
> 　　　　　　　　　　　　　　　　　　　　　　　　（同「言語・弱み」）
> ・先の見通しを立て，それに合わせて柔軟に行動することが苦手である．
> 　　　　　　　　　　　　　　　　　　　　　　　　（同「遂行機能・弱み」）

　こうした特性は，診察場面では，一般的な診察の手順に合わせない，診察医の質問の意図を正確に読み取ることができない，病院の混み具合を察知して診察の順番を待っている他の患者に配慮しない，といった行動として現れる．診察医には，病院の状況や診察医の意図を無視して自分の言いたいことを一方的に話し，大事な診察時間を無駄に費やす無頓着な患者にみえるかもしれない．患者がなかなか話を始めない時は，疎通が悪い，病識がない，といった言葉が診察医の脳裏に浮かぶかもしれない．

　対応として，面接を始める前に，面接の進め方について患者にわかりやすく説明しておくことが役立つ．言い換えれば，診察のオリエンテーション，あるいは，面接の構造化である．具体的には，面接の目的と診察に使える時間の目安，その回の面接で触れるテーマ，時間を有効に使うためには診察医と患者のお互いの協力が必要なこと，診察医からも質問したいことや伝えたいことがあること，診察医が話した言葉の

意味がわかりにくい時は遠慮なく尋ねていいことを，患者にわかるように，最初に伝えておくのである．

■ 患者から話を聴取する

> ・社会で共有されている慣習や常識にそぐわない行動をとる．
> （第2章「対人・弱み」）
> ・人の表情，ジェスチャー，声の調子への気づきや理解に乏しい．患者自身の感情も，表情，ジェスチャー，声の調子の中に表現されにくい．
> （同「対人・弱み」）
> ・特定の物事についての記憶が減衰せずに想起され，その時の強い感情もありありと再体験，再現される．　　（同「記憶・強み」）
> ・物事の全体より部分や細部に注意が向きやすい．（同「注意・弱み」）
> ・興味や関心の強い偏り，機能的でないこだわりがある．（同「注意・強み」）

ASD患者は自分の好きな話題にいったん入ると話をなかなかやめないため，診察医には患者の態度が遠慮を欠いたものにみえるかもしれない．普段は患者の感情の表出が乏しいようにみえるのに，特定の話題になると急に強い感情を表出することがあるため，患者の言動が突拍子もないものに映るかもしれない．過去のある特定の出来事を思い出すと，突然，その時の強い感情までもが，今，目の前で起きているかのように噴出するため，診察医は患者の気持ちを収めるのに困ることになるかもしれない．

Q アスペルガー症候群ではない受診者への対応は？

A 最近，アスペルガー症候群の概念が知られるようになってきためか，自分はアスペルガー症候群ではないかといって受診する人が増えています．もちろんアスペルガー症候群のこともありますが，そうでないこともあります．受診を希望された方には，アスペルガー症候群などの発達障害の診断には発達歴と現在の普段の状態についての情報が必ず必要であることを説明します．本人の自己診断がなんであれ，診断の方法は同じです．そして，発達歴を聴取するために本人の子ども時代のことをよく知っている親あるいはきょうだいへの問診が必要であること，普段の行動について知っている家族や友人からの情報も必要で，その両者がないと確定診断ができないことを伝えます．医学的診断はこのような情報をすべて総合し，専門家が臨床的な経験に基づいて判断するものです．初診の前にこのような診断方法について説明し，納得してもらった上で診察を行います．

（内山登紀夫）

対応として，どんな話題が患者の情動的な記憶や偏った興味やこだわりを刺激するのか，その話題が診察の効率の観点からどの程度意味があるのかを整理しておくことが，役立つ．ある体験の記憶と感情に患者がとらわれていることそのものが，治療のターゲットになることもある．

注）診察で堰を切ったように話し始める患者を，すべて ASD と誤解してはいけない．たとえば，精神科を受診する神経症の患者は，自分の訴えを診察医にたくさん聞いてほしいと期待していることが多い．また，とまどいながら話をする患者をすべて ASD と誤解してもいけない．診察の場や診察医の態度が患者に緊張感を引き起こしている場合，患者が饒舌に話せないのは当然である．これは，ASD 患者の会話の開始の失敗とは異なる．

■ 診察医としての意見や助言を伝える

> ・言われたことを文脈に応じて理解することがむずかしい．
> 　　　　　　　　　　　　　　　　　　　　　　　　　（第 2 章「言語・弱み」）
> ・同時に 2 つ以上の事柄に注意を向けて処理する，同時並行処理が不得意である．
> 　　　　　　　　　　　　　　　　　　　　　　　　　　　（同「注意・弱み」）
> ・聞いて理解するよりも，図式化・視覚化して示されたほうが理解しやすい．
> 　　　　　　　　　　　　　　　　　　　　　（同「言語・弱み，記憶・弱みと強み」）

　たとえば，「少しゆっくりしなさい」，あるいは「休養しなさい」というような助言は，ASD 患者にとっては具体的に何を意味するのかわからず，混乱を与えるだけになってしまう．診察医には，ごく当たり前に使っている言葉でも，ASD 患者にとって，こうした言葉は抽象的すぎるのである．「そういうことになったのは，あなたが○○したからだ」というような物事の前後関係や因果関係に関連した，簡単な文脈が理解できずに見当違いの応答をする ASD 患者に，とまどう診察医もいるだろう．

　対応として，診察医が，短い文章を用いてできるだけ具体的にわかりやすい表現を心がけること，物事の前後関係を説明する際は，絵や図，あるいは箇条書きの文章で示すなど視覚化して理解を促すこと，そして一度の診察で行う説明や助言の量を患者の処理能力の範囲を越えないように配慮すること，が役立つ．

　他人への迷惑な行動を慎むよう患者に助言する際にも，それが実際にどのような場合に，どのようにふるまうことなのかを，1 つ 1 つ場面にそって具体的に教える必要がある．説明した後には，患者がどのように理解したか具体的に尋ねて確かめてほしい．たとえば，患者が「休養するとしたら」実際に何をして過ごすのかなど，場面を想定して踏み込んで尋ねてみるのである．面接に慣れた精神科医でも，このような特性を持つ ASD 患者との面接を自然に行うことはむずかしく，おそらく 1 つ 1 つ意識し確認して行う必要があるだろう．もっとも，そのようにして身につけた面接技術は，他の精神疾患の患者や家族との面接でも役立つものである．

表 3-1 診断に関する注意点

I.	カテゴリー診断とスペクトラム診断	現行の DSM-IV-TR に拠ると,各症状について基準数以上合致する項目がある場合に,自閉症,アスペルガー障害などと診断される.これは,規定された基準の該当・非該当で診断を決定する分類的・類型的診断の立場に基づいている.ただし,上記の基準を完全に満たさなくてもその特徴を持つ患者がいることから,特定不能の広汎性発達障害(PDD-NOS)の下位カテゴリーが設定され,多数の患者が PDD-NOS に含まれるようになった. 一方,英国を中心に自閉症スペクトラム障害(ASD)の用語が用いられ,今日では ASD の用語のほうが一般的となっている.この用語は,典型的な自閉症とアスペルガー症候群,さらには PDD-NOS は連続しており,病像の違いはその症状の程度や数によるという考え方に基づくものである.
II.	現行診断体系の PDD 診断基準は,基本的に児童を対象としている	DSM-IV-TR では,PDD は「通常,幼児期,小児期,または青年期に初めて診断される障害」に位置づけられている.このように,PDD は,本来,児童,とりわけ 3〜4 歳児を想定して診断基準が定義されている.成人患者を診断する場合,この児童の特徴を記述した基準に依拠せざるをえない点に診断作業のむずかしさがある(詳細は診断基準,p xviii 参照).
III.	PDD 診断項目の該当・非該当の判断には一定の診療経験が必要	DSM-IV-TR の PDD 診断基準に列記されている診断項目は質的な評価を問うもので,具体的な症状が記述されているわけではない.記述されている質的異常を評価する際は,患者の年齢と知的能力の水準も勘案しつつ,具体的な行動パターンを聴取・確認していく作業が欠かせない.したがって,診断項目の該当・非該当の判断には,一定の知識と診療経験が必要となる.このような判断を適切に行うためには,指導医のもとで典型的例,非典型例の ASD/PDD の児童や成人の患者の診療を経験しておくことが必要である.診療経験なしに診断を行うと,不適切な過剰診断,あるいは診断不明の患者を何でも PDD と診断してしまう「くずかご診断」につながりかねない.
IV.	限りなく ASD/PDD が疑わしいが,確定できない場合	厳密にいえば,発達歴の詳細情報が得られない場合,ASD/PDD の確定診断はできない.発達に関する詳細情報は得られないけれども,現在の行動が ASD 特性で十分説明でき,その特性のために社会不適応や生活上の機能障害が起きている場合,ASD と暫定的に診断すること(probable ASD)が有用であろう.このように,診断の蓋然性と臨床の利便性を考慮し,時としてこのような判断が必要な場合もあると考えられる[1].

病名とその状態についての患者本人への説明の際の基本姿勢

診察の終わりに,医学診断と治療方針を伝えるのは医療の基本と言えよう.〔「医師が患者を診察したときは直ちに患者本人に対して病名を含めた診断内容を告げ,当該病気の内容,今後の推移,およびこれに対する検査・治療の内容や方法などについて,患者が理解できるよう易しく説明する義務がある」,日本医師会 医師の職業倫理指針(平成16年2月)より抜粋〕.ところが,成人 ASD 患者への説明の場合,疾病概念がまだ議論の途中にあること,一般社会において誤解がないとは言い切れないことから,多少事情が異なってくると考えられる〔「直ちに真の病名や病状をありのまま告げることが患者に対して過大の精神的打撃を与えるなど,その後の治療の妨げになるような正当な理由があるときは,真実を告げないことも許される.この場合,担当の医師は他の医師らの意見を聞くなどして,慎重に判断すべきである.また,本人へ告知をしないときには,しかるべき家族に正しい病名や病状を知らせておくことも大切である」,日本医師会 医師の職業倫理指針(平成16年2月)より抜粋〕.この点を以下に挙げる.

①ASD の病名告知は,診断に確信が持てる場合に限られるべきである.確定診断

には，発達歴に関する詳しい情報と診察医の十分な診療経験が不可欠である．
② 患者にとって最も重要なのは，診断名よりも，今後の治療方針や経過の見通しについての診察医の臨床的な判断についての説明や助言である．ただしASD診断が確定的で，しかも患者に病名やその説明を受け入れる心の準備があれば，患者本人への病名と病状説明は慎重に，しかし配慮を持って積極的に行うべきと考えられる．
③ ASDの傾向を持ち，そのために日常生活に支障を来している場合，診断ではなく特性として患者にこれを伝え，理解を促すことは有用である．
④ 診断名として，ASDを伝えることも可能であろうが，スペクトラム概念を患者がわかるように伝えるのは，時間がかかる作業である．

■ そのほか留意すべきこと

- 障害の気づきの程度には個人差がある．
- ASDの特性は広範囲に及び，多彩である．

　患者の障害への気づき，すなわち自覚の程度は，社会適応に大きく影響する要素である．自分自身の対人関係の苦手さに患者が気づいている場合，他者との関わりを必要最低限にすることでトラブルを回避しやすくなる．ところが，この弱点を克服しようとしてあえて対人場面に関わる職業を選ぶASD患者がいる．本人の意思かもしれないが，周りから人間関係の弱点を指摘され，これを克服しようとしてこだわってしまった可能性もある．診療の範囲を超えるかもしれないが，職業選択については，患者のASD特性による弱点と強み（もしくは才能）を評価したうえで，適材適所の発想から丁寧に考え直すことが，ASD患者では重要な課題になることがあるだろう．

　患者の自覚が乏しい場合，うまくいかない外側の事象だけが患者に認知されることになる．その結果，他罰的になりやすい．

　また，面接を通じて，ASD患者の思いがけない特性に診察医が気づくことがある．たとえば，人の顔をほとんど記憶できず，再会した人物が誰だか実はわかっていないということが，治療経過で明らかになったケースがあった．このようにして，それまで患者自身もあまり重視してこなかった特性を発見していくことこそが，支援につながる大事な臨床行為である．このような発見が起こりうることをあらかじめ心構えて，面接に臨むことも重要である．

　なお，ASDは遺伝的要因が関与していることが知られている．したがって，患者の血縁者もASDの特徴をある程度持つ可能性があることを念頭に置くと役立つ．

引用文献

1) 井上勝夫：大人のPDD診断はどうあるべきか？―PDDの特性診断とprobable PDD．精神神経学雑誌 113：1130-1136, 2011

（井上勝夫）

Q 周囲の理解を得るために，配偶者や職場の上司に患者のASD診断を伝えるべきなのでしょうか？

ASD，PDDなど，どのように呼んだとしても，これらは精神医学の専門家が作った比較的新しい専門用語ですから，一般の人々がこれらの意味を正確に理解するにはまだ時間がかかるでしょうし，誤解や偏見を生む危険すらはらんでいます．このような患者の不利益を避けるために，主治医にはASD診断の意義の「原点」を忘れない姿勢が求められます．主治医が患者の配偶者や職場の上司に伝えるべき内容は，患者の特性あるいは能力としての短所と長所です．助言すべき内容は，短所への具体的支援です．具体的な助言のない，診断名の一人歩きは誤解や差別を招く危険があり，そのようなことがあってはなりません．極端に言えば，主治医が理解した患者の特性と，その特性への具体的対応を伝えるだけでも，十分かもしれません．診断名を告げる必要がある場合は，所詮，診断名は専門家が独自に使い始めた用語であると説明を付け加えてもいいかもしれません．これは，患者本人への告知の際にも共通したことです．診断名の慎重な取り扱いや具体的助言を伝えることができない精神科医は，成人ASD患者に対して，不用意な診断と治療を行うべきではありません．

発達早期の情報が得られない成人を診断する時の対応は？

臨床の役割は，患者の今の課題に対する援助と対応が目的であることを忘れてはいけません．患者の今の課題の本質は何か，そして，それがどのような背景から生じているのかを，評価・整理することから臨床の営みが始まります．その後に，患者の課題の要因となっている精神症状が，ASDの症状なのか，他の精神障害の症状なのかを慎重に区別する必要があります．過去になされたASD診断がどの程度慎重になされたのかを，一度再評価すべきでしょう．再評価しているなかで，その患者にはどんなASDの特性があるのか，そして，それが患者の今の課題にどう関連しているのかがより明確になると考えられます．

厳密に言えば，発達早期の情報が得られない場合，ASDの確定診断はできません．ここで有用と考えられる呼称がprobable ASDです．これは，発達早期の情報は得られないけれども，成人の現在，患者のASD特性が明らかで，その特性が不適応や生活上の機能障害に関連している場合の，一種の暫定診断です．診断の蓋然性と臨床の利便性を考慮し提案されています．

〔井上勝夫〕

第4章 診断面接の進め方

■ 診断方法

現在のところ，ASDの診断基準としては，世界保健機関によるICD-10とアメリカ精神医学会によるDSM-Ⅳ-TRが定める広汎性発達障害（pervasive developmental disorders；PDD）が標準的とされている．PDDの下位診断としては，ICD-10では小児自閉症，アスペルガー症候群，非定型自閉症，レット症候群，他の小児期崩壊性障害などが含まれ，DSM-Ⅳ-TRでは，自閉性障害，アスペルガー障害，特定不能の広汎性発達障害，レット障害，小児期崩壊性障害が含まれる．

両者の診断基準の中心となる症状は，
①対人相互交流の質的障害（視線の合いにくさや共感性の乏しさなど）
②コミュニケーションの質的障害（独特な言語使用や字義通りの言語理解など）

自閉性スペクトル指数日本版（AQ-J）使用上の注意点（付録1参照）

AQ-Jは，ASDであっても本人の障害への気づきが低い場合には低得点になることもある．これまで示されているカットオフは，すべて既診断の外来患者群を対象として算出されているため，未診断でまったく気づきや葛藤のないASD者に対して，AQ-Jがどれほど鋭敏であるかは不明である．Kuritaら[1]が述べているように，カットオフの26点は，陰性的中率が高い，すなわち，それ以下であれば軽症の高機能ASDである可能性を高い確率で除外できるものとして用いるべきである．それ以上であれば，精査をすることが望ましい．また，カットオフを超えるケースの中にも，ASDのないパーソナリティ障害の患者も含まれる可能性も高いことは留意すべきである．自記式であることからこのような限界はあるものの，あくまでも補助指標として活用すれば，AQ-Jは役に立つツールである．

引用文献
1) Kurita H, Koyama T, Osada H：Autism-spectrum quotient-Japanese version and its short forms for screening normally intelligent persons with pervasive developmental disorders. Psychiatry Clin Neurosci 59：490-496, 2005

③行動，関心，活動にみられる反復的および常同的パターン（習慣や儀式に頑なに
　　　こだわるなど）
の3症状である．
　診察や心理検査などにおいて，この3症状が認められ，詳しい生育歴から3症状が幼児期から認められたことが確認されれば，診断確定となる．ただ，成人期に初めて事例化した場合には，幼児期や学童期に事例化する場合とは特徴が異なり，一見コミュニケーションの障害がないと思える場合などがあるので，診察を繰り返す中で慎重に判断していくことが望まれる．また，DSM-IV-TR では社会的に著しく不適応などを起こしていることが基準の1つであるが，実際のところ，ASD 症状は，周囲との関係性や社会的な役割などによって強くなったり，弱くなったりするので，特に，成人期に初めて事例化するような軽症ケースでは，ある時期から急に目立ってきたように見えることもある．このように ASD 症状は，環境の影響を受けやすく，経時的に変化しうる流動的なものであるという点に留意する．
　診断基準には含まれていないけれども，運動面での不器用さや感覚過敏は診断の補助となることもあるので幼少時のエピソードなどを確認するべきである．これらは必須症状ではないが，ASD に高率に合併し，しばしば社会性が改善した後も日常生活や社会生活に影響を及ぼす．感覚過敏は，客観的に計測できないので，本人だけが苦しんでおり，周囲は知らないこともしばしばである．
　また，成人期においては必ずしも ASD 症状に関連した主訴で受診するとは限らず，他の統合失調症，気分障害，強迫性障害などに関連した主訴で受診する患者で，ASD 特性を有する患者を発見し，PDD/ASD の診断を検討することが重要である〔詳細は第6章（p44）参照〕．また，PDD/ASD の診断に合致しなくても，幼児期から持続する ASD 特性を把握することで，治療や患者の自己理解に有用である．
　わが国では診断の補助ツールとして，親面接用の広汎性発達障害日本自閉症協会評価尺度（Pervasive Developmental Disorders Autism Society Japan Rating Scales；PARS）が開発され，広く用いられている[1~3]．PARS は幼児期から成人期まですべての年代を対象としており，問診で PDD/ASD をスクリーニングする際には幼児期項目のみ使用することもできる．幼児期の情報がない成人ケースには，思春期・成人期項目のみの使用も可能である[1]〔第5章（p38）参照〕．また，自己記入式質問紙の自閉性スペクトル指数日本版（AQ-J）〔第5章（p38），付録1（p176）参照〕は，知的障害のない成人の場合にはスクリーニングに有用である[4,5]．

■ 生育歴のとり方

　当然のことながら患者本人から乳幼児期の情報を得ることはできないため，母親（または父親）と一緒に来院していただくよう患者に依頼する．そして，時間をかけて1歳前後の様子から順に発達歴を確認する（前述の PARS を使うと整理しやすい）．次に，年代別の発達歴聴取のポイントを記す．

1歳～2歳頃

1歳前後での人見知りの有無，1歳半健診で指摘を受けなかったかどうか，この頃までに呼んでも振り向かない，視線が合わない，指さしをしない，興味のあるものを親に見せにこない，などことばが出る前の段階の社会性の発達を中心に聴く（付録2参照；M-CHAT項目の2, 7, 9, 13, 14, 15, 20が特に関連する）．他に始語の有無，何をしゃべったかなど言語発達や，始歩などの運動発達も合わせて聴く．

3歳～5歳頃

幼稚園や保育所で集団行動上の問題を指摘されなかったか，他児と遊ぶより一人遊びを好んだか，友だちとごっこ遊びをしたか，教えていないのに道路標識やマーク，数字，文字をよく覚えていなかったか，道順や習慣のこだわりがなかったか，自分のやり方と違うと怒ったりかんしゃくを起こさなかったか，などである．

小学校就学後

当時の通知表を持参してもらったり，級友との関係（年齢相応の友だち関係があったか）や担任教師から指摘されたことの内容など学校での様子を母親に聴く．また，コミュニケーションに問題がなかったか，たとえば，人の気持ちや意図がわかっているようだったか，言われたことを場面に応じて理解できたか，それとも言われたことを字義通りに解釈し，冗談が通じないなどのエピソードはなかったか，などについて尋ねる．また，本人がどう感じながら過ごしていたかなども確認する．

中学校・高校年齢

本人から情報を得られるので，PDD/ASDの中心症状である3症状の有無について，本人なりの理由も含めて丁寧に確認する．質問者の思い込みも多いので，解釈が正しいかどうか，繰り返し話題にするとよい．

発達早期の情報が得られない場合の対応については表4-1に示す．

臨床検査

PDD/ASDでは，てんかんの合併がみられることがあるため脳波検査を行い，脳波異常が認められれば定期的に脳波検査を行う．器質性疾患を除外するために，可能であれば頭部CT, MRI検査を実施する．

知能検査は，ウェクスラー成人知能検査（Wechsler Adult Intelligence Scale；WAIS）を用いて，知能指数（IQ：通常，言語性IQ，動作性IQ，全IQの3つを算出する）だけに注目するのではなく，言語性検査，動作性検査を構成する下位項目の評価点やそれらの最高点（山）と最低点（谷）とからなるプロフィールが重要である．ウェクスラー知能検査を用いた過去の文献では，典型的自閉症は動作性IQ（Performance

表 4-1　発達早期の情報が得られないときの対応

1) なるべく幼少期の情報を得られるように努力する
　① 母子手帳，小学校時代の通知表を持ってきてもらう
　　（学業成績だけでなく「行いの様子」の担任の記載は役に立つ）
2) 診察の際に以下のことに気をつけて観察する
　① 単調な紋切型の口調
　② 視線が合いにくい
　③ 会話が一方通行である
　④ 他人の感情が理解しにくい
　⑤ 自分の気持ちや感情を表現できない
　⑥ ユーモアや冗談が通じない，字義通りに受け取る
　⑦ 医師の説明を十分に理解できない
3) 診察の際に以下の症状の有無について質問する
　① 暗黙のルールが理解できない
　② 場の雰囲気が読めない
　③ 細部にこだわり，大局的な視点が抜ける
　④ 予定の変更ができない
　⑤ 規則に厳格である
　⑥ 興味の偏りが著しい
　⑦ 整理整頓が苦手で段取りが悪い
　⑧ スケジュール管理ができない
　⑨ 時間の管理が下手
　⑩ 不器用である
　⑪ 感覚過敏がみられる
4) ASD症状を評価尺度を用いてアセスメントする
　① PARS思春期・成人期項目
　② AQ-J

IQ；PIQ）が言語性IQ（verbal IQ；VIQ）よりも有意に高く（PIQ > VIQ），アスペルガー障害では言語性IQが動作性IQよりも有意に高い（VIQ > PIQ）と報告するものが多かった．これが拡大解釈され，VIQとPIQの乖離を根拠とするPDD/ASDの誤診例も散見されるが，実際には，高機能ASDでは個人差が大きく，VIQ-PIQに関する一定したパターンはみられない．むしろ下位項目の評価点のばらつきの大きいプロフィールは，PDD/ASD診断に特異的とは言えないまでも，きわめて特徴的であり，診療上有用な情報となる〔第2章(p15)参照〕．

専門医への紹介

　成人のASD患者が抑うつ，不安，強迫，幻覚・妄想などの精神症状を主訴として初めて受診する精神科医療機関は，必ずしも発達障害の経験のある児童精神科医が勤務する医療機関ではなく，一般精神科の診療所・クリニックや病院であると想定される．初診時にASDが疑われたり，患者の要望がASDか否かを診断してほしいといったことである場合には，初診医療機関の内外の専門医への紹介が考慮されるかもしれない．その場合，まず本書を参考にするなどしてASDの診断を行った上で，

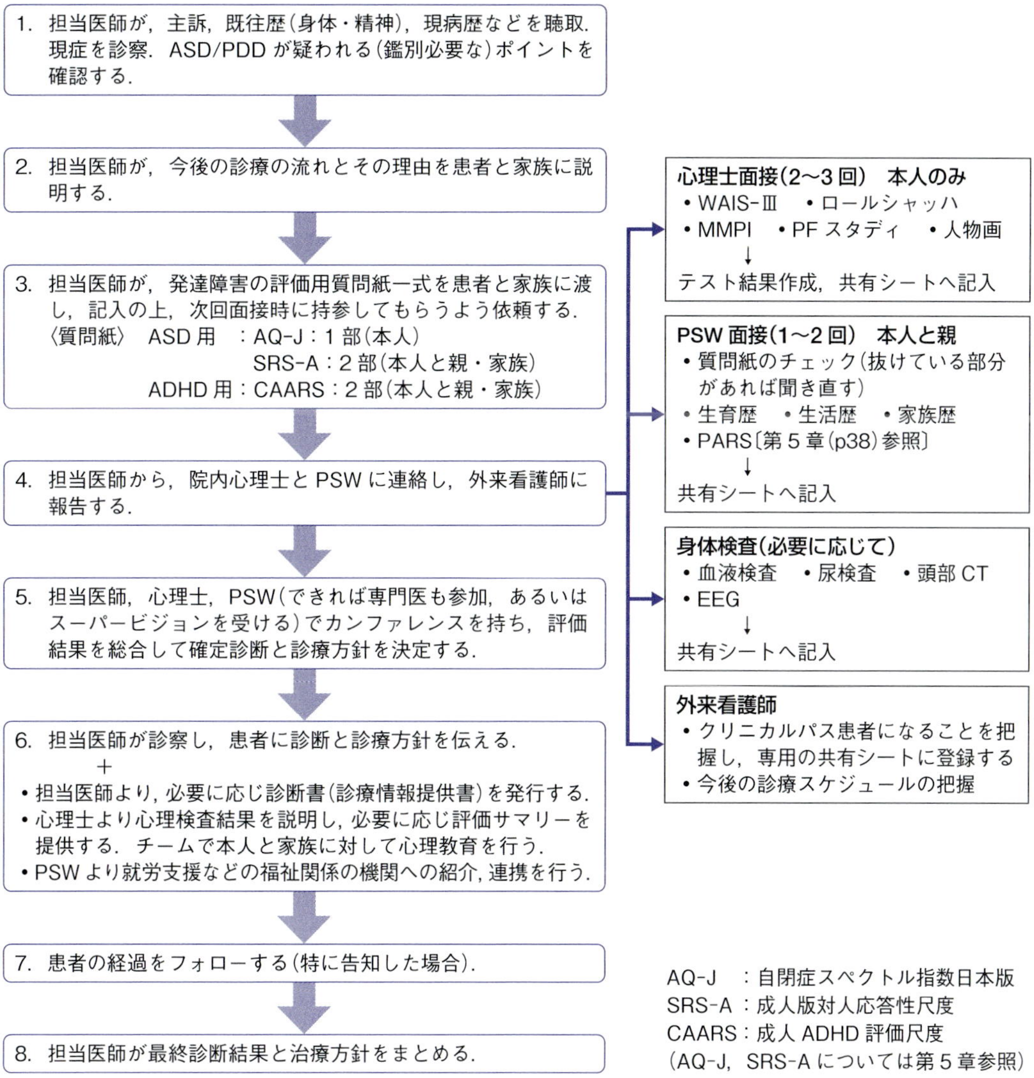

1. 担当医師が，主訴，既往歴（身体・精神），現病歴などを聴取．現症を診察．ASD/PDD が疑われる（鑑別必要な）ポイントを確認する．

2. 担当医師が，今後の診療の流れとその理由を患者と家族に説明する．

3. 担当医師が，発達障害の評価用質問紙一式を患者と家族に渡し，記入の上，次回面接時に持参してもらうよう依頼する．
   〈質問紙〉　ASD 用　：AQ-J：1 部（本人）
   　　　　　　　　　　 SRS-A：2 部（本人と親・家族）
   　　　　　　ADHD 用：CAARS：2 部（本人と親・家族）

4. 担当医師から，院内心理士と PSW に連絡し，外来看護師に報告する．

5. 担当医師，心理士，PSW（できれば専門医も参加，あるいはスーパービジョンを受ける）でカンファレンスを持ち，評価結果を総合して確定診断と診療方針を決定する．

6. 担当医師が診察し，患者に診断と診療方針を伝える．
   ＋
   ・担当医師より，必要に応じ診断書（診療情報提供書）を発行する．
   ・心理士より心理検査結果を説明し，必要に応じ評価サマリーを提供する．チームで本人と家族に対して心理教育を行う．
   ・PSW より就労支援などの福祉関係の機関への紹介，連携を行う．

7. 患者の経過をフォローする（特に告知した場合）．

8. 担当医師が最終診断結果と治療方針をまとめる．

心理士面接（2～3 回）　本人のみ
・WAIS-Ⅲ　・ロールシャッハ
・MMPI　・PF スタディ　・人物画
↓
テスト結果作成，共有シートへ記入

PSW 面接（1～2 回）　本人と親
・質問紙のチェック（抜けている部分があれば聞き直す）
・生育歴　・生活歴　・家族歴
・PARS〔第 5 章（p38）参照〕
↓
共有シートへ記入

身体検査（必要に応じて）
・血液検査　・尿検査　・頭部 CT
・EEG
↓
共有シートへ記入

外来看護師
・クリニカルパス患者になることを把握し，専用の共有シートに登録する
・今後の診療スケジュールの把握

AQ-J　：自閉症スペクトル指数日本版
SRS-A：成人版対人応答性尺度
CAARS：成人 ADHD 評価尺度
（AQ-J，SRS-A については第 5 章参照）

図 4-1　ASD/PDD が疑われるケースの診断および診療方針決定のクリニカルパス

〔井口英子，神尾陽子：公的精神科医療機関における広汎性発達障害に対する診療の実際に関する研究．厚生労働省精神・神経疾患研究開発費「精神科医療における発達精神医学的支援に関する研究」平成 20～22 年度総括研究報告書（主任研究者：神尾陽子）．pp16-17, 2011 より改変〕

ASD を疑うポイントなどを添えて専門医へ紹介し，ASD など発達面について確定診断を得れば参考になると思われる．その後は，専門医に相談しながら，再度自らの医療機関でフォローする連携が望まれる（図 4-1）．あるいは，治療初期には ASD の中核症状に気づかず，治療が進むにつれて疑いが生じることもしばしばある．ASD の確定診断を求めて専門医への紹介が検討される場合，治療経過中に行った心理検査（特に知能検査）の結果，薬物治療歴（用量や反応性など），ASD を疑うに至ったポイントなどを情報提供書に添えると専門医の診断の補助となる．ASD 患者は，少量の

表 4-2 うつ症状を合併している ASD/PDD 成人患者の入院クリニカルパスの 1 例

	急性期(1〜4 週目)	回復期(5〜8 週目)	社会復帰期(9〜12 週目)
本人の状態	病棟のルールを理解し，それに沿った行動ができる 治療の必要性，目標について理解することができる 不穏・激越状態，抑うつ状態の軽減 自殺のリスクがなくなる	スタッフや他患者との円滑なコミュニケーションができる，スタッフに援助を求めることができる 自分の気持ちをコントロールできる	退院に向けて具体的現実的な準備を進める 家庭や職場・学校との調整を行い，退院後の生活の目標と計画を立てる 疾病理解ができている
評価・治療方針	多職種チームによる情報収集，情報の共有 既往歴，現病歴，家族歴の整理 うつ病評価尺度を用いた症状評価 自殺リスクの評価 併存障害の評価	症状改善の評価および治療内容の見直し 外泊に伴う変化の観察，対応 うつ病評価尺度を用いた症状評価 自殺リスクの評価	退院に向けての症状評価，再発の可能性評価 うつ病評価尺度を用いた症状評価 自殺リスクの評価
身体検査	血液検査・X-P・CT・ECG・EEG 等	血液検査	血液検査
心理検査	AQ-J	WAIS-Ⅲ，ロールシャッハ，PF スタディ等 神経心理学的検査	神経心理学的検査 AQ-J
医師	信頼関係の構築 入院に至る経過を本人と振り返る 薬物療法の実施 多職種の役割調整	治療プログラム参加への支援と評価 薬物療法の効果判定 対人関係機能の評価	本人・家族・関係者と退院後の治療計画を立てる
看護師	綿密な入院時オリエンテーション 精神症状及び行動の観察 服薬の管理と副作用の観察	精神症状の観察 外泊による変化，不安への対応 日常生活能力向上のための生活指導計画 SST の施行	自己対処能力向上に向けた援助 退院に向けた準備，不安への対応 退院前訪問指導 服薬自己管理の指導
心理士	生育歴等の聴取 日々の気分，体調の変化を記録する自記式シートを本人と作成する	心理教育，疾病教育 認知行動療法 SST の施行	病状の再発防止プログラムを作成し，理解を促す 自己洞察を高める
精神保健福祉士	本人・家族からの情報収集	家族，福祉・教育関係者との調整 家族機能の評価 利用可能な社会資源の情報提供	他機関との連携 発達障害者支援センター等の施設見学 退院前訪問指導
薬剤師	服薬指導	服薬指導	服薬指導
レクリエーション・作業療法	病棟内レクリエーション参加	作業療法の開始 身体および精神機能のバランス強化 社会生活能力の向上	他者との共同作業を通じコミュニケーション機能を高める 社会生活技能を高める 必要に応じて試験的にデイケア参加
家族調整	家族面接	家族心理教育 家族療法	家族心理教育 退院後の具体的な生活について本人と話し合う
外出	院内散歩 家族同伴院外外出	単独院外外出	単独院外外出
外泊	外泊計画	家族同伴外泊	定期的単独外泊 必要に応じて，一時退院を繰り返す

〔井口英子，神尾陽子：公的精神科医療機関における広汎性発達障害に対する診療の実際に関する研究．厚生労働省精神・神経疾患研究開発費「精神科医療における発達精神医学的支援に関する研究」平成 20〜22 年度総括研究報告書(主任研究者：神尾陽子). pp18-19, 2011〕

向精神薬で十分な改善効果が得られたり，また逆に少量で副作用（錐体外路症状，鎮静など）が生じることがあるため〔第9章(p60)参照〕，薬物治療歴は特異的ではないまでも診断する上で有益な情報となるからである．

その他にも，行動上の問題や併存障害の著しい悪化により入院治療が必要となった場合や，一定の併存症状の改善がみられ，次の段階として就労や復職に向けての支援が必要となった場合も，専門医への紹介のタイミングとなる．前者について，ASD患者の入院治療には特有の配慮を必要とするため(表4-2)，専門医の勤務する医療機関での入院治療が考慮されるかもしれない．後者の就労に向けての専門医への紹介は，児童期から小児科でフォローされていて，青年期にさしかかった時にしばしば生じる．精神科は休職・復職の判断に関与することが多いため，ASD患者の就労に際しても職場との連携がよりスムーズであることが期待されている．また復職に際しては，ASD特有の元来の適応困難のために，慎重な対応が必要となる．例えば，うつ症状の改善後にいったん復職すると，元来あるASDに伴う対人的障害により職場不適応が再び生じ，うつ症状が悪化するということはしばしば生じる．専門医の判断を参考に，ASD特性に配慮した就労や復職を目指す必要がある．

引用文献

1) 神尾陽子，行廣隆次，安達潤，他：思春期から成人期における広汎性発達障害の行動チェックリスト：日本自閉症協会版広汎性発達障害評定尺度(PARS)の信頼性・妥当性についての検討．精神医学 48：495-505, 2006
2) 辻井正次，行廣隆次，安達潤，他：日本自閉症協会広汎性発達障害評価尺度(PARS)幼児期尺度の信頼性・妥当性の検討．臨床精神医学 35：1119-1126, 2006
3) 安達潤，行廣隆次，井上雅彦，他：日本自閉症協会広汎性発達障害評価尺度(PARS)・児童期尺度の信頼性と妥当性の検討．臨床精神医学 35：1591-1599, 2006
4) 栗田広，長田洋和，小山智典，他：自閉性スペクトル指数日本版(AQ-J)の信頼性と妥当性．臨床精神医学 32：1235-1240, 2003
5) Kurita H, Koyama T, Osada H：Autism-spectrum quotient-Japanese version and its short forms for screening normally intelligent persons with pervasive developmental disorders. Psychiatry Clin Neurosci 59：490-496, 2005

参考文献

- 安達潤，行廣隆次，井上雅彦，他：広汎性発達障害日本自閉症協会評定尺度(PARS)短縮版の信頼性・妥当性についての検討．精神医学 50：431-438, 2008.

（太田豊作／飯田順三）

第 5 章

ASD/PDD 評価尺度

　臨床診断においては，現行の国際的標準分類の DSM-IV-TR や ICD-10 に準拠した，熟練専門医による判断が黄金基準である（よくある誤解に，自閉症診断は特殊で，スケールを用いた評価が優先される，というものがあるので注意）．しかし，症状の有無または程度に関する判断は，いかに熟練医であっても，医療機関によって多少の違いがあることはよく知られる通りである．第 4 章（p31）で述べたように，精度の高い診断には時間を要するため，診断を補助する目的においても，臨床的なニーズを把握する目的においても，妥当性が証明された簡便な評価尺度は，医療だけでなく，心理，教育，福祉，療育，リハビリテーションなどさまざまな臨床場面で役に立つ．また，第 12 章（p71）で述べるような診断書を書くときに使用すれば，客観的で具体的な情報を提供し，説得力が増す．

　残念ながら，現在，使用できる尺度の多くは児童用に作成されており，ASD 成人に使用可能なものは限られている．本章では，現在，妥当性検証が進められていて，近い将来に使える予定のものも含めて，わが国で使用可能な尺度について簡単に紹介する．

養育者からの生育歴聴取に基づく評価尺度

日本自閉症協会版広汎性発達障害評定尺度
（PDD-Autism Society Japan Rating Scales；PARS，パーズ）

　わが国の児童精神科医と発達臨床心理学者によって開発された ASD/PDD の行動評価尺度である[4, 16]．対人，コミュニケーション，こだわり，常同行動，困難性，過敏性の 6 領域 57 項目（幼児期 34 項目，児童期 33 項目，思春期・成人期 33 項目）から成り，専門家が養育者に面接して各項目を 3 段階（0, 1, 2）で評価する．質問は，マニュアルに記載されている聞き方を参考に，適宜，例を説明しながら面接を進める．所要時間は約 30 分から 1 時間である．幼児期の情報が得られる場合は，幼児期 34 項目の行動が最も顕著だったときの症状程度をもとに得点を算出する．9 点以上であれば，「PDD が強く示唆される」，8 点以下であれば，「PDD の可能性は低い」として PDD 有無の可能性を絞り込む．9 点以上の場合は，詳細な発達歴の聴取と診察が強

く勧められる．思春期以降では，幼児期 34 項目のピーク評定と思春期・成人期 33 項目の現在評定を行う．思春期・成人期項目のカットオフを 20 点とすると，感度 81.1％，特異度 85.7％，陽性的中率 87.8％，陰性的中率 78.3％となり，非 PDD の精神科臨床群から PDD 青年・成人をよく鑑別した[5]．高機能 PDD 青年・成人は，知的障害を伴う PDD 群と比べて幼児期得点は低かったが，88％が幼児期項目のカットオフを，69％が思春期・成人期カットオフを超えた．不安，恐怖，知覚過敏に関する項目は思春期・成人期で幼児期と同等，あるいはより得点が高かった[5]．各発達段階 12 項目から成る短縮版としても使用できる．

▍広汎性発達障害評定システム(PDD Assessment System；PDDAS)

栗田らが DSM-Ⅳ に基づいて，PDD の診断と同時に PDD の除外を目的として作成した 89 項目からなる評価面接法である[9,11]．所要時間は約 1 時間である．

▍自閉症診断面接改訂版(the Autism Diagnostic Interview-Revised；ADI-R)

米国の Lord や英国の Rutter らによって開発された ADI-R は，研究用の黄金基準の一つとして広く用いられている[13]．幼児期(4～5 歳)に焦点を当てた 93 項目から成る半構造化面接法で，自閉症(PDD のうち自閉性障害)の有無を判断する．所要時間は，約 2 時間から 2 時間半である．ADI-R の日本語版の信頼性と妥当性検証はほぼ完了したところである[20,21]．

▍DISCO(the Diagnostic Interview for Social and Communication Disorders)

Wing らが開発した ASD を主とする発達障害の診断評価尺度で，発達歴と現症の把握と支援プログラム作成に必要な情報を系統的に得ることを目的としている[14,25]．言語や運動など発達全般についての質問と，発達障害や精神障害でみられる非定型的行動に関する 300 以上の項目から成る半構造化面接法である．所要時間は約 2～3 時間である．現在，厚生労働科学研究(内山登紀夫班)で信頼性と妥当性の検証を行っている[22]．

これらのほか，3di(The Developmental, Dimensional and Diagnostic Interview)[19] やアスペルガー症候群に特化した Asperger Syndrome Diagnostic Interview(ASDI)[3] や Adult Asperger Assessment(AAA)[1]といった半構造化面接法が英国，スウェーデンで開発されているが，これらの尺度は，現時点でわが国では妥当性の検証がなされておらず，まだ広く使用することができない．

■ 本人との面接での行動観察に基づく評価尺度

上述の面接法は養育者の回顧に拠るため，その記憶バイアスを補完するには，ASD 者本人の行動観察が必要である．

自閉症診断観察検査（the Autism Diagnostic Observation Schedule；ADOS）

米国のLordや英国のRutterらによって開発されたADOSは，研究用の黄金基準の1つとして広く用いられている[15]．年齢と言語水準によって4つのモジュールに分けられ，対人コミュニケーションスキルを最大限に引き出すように構造化された行動観察法である．所要時間は約40〜60分である．高機能ASD成人にはModule 4が適用となる〔付録3（p179）参照〕．ADOSの日本語版は，現在，信頼性と妥当性の検証が進行中である[12]．

Q DISCOを用いるメリットは？

Diagnostic Interview for Social and COmmunication disorders（DISCO）はLorna Wingが開発した半構造化面接です．約400項目の質問が設定され，発達歴と現症の記述および支援プログラムの作成に必要な情報を系統的に得ることができます．

DISCOの聴取項目はASDの特性に限定していないのが特徴です．食事・排泄・移動などの自立能力，計算などの学習能力，カタトニア，抑うつや妄想などの精神科的症状，非行や犯罪傾向などの司法精神医学的問題についての情報を得るための項目も多数設定されています．つまりDISCOは発達や行動特性を多様な側面から多項目にわたって把握するという特徴があり，いわばbottom up的な情報収集を行い，その情報に基づいて臨床的に3つ組が存在すると判断されれば自閉症スペクトラムと診断します．

さらに，併存疾患や生活状況を把握したうえで支援プランを立案することも可能です．特定の年齢層をターゲットにしているのではなく幼児から成人期まですべての年齢層で使用できるのも特徴です．

DISCOには英語の他，日本語版，スウェーデン語版，オランダ語版があり，共通のプログラムによるトレーニングを受け，一定の基準を満たした専門家のみに使用が許可されるので，DISCOを用いた診断は国際的に通用すること，一定以上の信頼性が担保されることも利点の1つです．

近年の傾向として「診断を知りたい，アスペルガー症候群と診断してほしい」という人が増えています．ASDの診断を求める人の中には，ASDの診断基準を熟知しており，自分の特性を診断基準に合わせて説明しようとする人もいます．このような場合もDISCOを用いると受診者が想定していないような日々の日常生活に関する情報を活用して，実際に3つ組があるのかないのか判断しやすいということも大きな利点です．3つ組は日常生活のさまざまな細部に宿るというのがWingの考え方です．

（内山登紀夫）

小児自閉症評定尺度高機能版(the Childhood Autism Rating Scale-Second Edition-High Functioning Version；CARS2-HF)

　CARS2-HFは，児童用に開発されたCARS(Childhood Autism Rating Scale)[17]をもとに，6歳以上から成人までを対象とした高機能(IQ ≧ 80)向けに米国で開発された，15領域の行動観察を主とした評価尺度である[18]．高機能ASD成人で課題となる，他の精神疾患との鑑別力も高いと報告されているが，日本語版の妥当性の検証は現在進行中である．

■ 質問紙による評価尺度

　近年，スペクトラムという捉え方に基づいて，本人や養育者の報告からASD特性を連続的に量的に捉えようとする試みが進んでいる．

自閉症スペクトル指数(the Autism-Spectrum Quotient；AQ)

　AQは50項目の自己記入式で，2種類の日本語版[10, 24]は，いずれも信頼性と妥当性が報告されている〔付録1(p176)参照〕．栗田ら[10]によると，高機能PDD者と一般母集団から選んだコントロール群との判別のカットオフは26点で，26点未満であれば，PDDの可能性は低いと考えられる．ただし，カットオフを超えた場合も陽性的中率は低く，精査が勧められると解釈すべきであろう．他の精神疾患患者との鑑別に関する報告はまだない．

対人応答性尺度成人版(the Social Responsiveness Scale for Adults；SRS-A)

　SRS-Aは，米国のConstantinoらによって開発された，65項目から成るASD特性の量的評定尺度SRS(The Social Responsiveness Scale)[2]を一部修正した成人版である．児童用SRSの日本語版の臨床的有用性と標準化は完了しており[23]，養育者回答のSRS-A日本語版の臨床的有用性についても確認済みである[7]．SRSは連続的に分布するASD特性を評価することを目的としており，カットオフ値で診断の有無を判定するものではなく[6, 8]，T得点で偏りを知ることができる[6, 23]．現在，標準化およびSRS-Aの自己記入式[8]としての妥当性の検証が進行中である(西山ら，私信)．

　臨床実践において評価尺度を用いた行動評価は，①問診や入学時などの機会にASDが疑われるケースを見つけ(スクリーニング)，治療(支援)につなげること，②症状の程度を把握し，治療(支援)プログラムの作成に役立てること，を目的とする．同じASD診断でも臨床像は個人差が大きいので，③個々のケースの特徴(強みと弱み)を明らかにすること，もケース理解のためには重要である．量的評価を定期的に繰り返せば，症状の推移や治療による効果を知ることができる．変化がみられたら，後の課題に取り組む上での自信や意欲につながるので，ぜひ患者や家族にフィードバックしてほしい．

引用および参考文献

1) Baron-Cohen S, Wheelwright S, Robinson J, et al：The Adult Asperger Assessment（AAA）；A diagnostic method. J Autism Dev Disord 35：807-817, 2005
2) Constantino JN, Gruber CP：Social Responsiveness Scale（SRS）. Los Angeles, Western Psychological Services, 2005
3) Gillberg C, Gillberg C, Råstam M, et al：The Asperger Syndrome（and high-functioning autism）Diagnostic Interview（ASDI）；A preliminary study of a new structured clinical interview. Autism 5：57-66, 2001
4) Ito H, Tani I, Yukihiro R, et al：Validation of an Interview-Based Rating Scale Developed in Japan for Pervasive Developmental Disorders.（under review）
5) 神尾陽子, 行廣隆次, 安達潤, 他：思春期から成人期における広汎性発達障害の行動チェックリスト；日本自閉症協会版広汎性発達障害評定尺度（PARS）の信頼性・妥当性についての検討. 精神医学 48：495-505, 2006
6) 神尾陽子, 辻井弘美, 稲田尚子, 他：対人応答性尺度（Social Responsiveness Scale）日本語版の妥当性検証；広汎性発達障害日本自閉症協会評定尺度（PDD-Autism Society Japan Rating Scales：PARS）との比較. 精神医学 51：1101-1109, 2009
7) 神尾陽子, 稲田尚子, 黒田美保, 他：ライフステージに応じた多次元的鑑別指標の同定に関する研究. 平成22年度厚生労働科学研究費補助金（障害者対策総合研究事業）「発達障害者に対する長期的な追跡を踏まえ, 幼児期から成人期に至る診断等の指針を開発する研究（研究代表者：内山登紀夫）」総括・分担研究報告書. pp29-33, 2011
8) Kanne SM, Christ SE, Reiersen AM：Psychiatric symptoms and psychosocial difficulties in young adults with autistic traits. J Autism Dev Disord 39：827-833, 2009
9) 栗田広：診断を中心に；広汎性発達障害評定システム（PDDAS）. 精神神経学雑誌 110：962-967, 2008
10) Kurita H, Koyama T, Osada H：Autism-Spectrum Quotient-Japanese version and its short forms for screening normally intelligent persons with pervasive developmental disorders. Psychiatry Clin Neurosci 59：490-496, 2005
11) Kurita H, Koyama T, Inoue K：Reliability and validity of the Pervasive Developmental Disorders Assessment System. Psychiatry Clin Neurosci 62：226-233, 2008
12) 黒田美保, 稲田尚子：Autism Diagnostic Observation Schedule（自閉症診断観察検査）日本語版の開発状況と今後の課題. 精神医学 54：427-433, 2012
13) Le Couteur A, Lord C, Rutter M：The Autism Diagnostic Interview：Revised（ADI-R）. Los Angeles, Western Psychological Services, 2003
14) Leekam SR, Libby SJ, Wing L, et al：The Diagnostic Interview for Social and Communication Disorders；Algorithms for ICD-10 childhood autism and Wing and Gould autistic spectrum disorder. J Child Psychol Psychiatry 43：327-342, 2002
15) Lord C, Rutter M, DiLavore PC, et al：Autism Diagnostic Observation Schedule manual. Los Angeles, Western Psychological Services, 2002
16) PARS委員会（編著）：PARS評定シート；広汎性発達障害日本自閉症協会評定尺度. スペクトラム出版, 2008
17) Schopler E, Reichler RJ, DeVellis RF, et al：Toward objective classification of childhood autism；Childhood Autism Rating Scale（CARS）. J Autism Dev Disord 10：91-103, 1980
18) Schopler E, Van Bourgondien ME, Wellman, GJ, et al：Childhood Autism Rating Scale-Second Edition. Los Angeles, Western Psychological Services, 2010
19) Skuse D, Warrington R, Bishop D, et al：The developmental, dimensional and diagnostic interview（3di）；A novel computerized assessment for autism spectrum disorders. J Am Acad Child Adolesc Psychiatry 43：548-558, 2004
20) 土屋賢治, 黒田美保, 稲田尚子, 他：自閉症診断確定ツールの信頼性および妥当性の検討. 平成22年度厚生労働科学研究費補助金（こころの健康科学研究事業）「1歳からの広汎性発達障害の出現とその発達的変化；地域ベースの横断的および縦断的研究（研究代表者：神尾陽子）」総括・分担研究報告書. pp119-128, 2011
21) Tsuchiya KJ, Matsumoto K, Yagi A, et al：Reliability and Validity of the Autism Diagnostic

Interview-Revised-Japanese Version. J Autism Dev Disord 43：643-662, 2013
22) 内山登紀夫, 黒田美保, 枡屋二郎, 他：イギリスにおける青年期・成人期の高機能自閉症スペクトラムの診断・評価に用いられる検査バッテリーに関する調査研究. 平成22年度厚生労働科学研究費補助金(障害者対策総合研究事業)「発達障害者に対する長期的な追跡を踏まえ, 幼児期から成人期に至る診断等の指針を開発する研究(研究代表者：内山登紀夫)」総括・分担研究報告書. pp19-23, 2011
23) 森脇愛子, 小山智典, 神尾陽子：対人応答性尺度(Social Responsiveness Scale:SRS)の標準化. 平成22年度厚生労働科学研究費補助金(障害者対策総合研究事業)「1歳からの広汎性発達障害の出現とその発達的変化：地域ベースの横断的および縦断的研究(研究代表者：神尾陽子)」総括・分担研究報告書. pp49-68, 2011
24) Wakabayashi A, Baron-Cohen S, Wheelwright S, et al：The Autism-Spectrum Quotient(AQ)in Japan：A cross-cultural comparison. J Autism Dev Disord 36：263-270, 2006
25) Wing L, Leekam SR, Libby SJ, et al：The Diagnostic Interview for Social and Communication Disorders；Background, inter-rater reliability and clinical use. J Child Psychol Psychiatry 43：307-325, 2002

〔小山智典〕

第6章 成人期におけるASDの鑑別診断

　ASDとして診断・治療されている成人患者群は大きく2つに大別される．1つ目は，成人前にASDと診断されており成人期にASD症状やその他の精神症状のために治療が必要な群，もう1つは，成人期に初めてASDと診断される群である．後者は幼児期からの発達歴が得られにくいことが多く，乏しい過去情報と現症とからASDを含む精神障害を疑い，最終的に有効な治療につながる臨床診断を結論しなくてはならない．ASDと，次に述べる注意欠如・多動性障害，統合失調症，強迫性障害，気分障害や不安障害などの精神障害とは，それぞれに部分的に症状が似ているため，鑑別のポイントを知っておく必要がある．また，ASDと診断されるケースでも，成人期で受診する場合にはその他の精神障害を合併しているケースが大半であるため，さまざまな症状を見落とさないように把握してそれぞれの症状に応じた適切な治療を行う必要がある．本章では，成人期のASDの鑑別診断で念頭に置くべき精神障害のうち，臨床でよく出会うものについて述べる．

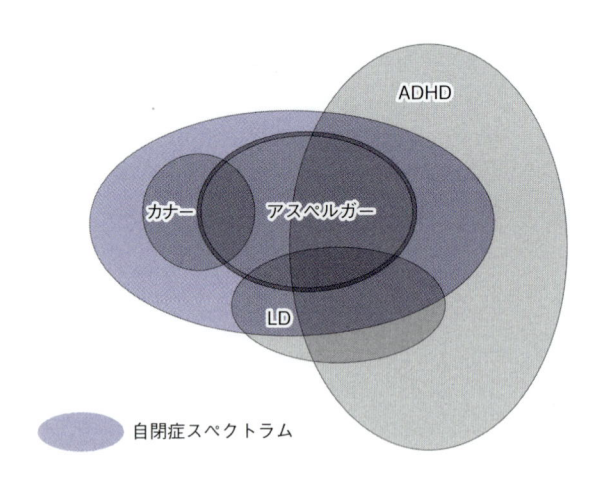

図6-1　自閉症スペクトラム，ADHD，LDの関係
高機能ASDはADHDともLDとも合併する．
〔内山登紀夫：発達障害群（学習障害，運動能力障害，広汎性発達障害）．齊藤万比古，渡辺京太（編）：注意欠如・多動性障害—ADHD—の診断・治療ガイドライン第3版．p134, じほう, 2008〕

注意欠如・多動性障害

ASDと注意欠如・多動性障害(attention-deficit/hyperactivity disorder；ADHD)の併存が多いことはよく知られている．児童では専門機関を受診するASD患者の59〜78%[14〜16]，成人では43%[19]に，ADHDの診断基準も満たしたと報告されている．ところが，現在の操作的診断基準ICD-10とDSM-IV-TRでは，PDDと診断された患者にみられるADHD症状はPDDの部分症状としてPDD診断がADHD診断よりも優先されており，原則的にPDDとADHDの併存を認めていないと規定されている．しかし，両者の併存を積極的に認めることは，薬物治療[2]やその他のADHD症状に有効な介入の選択肢を増やし，患者の社会機能の向上に有効なケースもある．『注意欠如・多動性障害—ADHD—の診断・治療ガイドライン第3版』[1]は，ADHD，PDDのいずれか一方を診断したなら，他方の障害の存在について常に慎重に評価し続けるという対応を推奨している[1]．ADHD症状の評価や治療効果の確認の際には，親，教師回答式のADHD-RS-IV (ADHD Rating Scale-IV，4〜18歳用)や，自己，観察者回答式のCAARS (Conners' Adult ADHD Rating Scale) などのチェックリストを用いると有用である[22,23]．

ASDとADHDの関連性

ADHD児の長期追跡中に66名中11名にPDDへの診断変更があったこと (『注意欠如・多動性障害—ADHD—の診断・治療ガイドライン第3版』) や，逆にPDD児が経過中にADHDに診断を変更する症例報告[1]があり，確かに両者には単純に合併としてみなせない症状レベルの，そしておそらく病因レベルでも関連性があるのかもしれない．ただし，実際の臨床場面では，幼少時から症状が一貫して存在していることを確認した上で，患者のニーズに応じた治療に結びつけるために，重複診断をあえてつける場合も少なくない．ちなみに筆者は，併存ケースへの病名の告知や診断書には，"PDDに加えて，ADHD傾向である"などと説明することにしている[2]．

引用文献

1) Fein D, Dixon P, Paul J, et al：Brief report；Pervasive developmental disorder can evolve into ADHD；Case Illustrations. J Autism Dev Disord 35：525-534, 2005
2) 板垣俊太郎，増子博文，丹羽真一：現時点での十八歳以上成人ADHDの診断と治療　ADHD薬物療法の新時代　コンサータとストラテラ．現代のエスプリ 513：63-79, 2010

統合失調症

ASD者は時に妄想様観念を持ち，精神病的体験なのか，風変わりな固定観念や強迫観念なのか，区別することがむずかしい場合がある．特に，被害妄想様の症状を呈すると妄想との区別が難しく[25]，時に統合失調症(schizophrenia；SZ)と誤診される．広沢は，長年統合失調症破瓜型ないし解体型として治療を受けていた慢性期症例の生活歴・現病歴そして現症を再検討することで，PDDとして再診断し，その結果，投薬されていた抗精神病薬の減量と疎通性の改善につながった症例を報告し，成人の精神科臨床において，現症の把握，生活歴の聴取，診断作業のあらゆる段階でPDD患者が統合失調症患者と誤診される可能性に警鐘を鳴らしている[3]．河邊らは，SZと診断され，精神運動興奮状態のために入院に至った後，詳細な生育歴の聴取や入院中の行動および薬物反応からアスペルガー障害と診断を改め，支援および治療を再検討することで軽快した20代の2症例を報告した．その際，情報収集のために通信簿の担任評価や卒業文集における同級生からみた本人の印象/評価などを参考資料としていた．治療的アプローチとして，①治療教育：スケジュールを細かく決める，治療の支援は絵や文字を活用する，診察に話したい内容はノートに書いてもらう，②環境調整：家族への心理教育と，本人のデイケア参加，③薬物治療：当初は妄想に対して抗精神病薬を使用したが，最終的に気分安定薬を中心とした処方に変更した[5]．

また，PDDとすでに診断されている患者があらたにSZを発症する可能性も検討する必要があり，その点について，DSM-Ⅳ-TRでは"自閉性障害や他の広汎性発達障害の既往歴があれば，統合失調症の追加診断は，顕著な幻覚や妄想が少なくとも1か月(治療が成功した場合は，より短い)存在する場合にのみ与えられる"としている．

男性症例　ジュン

10代後半に幻覚妄想状態で近医受診，不穏が強く薬剤抵抗性の難治性SZということで大学病院へ紹介された．入院中に生育歴からASDであることが判明し，幻覚妄想もASD特有の常同的思考と説明できたため，抗精神病薬中心の治療から抗うつ薬中心の治療へと変更された．その後の経過は順調であったが，初診から約5年経過した後，自我障害を認めたため，今度はSZが発症したと考え，抗精神病薬中心の治療に移行した．

このように，当初，市中病院にてSZと診断され，いったんはPDDと診断変更されたが，後に，明白なSZを発症したという経過をたどる症例もあるので，その鑑別は注意が必要である．

一方，幻覚や妄想などの陽性症状がはっきりしないケースについても，単純型統合失調症と混同される場合がありうる．ICD-10の単純型SZの定義に，"行動の奇妙さ，社会的な要請に応じる能力のなさ，全般的な遂行能力の低下が，潜行性だが進行性に発展し，妄想と幻覚がはっきりせず，精神病的な面が明瞭でなく，感情鈍麻や意欲低下といった「陰性」症状が少なくとも1年以上にわたって進行する"とあるように，単純型SZの概念や定義それ自体がアスペルガー症候群を排除できない問題も指摘されている[24]．

Q 統合失調症か自閉症スペクトラムか判断に迷う患者にはどのように対応したらよいのでしょうか？

　統合失調症スペクトラムと自閉症スペクトラムとの異同は，自閉症概念の提唱間もない時期から論じられてきた臨床的にも研究の上でも重要なテーマです．最近，ASDは，統合失調症と同程度の有病率を示す，common disease であるという報告が増えており，これら2つの疾患を鑑別することは，精神科医に求められる基本的なスキルの1つになると考えられます．両疾患はともに，社会性の障害，思考・認知の障害などを有し，最近の遺伝子研究によると両疾患に共通した遺伝的背景の存在も報告されています．

　しかし，両疾患は，発達歴や経過が異なりますし，社会性の障害の中でも対人機能の問題は ASD で特徴的であるなど異なる部分もあります．2つの障害の鑑別のためには，養育者からの詳細な発達歴を得るよう最大限の努力を行うことは言うまでもありませんが，高機能 ASD が比較的新しい概念であるため，未診断のまま成人になり，なんらかの精神疾患を発症して，一般の精神科を初診となるケースも多く，このようなケースでは，詳細な発達歴の聴取は容易でないのも事実です．幼少時に ASD と診断されなかったため，周囲からの理解や支援が得られず，長期にわたる不適応状態が持続し，加えて気分障害や不安障害，統合失調症などの精神疾患を合併するケースも少なくありません．

　ASD と新たに診断される場合，ASD に応じた適切な支援が行われることによって，社会適応の改善が期待できます．また，自閉症特性は，定型発達から自閉症まで連続的なスペクトラムとして分布することも報告されており，定型発達においても程度の差はあれ，誰にでも認められます．ASD の診断告知それ自体デリケートな問題を含むため，診断に関しては性急に確定させるべきではないでしょう．しかし，本書で紹介された評価尺度などで，一定以上の自閉症特性を有する患者に対しては，長期的には自閉症に準じた支援を考えることが，現実的ではないかと考えられます．

　統合失調症か自閉症か判断に苦慮する患者への対応としては，著明な幻覚妄想状態や自傷他害などの急性期症状がある場合は，まずその対応を行うことが先決であり，初期対応を行う中で，本人の発達歴や社会的状況についてのアセスメントを並行して行い，自閉症特性に応じた対応を検討するのがよいのではないでしょうか．

（高橋秀俊）

■ 強迫性障害

ASD，特にアスペルガー症候群の人々のこだわりによる儀式的行動が過剰になり，"逸脱した強迫観念あるいは強迫的行為の存在"を根拠として強迫性障害（と診断される）ケースがある．ASDと強迫性障害(obsessive-compulsive disorder；OCD)はともに反復思考・反復行動を呈し，その行動内容が限定的であるというという点で，Hollander(1996)は病態レベルの連続性に注目して，強迫性スペクトラム障害(obsessive-compulsive spectrum disorders；OCSDs)という概念を提唱した[7,8]．実際，OCD患者のなかに生来から持続するASD特性が見逃されている併発例も多く，綿密に生育歴を聴取し鑑別が必要である．特に治療抵抗性OCDの難治ケースの一部にはASD特性を持つ一群が存在するというのが今日のコンセンサスとなっている[7]．Bejerotは，こうした一群をOCDのサブタイプとして提案しており，特にアスペルガー症候群には反復行動とためこみ(hoarding)が多いと指摘している[9]．

合併例の治療としては，OCDに適応の通った抗うつ薬〔主にSSRI(選択的セロトニン再取り込み阻害薬)や，SNRI(選択的セロトニン-ノルアドレナリン再取り込み阻害薬)〕による薬物治療に，ASD特性に合わせた認知行動療法[10]を組み合わせて行うことが望ましい．

■ 気分障害・不安障害

ASD患者，特に思春期以降には気分障害および不安障害の合併の頻度が高いことはよく知られている(図6-2)．概して，ASD患者は気分や感情の変化を相手にわかるように伝える十分な言語スキルを持たないうえに，表情などの非言語的な感情の表現も通常と違っていて他者からはわかりにくい．にもかかわらず，ASDの合併障害のうち，気分障害，不安障害は最も頻度の高いものなので，うつや不安を主訴とする患者では，発達障害の併存を念頭に置いて検討する必要があるだろう[12,13]．

成人を対象とした一般臨床においては，近年増加しているうつ病，とりわけ非メランコリー親和型うつ病は，従来，パーソナリティの側面から検討されてきていた．そのなかの一群の青年たちは，未熟で，自己中心的，漠然とした万能感を持ち，回避傾向が強く，時に他罰的となり，こだわりが強い傾向を特徴とし，葛藤が感じられず，自らが置かれた状況に悩み苦しんでいないかのように見えるが，傳田らは，"発達障害という視点"は彼らを理解する際に有用であると指摘する．また，抗うつ薬に反応のよいメランコリー親和型性格者の一部にも，真面目で誠実な高機能ASD者が含まれている可能性も示唆している[13]．うつ病だけでなく，不安障害患者においても，奇妙なパーソナリティ(妄想型，統合失調型，回避型)の問題や強迫傾向がある場合には，ASD，特に軽症の高機能ASDの可能性を念頭に置いて診断するのがよいであろう[9]．

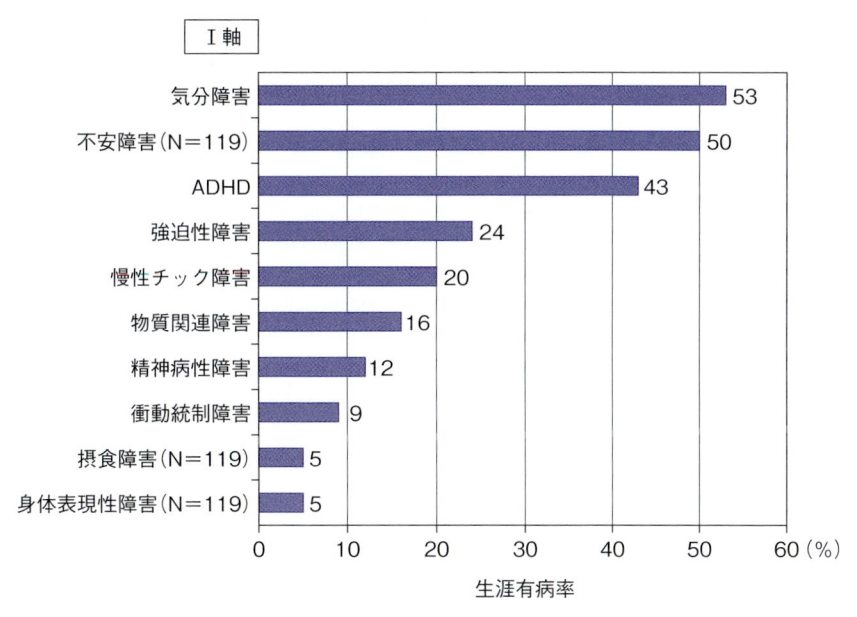

図 6-2　ASD 成人患者における合併精神障害の生涯有病率　　　（N=122，一部 N=119）

臨床サンプルにおける頻度が示されている．地域ベースの有病率の値ではないため，高い数値が出ている可能性に注意していただきたい．最も多いのは気分障害で，次に多いのは不安障害，その次に ADHD がきている．なお，ADHD の内訳は，不注意優勢型が 17％，多動・衝動優勢型が 7％，混合型が 19％であった．
(122 名の内訳：自閉性障害 = 5 名，アスペルガー障害 = 67 名，PDD-NOS = 50 名)
(Hofvander B, Delorme R, Chaste P, et al：Psychiatric and psychosocial problems in adults with normal-intelligence autism spectrum disorders. BMC Psychiatry 9：35, 2009)

引用および参考文献

1) 齊藤万比古，渡部京太（編）：注意欠如・多動性障害― ADHD ―の診断・治療ガイドライン第 3 版．じほう，2009
2) Research Units on Pediatric Psychopharmacology（RUPP）Autism Network：Randomized, controlled, crossover trial of methylphenidate in pervasive developmental disorders with hyperactivity. Arch Gen Psychiatry 62：1266-1274, 2005
3) 広沢正孝：統合失調症と広汎性発達障害．臨床精神医学 37：1515-1523，2008
4) 横山和正，鈴木太，木村宏之，他：成人期の広汎性発達障害に関する鑑別診断― 3 症例の経験．精神科 18：474-478，2011
5) 河邊憲太郎，堀内史枝，長谷川芙美，他：入院を契機にアスペルガー障害と確定診断され治療が奏功した成人 2 症例．精神科 17：559-566，2011
6) 中川彰子，山下陽子：強迫性障害と広汎性発達障害．臨床精神医学 37：1543-1549, 2008
7) Hollander E：Treatment of obsessive-compulsive spectrum disorders with SSRIs. Br J Psychiatry 35：7-12, 1998
8) Hollander E：Obsessive-compulsive disorder-related disorders；The role of selective serotonergic reuptake inhibitors. Int Clin Psychopharmacol 11：75-87, 1996
9) Bejerot S：An autistic dimension―A proposed subtype of obsessive-compulsive disorder. Autism 11：101-110, 2007
10) Anderson S, Morris J：Cognitive behaviour therapy for people with Asperger syndrome. Behav Cogn Psychoth 34：296-303, 2006

11) Smalley SL, McCraken J, Tanquary P：Autism, affective disorders and social phobia. Am J Med Genet 60：19-26, 1995
12) 傳田健三：うつ病，不安障害と広汎性発達障害の関係．臨床精神医学 37：1535-1541, 2008
13) 傳田健三，佐藤祐基，井上貴雄，他：広汎性発達障害と気分障害．児童青年精神医学とその近接領域 52：143-150，2011
14) Goldstein S, Schwebach AJ：The comorbidity of pervasive developmental disorder and attention deficit hyperactivity disorder：Results of a retrospective chart review. J Autism Dev Disord 34：329-339, 2004
15) Lee DO, Ousley OY：Attention-deficit hyperactivity disorder symptoms in a clinic sample of children and adolescents with pervasive developmental disorders. J Child Adolesc Psychopharmacol 16：737-746, 2006
16) Yoshida Y, Uchiyama T：The clinical necessity for assessing attention deficit/hyperactivity disorder(AD/HD)symptoms in children with high-functioning pervasive developmental disorder (PDD). Eur Child Adolesc Psychiatry 13：307-314, 2004
17) Koyama T, Tachimori H, Osada H, et al：Cognitive and symptom profiles in high-functioning pervasive developmental disorder not otherwise specified and attention-deficit/hyperactivity disorder. J Autism Dev Disord 36：373-380, 2006
18) Scheirs JGM, Timmers EA：Differentiating among children with PDD-NOS, ADHD, and those with a combined diagnosis on the basis of WISC-III profiles. J Autism Dev Disord 39：549-556, 2009
19) Hofvander B, Delorme R, Chaste P, et al：Psychiatric and psychosocial problems in adults with normal-intelligence autism spectrum disorders. BMC Psychiatry 9：35, 2009
20) Stein MB, Stein DJ：Social anxiety disorder. Lancet 371：1115-1125, 2008
21) 板垣俊太郎，増子博文，丹羽真一：現時点での十八歳以上成人 ADHD の診断と治療 ADHD 薬物療法の新時代 コンサータとストラテラ．現代のエスプリ 513：63-79，2010
22) 市川宏伸，田中康雄(監訳)：診断・対応のための ADHD 評価スケール：ADHD-RS【DSM 準拠】チェックリスト，標準値とその臨床的解釈．(DuPaul GJ, Power TJ, Anastopoulos AD, Reid R)，明石書店，2008
23) 辻井正次，大西将史，染木史緒：成人期 ADHD 用のアセスメントツール CAARS 日本語版の予備調査．平成 22 年度厚生労働科学研究費補助金(障害保健福祉総合研究事業)「成人期注意欠陥・多動性障害の疫学，診断，治療法に関する研究(研究代表者：中村和彦)」総括・分担研究報告書．pp37-58，2011
24) 石井卓：アスペルガー症候群(障害)と統合失調症．石川元(編)：アスペルガー症候群 歴史と現場から究める．至文堂，pp167-173，2007
25) 神尾陽子：第 104 回日本精神神経学会総会教育講演；一般精神科臨床で出会う高機能広汎性発達障害 成人患者の診断をめぐる臨床的問題．精神神経学雑誌 110：968-973，2008

(板垣俊太郎)

青年期のひきこもり問題と ASD

青年期のひきこもりケースの中には，軽度の知的障害や ASD など，発達障害圏の問題を持つ者が少なくないことがわかっている．ASD の場合には，他者の意図や会話の理解，状況理解の苦手さや，極端な言語表出の苦手さのために，周囲とのコミュニケーションが成立しにくい，不器用さのために一定の課題の遂行ができない，といった問題が生じやすく，学校や職場で不適応を繰り返した結果，漠然とした違和感や不適応感を抱きやすくなり，被害念慮や社交恐怖が生じることがある(図)．対人場面における不安や困難に対して適切な支援が得られない場合には，初めて体験する場面や予期せぬ出来事に対する抵抗感がさらに強まり，現在の生活パターンに固執したり，今後の生活について考えることを回避したりするようになる．周囲の人や物の動きや流れに応じた行動がとれないこと，道に迷いやすいことから，外出自体を嫌う人もいる．また，ASD 生来的な過敏さやこだわりの強さに，自意識の高まりや自立・分離をめぐる葛藤などの思春期心性が加わることによって，自己臭恐怖や醜貌恐怖，巻き込み型の強迫症状が形成され，介入が困難になるケースもある．ひきこもりのメカニズムは多様であり，治療・支援にあたっては，本人の発達特性や心理状態，家族状況などを慎重にアセスメントすることが必要である．

(近藤直司)

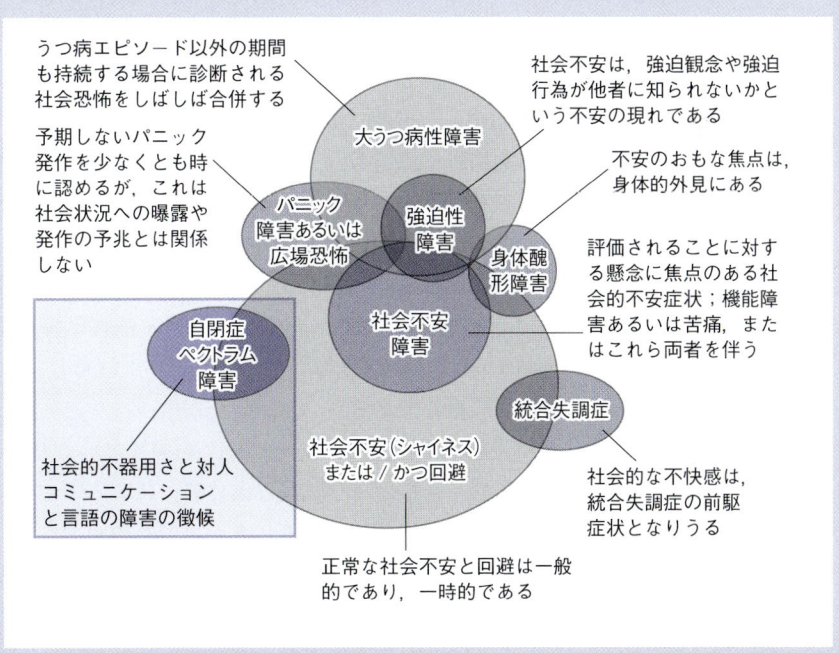

図 社会不安障害(社会恐怖)としばしば重なり合う状態で，社会不安症状を有する患者の鑑別診断を要すると考えられるもの

社交不安やシャイネスなどの症状を呈す患者に合併するさまざまな病態(ASD を含む)が示されている．
(Stein MB, Stein OJ：Social anxiety disorder. Lancet 371：1115-1125, 2008)

第7章 発達障害とパーソナリティ障害

本章では，発達障害とパーソナリティ障害について，診断に伴うあいまいさの布置を明確にした上で，臨床上のポイントとなるいくつかの症状について取り上げる．

■ 診断学上の位置づけ

　Leo Kanner によって自閉症が提起された当初は，後に修正されることになったものの，養育上の問題が「自閉的」心性を形成しているという理解があった．ハンス・アスペルガーによる特徴的な症候を示す一群は，現在の診断基準に照らせばむしろ失調型パーソナリティ障害(schizotypal personality disorder)に近い．パーソナリティ障害については，当初は潜在性の統合失調症という理解に立っていた．

　これらの歴史的事実は，精神科診断における「発達」の意味，すなわち健康的な発達，パーソナリティの成熟とは何かについて精神医学が明確にできていないことを物語る一端を示している．精神障害において素因と環境という二元論が立脚するのは人格の発達・成長を妨げる点においてなのである．パーソナリティの発達と精神病理についての関連は精神分析における理論と実践によるところが大きい．

　古典的な診断においては素因優位の精神障害を代表するのは知的障害と精神病性障害（統合失調症と双極性障害Ⅰ型）であり，環境優位の障害を代表するのは神経症（心因反応）であった．しかしながら，パーソナリティ障害と発達障害の「発見」は従来の精神障害の布置の再検討を迫った．その際に取り上げられたのが PTSD に代表される外傷性精神障害の概念である．

　このような視点に立つと，パーソナリティの発達という基準に照らして，素因（遺伝子の発現，脳器質・身体因）や環境（外傷体験[注]）によってどの時点でどのように妨げられたかによって精神障害を定義することが可能なのかどうか，という命題が生ずるのであるが，脳科学の発達が累積・複雑トラウマの定量化に及んでいない現状では限界がある．

　Meltzer らによる広汎性発達障害児への精神分析的アプローチ[1]は，発達障害につ

注：この場合の外傷体験は生命の危機を伴うというトラウマのみならず，日常的な冷淡さの対象，関心を向けられない，優しさの欠如などの累積・複雑トラウマを含む．

いて最早期のパーソナリティ発達が妨げられた状態であるとする知見を得た[1]．しかしながら Meltzer 自身，自閉症と自閉傾向とを分けて考えたように，発達障害すべてにおいて外傷論で理解することはできない．それでも，従来の精神分析における精神性的発達論に自閉的な心性が書き加えられることになったのである．単純に直線的な配置はできないとしてもそこには，〈自閉傾向→精神病性→パーソナリティ障害→神経症圏〉といった発達軸上で発達の流れを妨げられた(そこに停滞した)病態の布置が浮かび上がってくる．

近年発表された van der Kolk[2]による「発達性トラウマ障害(developmental trauma disorder)」の報告では，大規模調査により幼児期の不適切な養育体験が精神病性の病態を呈すことが明らかとされている．

このように考えると，それぞれの病態について時系列で順に置くよりも発達障害の病態要素，精神病性の病態要素，パーソナリティ障害の病態要素は併存すると仮定した上で併記し，素因と環境因の評価を付記するのが妥当といえよう．

■ 発達障害とパーソナリティ障害の臨床上の鑑別点

臨床上重要なのは，①人に対する信頼感とそれに伴う疑い，②攻撃性，③強迫体験の質的相違である．

順を追って説明しよう．

▍人に対する信頼感とそれに伴う疑い

発達障害者においては，人は「理解しがたい」(暗黙の了解・情緒に支配された存在)である．その一方で，わかってもらいたいけれど相手の真意が危ぶまれるために口外できない(振り回されるのを恐れて振り回してしまう，衝動的に見える行動化に至る)という対象関係の希求をめぐる原始的な葛藤がパーソナリティ障害の根幹である．

鑑別が困難となるのは，発達障害者の「理解しがたい」という率直な思いが言語的に表現される際に，面接者(専門家)がその率直さに情緒的に反応してしまう(揺さぶられる)からである．発達障害の病態では「わからなくされている」という被害的構えは有意ではない．

▍攻撃性

同様に，攻撃性については，パーソナリティ障害における破壊的な衝動性に伴われる心理的興奮(サディズム)は発達障害では基本的に認められない．むしろ道の障害物を除去するかのような率直な心性が働いているにもかかわらず，その率直さのあまり周囲が感情を害し，「攻撃的」と評価されることがある．

▍強迫体験の質的相違

強迫症状について，パーソナリティ障害における情緒を伴うこだわり(攻撃性に通じる)と，発達障害における素直な好奇心の集積は質的に同等とはみなされない．こ

れも，見る人によって，あるいは集団行動，しつけという「場」のなかでは情緒を伴うこだわりとみなされ，鑑別の難しさは残る．

Meltzerらは自閉症児において働く強迫を原始的強迫として強迫性障害との間に質的相違を見出している[1]が，現在の強迫性スペクトラム概念においては位置づけがなお困難なままである[3]．

■ まとめ

このように発達障害者と専門家との間にも容易に起きる情緒的揺さぶり（周囲が感情的になるために当事者の心に傷つきが残る）は児童期以来，周囲の人々との間にもしばしば経験されていることが多い．いじめられ，教師からの無理解といった情緒的疎外感とそれに伴う傷つきとして記憶されるので，面接の場の刺激（素直な思いが病理として扱われる）によってこのような傷つきが想起されると，面接者との間に揺さぶりが起こることは気に留めておく必要がある．後天的といえる傷つきの問題はパーソナリティ障害の場合にも認められることなので，このような発達障害者に形成され，また想起された2次的な被害的構えを，「人への不信感，疑い深さ」「攻撃的」「強迫的」と漫然と判断することは，両者の共通点である被害的構えを見ているにすぎず鑑別とならない．

したがって，症状と経過からではどちらともいえるような当事者に対しては，「わからない」ということの経験が根底にあるかどうか丹念に聴取する必要がある．パーソナリティ障害における「わかってほしいが，それを率直に言えないためにわかってもらえない」ことが傷つきの悪循環を起こすのと，発達障害者においては，「さっぱりわからないし，手がかりすらつかめないのに，それを口に出すと相手を怒らせる，さらにわからなくなる」というわからなさの悪循環であるという相違点である．同様に，攻撃性，強迫についても，悪循環に陥らず，問題の本質を見極める姿勢が求められる．

それでもなお，両者には十分に分別しがたい症状がある．先に触れたMeltzerは自閉傾向の代表的病理として，次元性，強迫と並んで「分解」という概念を取り上げている．こころの働きが刺激を受けると容易に各要素に「分解」すなわち，諸要素のつながりがほどけてしまうような状態に陥る，というのである．そのため，たとえば他者の心境を思いやる（mentalize）といった，複雑なこころの機能が滞る，と説明する．この自閉症の「分解」とパーソナリティ障害におけるスプリッティング（従来は「分裂」と訳されていた）あるいは外傷性障害における「解離」の病態の異同，また発達障害における感覚過敏と外傷性障害における過覚醒など，重複した病態を持っている症例もあるし，そうでなくても専門家の間でも評価が一致しないことは稀ではない．その場合，前項で指摘した病態の布置を念頭に個々の事例について，現時点では必要に応じて発達障害，パーソナリティ障害，外傷性障害それぞれの専門家が共同して検討すべきだろう．参考として操作的診断に基づく合併について図7-1に示した．

はじめに述べたように，これらは排反事象ではなく，特徴的な病態要素としてとら

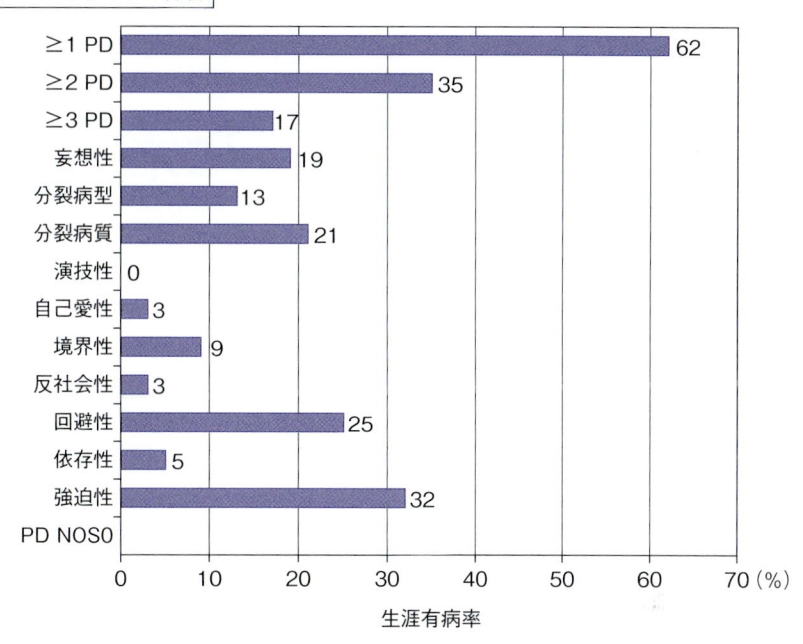

図7-1　ASD成人患者におけるⅡ軸障害の生涯有病率　(N=117)

Ⅱ軸：パーソナリティ障害

- ≥1 PD: 62
- ≥2 PD: 35
- ≥3 PD: 17
- 妄想性: 19
- 分裂病型: 13
- 分裂病質: 21
- 演技性: 0
- 自己愛性: 3
- 境界性: 9
- 反社会性: 3
- 回避性: 25
- 依存性: 5
- 強迫性: 32
- PD NOS: 0

生涯有病率(%)

Ⅱ軸のパーソナリティ障害との合併の割合を示している．上から3つは合併するパーソナリティ障害の数を示している．つまり，対象の117名のASD患者の62％はいずれかのパーソナリティ障害に該当するということになる．最も高頻度のパーソナリティ障害は，強迫性パーソナリティ障害で，32％であった．次に回避性パーソナリティ障害の25％，分裂病質パーソナリティ障害の21％と続く．
(Hofvander B, Delorme R, Chaste P, et al：Psychiatric and psychosocial problems in adults with normal-intelligence autism spectrum disorders. BMC Psychiatry 9：35, 2009)

えることが賢明である．発達障害もパーソナリティ障害も人との安定した深い情緒的かかわりによって前者における可塑性，後者におけるワークスルーが起きることが確かなのであるから．

引用文献

1) Cassese SF：Introduzione al pensiero di Donald Meltzer. Roma, Edizioni Borla, 2001〔木部則雄，脇谷順子（訳）：入門 メルツァーの精神分析論考．フロイト・クライン・ビオンからの系譜．岩崎学術出版社，2005〕
2) van der Kolk BA：Developmental trauma disorder. Psychiatric Annals 35：401, 2005
3) 松永寿人：強迫スペクトラム障害の展望―DSM-5改訂における動向を含めて．精神神経学雑誌 113：985-991, 2011

（奥寺　崇）

第8章 特性や状態に応じた治療の進め方

特性に応じた治療の進め方

　ASDに併存する精神障害を治療する際には，患者個人の認知特性に応じた適切な個別のアセスメントを実施し（急性期患者であれば症状が安定してから），治療を開始する．

　通常，急性期症状が過ぎれば，患者とのコミュニケーションは改善するので，標準的な治療的アプローチは患者が正常に近い認知能力を持つことを前提としている．一方，高機能ASD患者では急性期症状が過ぎても，かえってASD自体の中核症状が明らかとなり，コミュニケーションの難しさが目立つことがある．具体的な治療上の留意点に関し以下に概説する．

病識が乏しい

　ASD患者は，自己や他者への気づきや関係性の理解が乏しいため，精神症状が引き起こしている社会的状況を把握していないことも多い．病識が欠如しているASD患者の治療のモチベーションを高めるためには，病気の説明をするだけでなく，治療による利益と不利益をわかりやすく説明し，付随する事態に関しての情報を伝えて，治療への参加を求めることが重要である．いったん理解できれば，治療に協力的となることが多い．

こだわりが強い

　ASD症状の一部であるこだわりや柔軟性の乏しさ，切り替えの悪さは，治療者や看護者より自己主張ばかりでわがままと受け取られやすい．患者の認知特性に応じて，医療側がある程度柔軟な対応を図る必要があるが，家族の生活を守ったり，入院中の集団生活の管理上で，患者のこだわりを許容できない場合も少なくない．患者にとっても生活しやすい場を保証するために，具体的なルールを設定し，ルールを守ることがいかに周囲と協調していくために重要なのかを，理解する契機として体験してもらうかがテーマとなる．

状況の理解が苦手

　ASD 患者は，概念的・抽象的な指示の仕方では伝わりにくく，これまで経験したことのない初めての場面では特にそうである．したがって，治療場面という不慣れな場面の設定は，枠組みを明確にし，予告なく変化させないようにすると，理解しやすく，治療に良い影響を及ぼす．

　外来の定期通院においては，1 日数行に限定した日記指導などの試みが有用なケースも報告されている．これは，日々の出来事を経時的に整理することが苦手な ASD 患者に，1 日数行という枠組みのなかで簡潔に整理することを毎日繰り返させることで，簡潔に要点を報告することの改善になるだけでなく，同じような記述となりがちな内容の中に表現された患者の体験を拾い上げ，治療的介入のチャンスを見つけるためのツールとしても有用である．入院生活においては，室内や病棟を視覚的に構造化したり，日課や入院生活でのスケジュールを視覚化してベッドサイドに貼っておくなどすると，生活の見通しがつきやすくなり，精神的に安定が得られる．また，治療上の約束事がある場合には，その達成状況などをベッドサイドに掲示することもモチベーションを高めるのに有用である．

コミュニケーションスキルの障害

　ASD 患者の言語的ならびに非言語的コミュニケーションの障害は，前述の視覚構造化により，ある程度補うことは可能であるが，スキルそれ自体を，治療の場で指導することも重要である．患者同士あるいはスタッフとの間でのコミュニケーションの問題からトラブルが生じた場合，できるだけ速やかに（できればその場で）具体的な対処について，言葉だけでなく，実際にモデルとなる行動を見せながら，ロールプレイの要領で教えると役に立つ．対人技能訓練などの手法も，ASD の認知様式を踏まえたプログラムが構成されている場合には有用である．

自己肯定感・自己有効感が損なわれている

　ASD 患者では，その成長経過のなかで，自己肯定感・自己有効感が損なわれている場合が少なくない．また医療の場で対応されること自体が挫折と捉えられ，さらに低める可能性もある．治療者は患者の損なわれた自己肯定感・自己有効感を正当に高めていくような治療上の配慮が必要である．患者の体験に共感性を持って傾聴し，患者の行動を肯定的に評価し，結果よりも患者の前向きな努力のプロセス自体を，患者にもわかるように具体的にかつ肯定的に評価することが重要である．

状態に応じた治療の進め方

精神運動興奮状態

　精神運動興奮を呈するときは，隔離し安全を図り，刺激を減らし，環境を調整する

ことを優先する．このような病像に対し，定型発達者では高力価の神経遮断薬が用いられることが多いが，ASD患者ではカタトニア病像を併発する症例報告もあり，ケースによってはベンゾジアゼピン系薬剤の投与を優先するという選択肢も念頭に置く必要がある[1]．急性期の状態像が安定した後に，慎重に統合失調症などの併存の可能性を判定し，主剤を決定する．

うつ状態

ASD患者の不安や抑うつなどの感情体験を的確に評価するのはケースによってはむずかしい場合がある．大うつ病のクライテリアを満たす病像においても，病前の患者の状態を性格(特に衝動性)，認知行動様式，躁性の変化の有無などの点から詳細に確認する必要がある．気分障害とASDのいずれにおいてもセロトニン代謝異常と左半球の機能低下が報告されるが，SSRIはASDの常同行動，不安，攻撃性，かんしゃくには有効性が報告されている[2]が，併存するうつ状態に関する有効性については明確ではない．背後に強い焦燥のある患者においてはSSRI投与が衝動コントロールを低下させて自殺の危険を高める危険性にも十分な留意が必要である．

不適応状態

学校および職場不適応は，多くの場合，患者側要因と環境側要因の両者の相互作用の結果である．それぞれを明確にして，相互関係を改善するようなケースマネジメントが治療上きわめて重要である．言い換えれば「患者の生きやすい場作り」が重要である．

2種類のASD

成人期においてのASDは，思春期以前に診断され，治療アプローチを受けてきたものと，思春期以降，成人期に至って診断され始めて治療アプローチを受けるものでは，その障害の程度も，受け止め方にも大きな相違がある．前者は，障害を前提とした生き方をある程度身に着けてきているが，後者では，いままで気づかなかったが，社会に入って生じてきた問題が，ASD的障害に基づくものと気づかされることにより，大きな衝撃を受ける．自己の所与の状況の蓋然性が崩れ，自己の在り方自体が改めて問われるという意味で，困惑や混乱を生じやすい．このことは，自己肯定感を減弱し，ひいては不安や抑うつといった精神症状で現れることもあるし，自我同一性形成にまつわる，種々の混乱状況，例えば頻回の転職で現れることもある．この場合治療者は，患者が障害をどのように受け止めているかに十分な配慮が必要である．患者の多くはコミュニケーションスキルに乏しく，体験の言語化は容易ではないことから，行動によって表現されることが少なくない．患者の行動を日記などで，注意深くモニタリングし，その意味を考え，患者を理解するという作業はASDにおいても，きわめて重要である．

ASD患者においては，通常の精神障害患者とは異なる，特有の認知や敏感さがあり，患者の感じるわずかな「ズレ」から不適応を生じやすい．また，患者は不適応の状況や，それにまつわる不安焦燥を明確には言語化できないことも事態を遷延化しやすい．

周囲の関わりによって良くも悪くもなることを留意し，新たな患者の心的外傷体験から事態の固定化もしくは悪化へ向かうのを予防するために，個々の患者に即して，できるだけオーダーメイドなケースマネジメントを心がけることは重要である．

不安緊張状態

混乱やパニック，回避，活動の停止などで表現される急激に生じた不安緊張状態を呈している場合は，患者を刺激しているその場から離れさせ，安心や安全の確保を優先する．その場で言葉で安心させようとする方法は，有効でない場合が多い．そうした状況の説明は不安緊張の場面から離した後で，慎重に行う．

強迫症状

強迫性障害とASDにおけるこだわりの鑑別は必ずしも容易ではない．Bejerotの提唱する「autistic dimension」[3]のようにOCDの下位分類にASD近縁患者を位置づけて考えるものや，OCDとASDの関連性を指摘する家族研究や遺伝子研究報告もある．

ASDとの合併のある薬剤抵抗性のOCD例では，過剰な知覚をフィルターするドパミン系薬剤のSSRIやセロトニン-ドパミン拮抗薬の併用が儀式的行動に有効なケースがあると述べられている[4]．

引用文献

1) Fink M, Taylor MA, Ghaziuddin N：Catatonia in autistic spectrum disorders：A medical treatment algorithm. Int Rev Neurobiol 72：233-44, 2006
2) 広瀬徹也，内海健（編）：うつ病論の現在　精緻な臨床を目指して．星和書店，2006
3) Bejerot S：An autistic dimension；A proposed subtype of obsessive-compulsive disorder. Autism 11：101-10, 2007
4) 中川彰子，山下陽子：強迫性障害と広汎性発達障害．臨床精神医学 37：1543-1549, 2008

（小野和哉）

第9章

薬物治療

　高機能ASD成人患者がうつ症状や不安症状など合併精神症状のために受診に至った場合は，医師はうつ病や不安障害など，合併精神障害の診断に基づいて治療計画を立てるであろうし，その際に，薬物治療の導入も検討するであろう．薬剤の選択など使用法は，ASD成人を対象とした薬物治療のエビデンスが乏しいために（コラム参照），実際には，患者がASDであるかどうかにかかわらず（ASDの診断に気づかれずに処方される場合が多いと思われるが），通常の薬物治療に準じたものになることが多い．ASD者に薬物治療を行うにあたって，次のような事柄を念頭に置く必要がある．

■ 薬物以外の治療法の可能性を探る：安易な処方に注意

　高機能ASD成人患者の合併精神症状に対しては，それらが薬物治療によって改善する可能性が大きいならば，薬物治療の導入を検討するのは当然で合理的である．同時に，薬物治療を始める前に，患者の症状発現に至るプロセスを，ASD特性を踏まえた心理社会的な視点も含めて，多面的に理解しようとすることが重要である．環境調整や心理教育，家族ガイダンス，個人精神療法など，薬物治療以外のアプローチをまず先に，あるいは並行して行うことで症状の改善が得られることも多い．薬物治療偏重の危険性は，精神遅滞を伴う患者についてこれまで指摘されてきた問題行動への投薬と似ており，薬効がみられなくても漫然と投薬を続ける結果となったり，副作用を症状の増悪と誤解してさらに薬物の投与量が増えるという悪循環に陥ったりする危険性をはらんでいる．また薬物治療を行う場合にも，患者自身や家族が，主体的に障害の理解を深め，特性に応じた生活上の工夫に取り組む勇気と意欲を維持できるよう常に配慮が必要である．

■ 副作用に注意して，投与は慎重に，観察は丁寧に行う

　定型発達の患者と同様，ASD成人患者に対しても，一般的には，うつ症状，強迫症状にはSSRI，不安症状にはSSRIや抗不安薬，統合失調症様症状には非定型抗精神病薬，強い焦燥や情動不安定性には非定型抗精神病薬や気分安定薬が投与される

コクラン・レビューより①
ASDにおけるリスペリドンを用いた治療

【目的】 リスペリドンのASD者に対する有効性と安全性を検証する.

【レビューした文献の選択基準】 ASD患者を対象としたリスペリドンとプラセボを用いたRCTであること.予後判定には少なくとも1つの標準化された指標を用いていること.3つの研究が選択された.

【結果】 ASD成人についての結果のみを下記に抜粋；児童に対する有効性のエビデンスはなかった.

- 反復行動,知覚・運動,情動反応に有効[1,2]
- いらいら,ひきこもり(social withdrawal),多動症状,常同行動,自傷に有効[2,3]
- 副作用としては,体重増加が著しい(プラセボ群が1 kgの増加に対して,リスペリドン群は2.7 kg増).McDougle[1]では成人は児童ほどの増加はないと報告されている.
- 長期的な影響(有効性,副作用)は不明.

【結論】 ASDのある側面(いらいら,反復行動,多動)にはリスペリドンは有効である.症例数が少なく,研究ごとに使用する指標が異なっており,長期フォローがなされていないため,エビデンスは限定的である.

1) McDougle CJ, Hormes JP, Carlson DC, et al：A double-blind, placebo-controlled study of risperidone in adults with autistic disorder and other pervasive developmental disorders. Arch Gen Psychiatry 55；633-641, 1998
2) Research Units on Pediatric Psychopharmacology Autism Network. McCracken JT, McDougle J, Shah B, et al：Risperidone in children with autism and serious behavioral problems. N Engl J Med 347：314-321, 2002
3) Shea S, Turgay A, Carroll A, et al：Risperidone in the treatment of disruptive behavioral symptoms in children with autism and other pervasive developmental disorders. Pediatrics 114：634-641, 2004

Jesner OS, Aref-Adib M, Coren E：Risperidone for autism spectrum disorder. Cochrane Database Syst Rev(1)：CD005040, 2007

(神尾陽子)

(症例編を参照).ASD患者に対する薬剤の有効性や副作用についてのエビデンスは乏しいが[2,7],ASD成人患者を対象とした2重盲検試験[4]で,非定型抗精神病薬のリスペリドンが反復行動,攻撃性,不安,うつ,焦燥に対し効果があったと報告されている(コクラン・レビュー①).ただし,副作用として,若年自閉症患者では肥満が問題となる.SSRIのうちフルボキサミンがASD成人患者の強迫症状や攻撃性に対し効果があったという報告[3]があり(コクラン・レビュー②),いずれの薬剤も副作用として鎮静,アカシジア,脱抑制,躁的興奮などが認められている(コクラン・レビュー①②).

コクラン・レビューより②
ASDにおけるSSRIを用いた治療

【目的】 SSRIについて以下のことを明らかにする．
1. 自閉症の中核症状（対人交流，コミュニケーション，反復行動）に対する有効性
2. 1. の症状以外（自傷行動など）の行動や機能に対する有効性
3. ASD児とその養育者のQOLへの影響
4. 短期的および長期的予後への影響
5. 副作用

【レビューした文献の選択基準】 ASD者を対象としたSSRIとプラセボを用いたRCTであること．予後判定には少なくとも1つの標準化された指標を用いていること．fluoxetine, フルボキサミン, fenfluramine, citalopramの4種類のSSRIが検証されていた．

【結果】 ASD成人についての結果のみを下記に抜粋；児童に対する有効性のエビデンスはなかった．

- 強迫観念，強迫行為にフルボキサミンが有効[1]
- 不安症状にfluoxetineが有効[2]
- 攻撃性にフルボキサミンが有効[1]
- 副作用については症例数が少なくはっきりしたことは結論できない．

【結論】 成人については2つの小規模研究（症例数6～30）のみ．有効性および副作用のエビデンスは限定的だが，特定の症状に対する有効性は示唆的でもある．自閉症に合併する症状のうち，臨床評価が確立した強迫症状，うつ症状，不安症状に対して，個々の患者ごとに判断して使用するべきである．

1) McDougle CJ, Naylor ST, Cohen DJ, et al：A double-blind, placebo-controlled study of fluvoxamine in adults with autistic disorder. Arch Gen Psychiatry 53：1001-1008,1996
2) Buchsbaum M, Hollander E, Haznedar M, et al：Effect of fluoxietine on regional cerebral metabolism in autistic spectrum disorders：a pilot study. International J Neuropsychopharmacology 4：119-125, 2001

Williams K, Wheeler DM, Silove N, et al：Selective serotonin reuptake inhibitors（SSRIs）for autism spectrum disorders（ASD）（Review）. Cochrane Database Syst Rev（8）：CD004677, 2010

（神尾陽子）

　臨床場面では，定型発達者と比べてASD者は薬剤効果および副作用の発現の個人差が大きく，予測がつきにくい．投与は少量から開始し，効果や副作用の判定は，患者本人の申告や診察場面の様子だけでなく，家族からの報告を参考に慎重に行うことが望ましい．

■ わが国における ADHD 成人患者の薬物治療の現状

わが国では，これまでメチルフェニデート徐放薬（コンサータ®）やアトモキセチン（ストラテラ®）の処方は原則6～18歳に制限されていた．現在は，条件つきでADHD成人患者に投与することができる．アトモキセチンは2010年6月13日から，メチルフェニデート徐放薬製剤は2011年8月26日から，添付文書が改訂され，18歳未満から薬物治療を開始したADHD患者に限り18歳を超えての継続処方が可能となったのである．このため，成人期に初めてADHDと診断された患者には投与できないので，両製剤とも18歳以上のADHD患者に適応を拡大するために，治験が実施され，アトモキセチンについてはすでに終了し，メチルフェニデート徐放薬製剤は現在進行中である（2012年2月現在）．ちなみに米国においては，2008年6月から米国食品医薬品局（FDA）がコンサータ®の適応拡大を通知しており，米国内では6～65歳まで処方が可能である．PDDと診断された患者に対するメチルフェニデートの有効性は，児童を対象とした米国の二重盲検臨床試験によって多動症状に効果があることが示されたが，PDDの併存のないADHD児と比べるとその効果は小さく，副作用はすこぶる頻回であった[1]．わが国における成人ADHD患者，成人PDD患者へのアトモキセチン，メチルフェニデートの臨床試験の報告は現時点ではまだない．

引用文献

1) Research Units on Pediatric Psychopharmacology (RUPP) Autism Network：Randomized, controlled, crossover trial of methylphenidate in pervasive developmental disorders with hyperactivity. Arch Gen Psychiatry 62：1266-1274, 2005.

〈板垣俊太郎〉

■ 薬物治療開始前と処方内容変更の際には，わかりやすく丁寧に説明する

薬物治療の標的症状，期待できる効果，薬物の効能，副作用，服用方法などの説明は，定型発達の患者に対するよりも丁寧に行うことを心がける．頓用薬を使用する際には，症状の目安，1日の最大服用量や服用時間の間隔についても，あらかじめはっきりと指示しておくことが望ましい．定型発達の患者の診察を数多くこなしている医師にとっては，ルーチンで行っている説明内容や用語でASD患者にも意図が伝わっていると思いがちであるが，ASD患者には理解しにくく不十分なことがしばしばある．患者が質問をしないのは，コミュニケーション障害のためとっさに疑問を口にできないだけであったり，説明内容をまったく誤解している可能性がある．ASD患者においては，医師の説明の方法や内容が，通常以上にその後のアドヒアランスを大きく左右するといえるだろう．

Q 本当に「夜は眠れている」のでしょうか？

相手が統合失調症の患者であれ，うつ病の患者であれ，精神科の診察ではこのようなやりとりがなされ，医師は患者の睡眠状況に問題はないと判断し，多くの場合は患者さんも，そのように医師に伝えたつもりでいることが多いのではないでしょうか．

しかしASD者の場合は，一般的に望ましいとされる睡眠と比べて自分の睡眠状況がどうなのか，自分は睡眠に困っていないかどうかを問われているとは受け止めず，「はい（眠れていないわけではない）」と字義通りに答えているだけのことがよくあります．

ASD者に対して，睡眠状況に問題がないかどうかを確かめるためには，何時に睡眠薬を服用し，何時にベッドに入り，何時に寝入り，何時に目が覚めるのか，を具体的に尋ねる必要があるでしょう．

（井口英子）

引用および参考文献

1) Buchsbaum M, Hollander E, Haznedar M, et al：Effect of fluoxietine on regional cerebral metabolism in autistic spectrum disorders：a pilot study. International J Neuropsychopharmacology 4：119-125, 2001
2) Jesner OS, Aref-Adib M, Coren E：Risperidone for autism spectrum disorder. Cochrane Database Syst Rev(1)：CD005040, 2007
3) McDougle CJ, Naylor ST, Cohen DJ, et al：A double-blind, placebo-controlled study of fluvoxamine in adults with autistic disorder. Arch Gen Psychiatry 53；1001-1008,1996
4) McDougle CJ, Hormes JP, Carlson DC, et al：A double-blind, placebo-controlled study of risperidone in adults with autistic disorder and other pervasive developmental disorders. Arch Gen Psychiatry 55；633-641, 1998
5) Research Units on Pediatric Psychopharmacology Autism Network. McCracken JT, McDougle J, Shah B, et al：Risperidone in children with autism and serious behavioral problems. N Engl J Med 347：314-321, 2002
6) Shea S, Turgay A, Carroll A, et al：Risperidone in the treatment of disruptive behavioral symptoms in children with autism and other pervasive developmental disorders. Pediatrics 114：634-641, 2004
7) Williams K, Wheeler DM, Silove N, et al：Selective serotonin reuptake inhibitors(SSRIs)for autism spectrum disorders(ASD)(Review).Cochrane Database Syst Rev(8)：CD004677, 2010

（井口英子）

第10章 家族への対応

親子関係に配慮した家族へのサポート

児童期に診断を受け，定期的に専門医によるフォローが行われているケース

　このようなケースでは，家族はASDについての知識や対応などについてはすでに理解していることが多いと思われる．それでも，親や専門家のサポートを受けながら成長してきたASDの子どもが，思春期を迎え，さらに成人へと成長する過程では，児童期とは違ったさまざまな問題が生じ，当惑する親は少なくない．ASDのある子どもも，そうでない子どもと同様，親からの分離の欲求が芽生え，葛藤するのである．しかしながら，親しい友人関係をさらに深めて，親から距離を取ることができる健常児と違って，ASDの子どもたちはそうした友人との関わりが持てないために，また親への依存もまだ強いために，支配的となりがちな親との距離を取ることができず，親との間のトラブルが頻発するようになる．

　親が十分このことを理解して，親から子どもとの距離をとるよう，親子関係を支配から並立的で共感的な関係性にシフトするように，指導していく．子どもの情緒や行動が不安定なために，関係構築が難しい場合には，リスペリドン，アリピプラゾール，感情安定剤などの投与も一時的に必要になることがある．

思春期以降に初めて受診したケース

　家族にはASD診断について伝えると同時に，ASDの特性からきちんと説明し，現在の問題点と将来起こりうること，そして家族としてどのように対応すべきかを具体的にわかりやすく説明する．ASD患者の生きにくさの基本が，想像性が乏しいことや，表情や態度などの非言語性コミュニケーションが読み取れないために言語に頼りすぎ，文字通りに理解してしまうこと，また感覚の過敏性や自律神経の不安定状態などと関係することを説明する．加えて，幼児期からの患者の行動や今までの子育てに関して，決して責めるのではなく，肯定的な思いから見つめ直すという作業は必要である．将来の見通しについては，これから周囲が患者の生きにくさを十分に配慮したサポートを心がけることにより，本人なりに経験を少しずつ積み重ね，行動や情緒が驚くほど改善することもあることを，付け加えておく．将来，気をつけなくてはなら

ない併存障害として，てんかん，うつ病，不安障害，精神病的状態などについても説明し，その場合の薬物療法などの有用性についても知っておいてもらうことが望ましい．

ASD児の思春期的問題への対応に悩む家族に向けて

　ASDの特性である強迫性や，時に強い衝動性のために，親を強迫的に巻き込み，親が疲れ果てているケースがある．ASDのある人は，気になることや思いついたことを心に留めておくことがむずかしく，頭に浮かぶとすぐに話したくなる．また，不安があると何度でも確認したくなる．このような場合は，親が拒絶すると，家庭内のトラブルとなってしまう．対応としては，家庭内のルールを構造化し，話を聞く時間などをあらかじめ決めておくことが望ましい．話を聞く際には，すぐに否定したり，説得したりする姿勢は慎むべきである．相手の気持ちをできるだけ肯定的に理解するように心がける．子どもが悩んでいたり，対処方法がわからず困っていたりするときなどは，一緒に解決方法を考えていくようにする．自分自身で問題を解決する経験を体験してもらうことがねらいである．そのために，根気よく，サポートできるよう，親を励ますことが大事である．ASD児が女児の場合，特に，母親との距離が近くなり，母娘の葛藤が大きくなっていくことが多い．

　ASD者の家族にはうつ病や不安障害，ASDを含む発達障害などの家族歴がしばしばみられる．また，治療経過中に家族が発症するケースもある．子どもの治療中も，家族とは対応方法について繰り返し話し合うことは有用である．当面，子どもに明らかな問題がなく家族の対応方法も適切であると考えられる場合でも，定期的に（半年ごとなど）診察を行うことが理想的である．時に，地域の中で本人やその家族に対する理解が得られず周囲から非難を受けていたり，家庭内でも本人が理解されず，孤立無援の場合には，精神状態は悪化しがちである．生来のストレス脆弱性と環境からのストレスのために，不安，こだわり，さらには幻覚・妄想などが認められることもまれではない．このような状況に誘発された精神症状と明らかな統合失調症とは，注意深く鑑別する必要がある．

家族機能としての問題

　ASDの病因は，遺伝的要因が主であり，環境要因も大きく影響する．遺伝的な要因では同胞あるいは親など親族にASD特性を認めることも多い．ASD特性を持った親がASD児を育てるということには，メリットとデメリットがあることを知っておくと，親へのサポートに有用である．メリットとしては，子どもの生きにくさを理解できることである．デメリットとしては，どうして子どもがそのような行動をとったかを，子どもの立場で理解できないことである．ASDの中核症状ではないが併存しやすい遂行機能障害があれば，育児全般や家事が適切に行えず，子どものニーズにそぐわない不適切な養育環境で子どもは生活しなくてはならない．

　ASDのある母親の感覚過敏や感覚鈍麻も，スキンシップの大切な育児には大きな障害になりうる．また母親自身も適切な育児ができていないという思いを持っている

ことも多い．母親自身が，本人の特性を理解してもらえずに成人しているような場合，幼児期からの親との関係が基盤的なトラウマになっていることもある．そのようなケースでは，母親の生育歴を振り返って，根底にあるトラウマを理解し，向き合うことも必要になることもある．

父親にASD特性がある場合には，相手の気持ちに添った対応ができず，わが子（や妻）に対して過大な要求をして，それに応えられないと暴力行為に及ぶケースがある．そのようなケースでも，表面的には社会生活上，支障がないように見える．むしろ，子どもの時には親に従順によく勉強し，学業面や職業面ではある程度成功している．しかし，家庭内においては，わが子や妻の気持ちが理解できず，自分の思うようにならないと子どもへの虐待，妻に対するDVとなり，そのことがASDの子どもの学校でのトラブルや母親のうつ状態などの主な原因となっている場合があるので，家族機能にも十分注意を向け，聴取したい．

このようなASD特性の強い親が，思春期を乗り越えようとしているASDのある子どもに対応することは困難を伴っており，家族全体のメンタルヘルスに影響が大きい．これまで子どもの社会性や対人関係の向上のために一所懸命に取り組んできている親の場合は，いっそう難しい問題が生じる．これまで親の言うことを聞いてがんばってくれたからこそ，ここまで良くなったという思いが強いと，子どもが大人への過渡期にあるという自然な事実が受け入れにくくなってしまう．少しでも親のコントロールのきかない変化が子どもの行動にみられると，悪いことがわが子に起きている，と不安になり，何としても阻止しなくてはならない，と思い込んでしまうのである．

ASD独自の遺伝と環境の複雑な相互関連を踏まえた視点から，家族療法や夫婦カウンセリングを行うと，それまで個人的なカウンセリングと薬物治療では得られなかった改善を経験することも稀ではない．

これまでフォローしてきたASDのある患者が成人し，パートナーを見つけ，結婚して新しく家庭を持つことになったら，両親が用意してくれた家庭を出てパートナーと1から別の家庭を作るのだ，ということをきちんと理解してもらう必要がある．できればパートナーにも，患者のASD特性について知っておいてもらうことを勧める．

家族への支え

家族機能に問題がある場合には，家族の構成員全員が疲弊してしまい泥沼化していることも多い．このような家族機能の疲弊をサポートするために，教育，社会，医療の密接なネットワークを医療主導で構築していくことが求められる．

参考文献
- 宮尾益知：大人のアスペルガー症候群，日東書院，2010
- リアン・ホリデー・ウイリー：アスペルガー的人生，東京書籍，2002
- シャナ・ニコルズ：自閉症スペクトラムの少女が大人になるまで 親と専門家が知っておくべきこと，東京書籍，2010
- 野波ツナ，宮尾益知：旦那さんはアスペルガー，コスミック出版，2011

〔宮尾益知〕

第11章

身体化する患者への対応

■ 共感的コミュニケーション不全としてのアレキシサイミア

　本章では，身体症状を主訴として青年期に小児科医，内科医，あるいは心療内科医を訪れる患者（最終的には精神科へ）のなかに，身体症状が対人コミュニケーション手段として用いられており，医者-患者関係が安定しにくく，治療困難な一群の身体化する患者に焦点を当てる．

　ASDの一部のケースでは，思春期に，感覚過敏，感覚鈍麻，自律神経機能不全状態などの身体的な問題が一義的な問題として出現してくることは，高機能ASD成人の自伝的記録や臨床経験から知られている．身体症状が一義的な症状として形成されるプロセスには，感覚異常や自律神経機能不全のほか，ストレスに対する認知的評価の歪みも関与する．このような状態と似た病態に，心身症領域で用いられる，「アレキシサイミア（alexithymia）＝失感情症」が注目される．アレキシサイミアは，

> ①自分の内的な感情や葛藤を認知して内的な感情や要求を言葉にして表現することが苦手であり，共感的なコミュニケーションをした経験が極端に少ない．
> ②自分の身体的な感覚に対しても鈍感である．
> ③「外的な環境・活動」への適応能力はある程度高いが，「内的な感情・葛藤」に対する適応能力は低い．

という特徴を持つ．このように感情の気づきや表現に乏しいアレキシサイミアがあると，内面に抑圧された感情が溜まりやすく，身体化しやすい．また精神疾患に罹患していても，精神症状を訴える代わりに，さまざまな身体症状（消化器症状，循環器症状，神経症状など）が前景に現れることがあるので，注意を要する．実際に，うつ病や不安障害との合併は多い．

　アレキシサイミアとASDとの関連は，近年，注目されているが，臨床的には，いずれの説明にも当てはまる症例を経験することはしばしばある．いずれも共感に必要な神経回路の異常などが報告されており，また経験要因の偏りも関与していると考えられる．

精神医学からみた身体化：身体化障害

　精神医学的な観点からこのような病態を記述すると，DSM-Ⅲ以降，身体化障害(somatization disorder)と分類され，DSM-Ⅳ-TRによれば，①多彩な身体愁訴があり，数年以上続いていること，②30歳以前に発症していること，③身体的な原因で説明できない症状を訴え続けて治療を求め，著しい社会的・職業的機能障害が生じていること，と定義される．特徴的な身体愁訴は，以下の4種類の症状を要件とする：4つ以上の部位の疼痛(頭痛，背部痛，腹痛，胸痛，関節痛など)の訴え，2つ以上の胃腸症状(悪心，膨満感など)，性的症状(性欲低下，インポテンス，月経不順など)，偽神経学的症状(けいれん発作，運動マヒ，感覚鈍麻，失声などいわゆるヒステリー性転換症状，幻聴など)．併せて不安障害やうつ病を合併していることが多く，パーソナリティ障害の合併も多い．身体化障害の当人は紛れもない身体的苦痛を実感していているため，詐病や仮病ではない．

　以上の症状があってもその数が足りないために身体化障害の診断に該当しない患者も多く，男性であれば4つ以上，女性であれば6つ以上の説明のつかない身体症状を持つ場合に軽症型の身体化障害とするとの提唱もある．このように診断閾下の軽症型も含めると，プライマリケアにおける患者の20％にのぼるという報告もある．臨床的特徴としては，医師に対して訴えが多く，標準的な検査にて異常が見つからないと，高額な検査，入院，手術などのさらなる医療行為を求めることがある．また，患者自身も，身体的苦痛や症状増悪に対する恐怖のために仕事や娯楽から遠ざかってしまう．

ストレス順応の観点からみた症状理解

　身体化障害では，生理的覚醒レベルが高すぎる，あるいは低すぎるために，不必要に身体状態に注意が向けられている状態があり，このような傾向からストレス状態に対し順化しにくくなっていると考えられている．一方，ASDにおいても，感覚フィルター機能に問題があるため，ある感覚情報は過敏に感じられ，ある感覚情報は鈍化して感じられる．加えて，細部にこだわる傾向から，一部のASD者においては，身体の感覚を重篤な病気の徴候として誤って解釈してしまうことがある．その結果，否定的情動や不適応行動が生じたり，社会的活動からひきこもってしまう．

女性に多い身体化障害

　身体化障害の症状は，思春期以降にあいまいな身体的不調の訴えとして現れ始め，男性より女性に多い．急激な環境の変化や著しい精神的ショック，また慢性的なストレス状態，また，雨期，低気圧などの気候の変化によっても身体症状が現れることがある．特に女性の場合には，思春期を境に，身体状況が急激に変わっていく．前思春期にエストロゲン(卵胞ホルモン)が少しずつ分泌されるようになると，大人の女性のカラダに近づいていく．初経を迎える10〜14歳(平均12歳6か月)頃は，まだエストロゲンをつくる卵巣のはたらきが未熟なため，月経周期や期間はまだ不安定で，また

子宮の発育も未熟なため、月経痛(機能性の月経困難症)も起きやすい。思春期の後半になって卵巣や子宮がある程度成熟すると、月経周期も安定し、月経痛も軽くなり、カラダが安定してくる。思春期は、このようなカラダの成長と並行して、精神的にも大きく成長していく時期である。

一方、ASDの人々は環境の変化に弱く、また感覚を介した身体認知に歪みがあることが多い。そうしたASDのある女性の場合にとっては、思春期という時期は、心とカラダのバランスを崩しやすい、すなわち認知と身体感覚の解離に苦しむことの多い、むずかしい時期である。どんどん成長していくカラダに心の成長が追いつかない。一方、この時期の対人ストレスはASDの女性にとってはだんだんつらいものとなってくる。こうしてASDの女性は、心身のバランスの崩れと対人場面での破綻から、身体化症状が出やすくなるのかもしれない。

治療

一般に身体症状が主訴である患者は、小児科、内科あるいは心療内科を訪れるため、精神科へは紹介で受診するケースが多い。紹介された精神科医の対応としては、慢性的で難治な身体症状の背景に、児童期から一貫したASD特性を認めた場合、患者の訴える症状は、身体感覚の問題、自律神経の未成熟な状態によるのか、細部へのこだわりによる身体認知の誤りによるのかなど、考えながら対応する。患者のASD特性と身体症状との間に関連を認めたならば、患者のつらさに対する共感を表し、患者が理解しやすいような視覚的ツールを用いて、症状についての論理的な説明を行う。説明は「気持ちの問題」などと曖昧にせず、信頼性の高い統計的な根拠を示すなどして行うと納得が得られやすい。患者の過剰な検査の要求に対しては、検査の限界と検査結果の妥当な意味づけを説明した上で、現実的な枠組みを示しながら診断までのスケジュールをはっきりと伝える。また、感覚や自律神経に関連する認知のゆがみという説明を行い、ゆっくりと説得をしていく。並行して身体症状にのみ向けられている注意を他のことに逸らすような生活上の工夫や環境調整をしたり、リラクゼーションなどのストレスへの対応法を教えたりして、ストレスの軽減を図る。可能であれば、認知行動療法(cognitive-behavioral therapy；CBT)を用いて、ストレスに対するコーピングを学習させる。また併存障害としてのうつ病や不安障害、睡眠障害への薬物療法なども組み合わせて行う。著者は、薬物を使用する場合には、ドパミンとセロトニンのアンバランスから生じていると考え、起床時にアリピプラゾールを、就眠前のラメルテオンや身体状態を改善するために漢方などとともに用いている。

(宮尾益知)

第12章

精神障害者保健福祉手帳用の診断書作成の注意点

　診断書はあくまでも実状を記載するものであり，障害者手帳の対象になる状態か否かは，公的機関が判断する．しかし，実状の困難部分が記入されていないと，本来は障害者手帳の対象になる患者が申請を却下され，不当な不利益を蒙ることになる．

　発達障害は精神障害者保健福祉手帳（以下，手帳）の判定基準でいう「精神疾患」では「その他」として含まれていたものの，従来の診断書の書式では，発達障害に関連した機能障害を記載する項目はなかったことも，発達障害のある人々が手帳を取得する際のハードルになっていた．

　2011（平成23）年1月13日付で，厚生労働省社会・援護局障害保健福祉部局長より，「『精神障害者保健福祉手帳制度実施要領について』の一部改正について」（障発0113第1号）が通知され，診断書の様式の改正がなされた．具体的に発達障害者に関連する項目として，対象者の病状や状態像に関する記載欄に，新たに「広汎性発達障害関連症状（①相互的な社会関係の質的障害，②コミュニケーションのパターンにおける質的障害，③限定した常同的で反復的な関心と活動）」や「学習の困難（ア　読み，イ　書き，ウ　算数）」「注意障害」「遂行機能障害」などのチェック項目が追加された．これより，対象となる発達障害者各人の症状，状態像などの評価がよりニーズに即した適切なものとなることが期待される．古い様式で記載する際は，上記の新たな項目を参考に，「4：現在までの病状，状態像等」または「5：4の病状，状態像等の具体的程度，症状等」の欄に記入すると，審査者に状態像を伝えやすい．

　本章では，ASDなど発達障害による困難を過小評価した不十分な記載の診断書にならないようにするための具体的なポイントについて述べる（例1，2参照）．

適切な記載に重要なポイント

① 病名

　発達障害それ自体による困難度が高い場合は，ASD/PDDの診断名を(1)「主たる精神障害」に，合併精神障害が困難の主たる要因で，発達障害が併存することでさらに困難度を増している場合には，ASD/PDDの診断名を(2)「従たる精神障害」に記入する．ICDコードはアルファベットを含めて3桁以上までを記入する．

例1

診断書（精神障害者保健福祉手帳用）

氏 名	医学 太郎	明治・大正・⦿昭和⦿・平成 57 年 7 月 10 日生（28 歳）	⦿男⦿・女
住 所	東京都文京区本郷1-28-23		

① 病名 (ICDコードは，右の病名と対応するF00～F99, G40のいずれかを記載)	(1) 主たる精神障害　　自閉症　　　　　　　　ICDコード（　F84.0　） (2) 従たる精神障害　　　　　　　　　　　　　ICDコード（　　　　　） (3) 身体合併症　　　　　　　　　　　身体障害者手帳（有・無，種別　　　級）
② 初診年月日	主たる精神障害の初診年月日　　　昭和・⦿平成⦿ 19 年 4 月 20 日 診断書作成医療機関の初診年月日　昭和・⦿平成⦿ 22 年 10 月 9 日
③ 発病から現在までの病歴及び治療の経過，内容(推定発病年月，発病状況，初発症状，治療の経過，治療内容などを記載する)	(推定発病時期　昭和 57 年　7 月頃) 乳幼児健診で自閉傾向を指摘されたが受診せず療育歴も無い．幼児期は他児との遊びが少なく癇癪が目立った．出来事の日時を良く記憶していた．児童期からは鉄道雑誌を収集し，その内容をほぼ記憶した．普通小・中・高校を経て大学を卒業した後のH19年A総合病院精神科を一度だけ受診し高機能自閉症と診断された．H20年私立大学大学院に入学し一人暮らしを始め，H22年に卒業して印刷会社に就職した．作業の覚えと能率の悪さから休職を勧められ，休職して6か月になる．発達障害者支援センターからの紹介でH22年10月9日に当院初診した． 器質性精神障害(認知症を除く)の場合，発症の原因となった疾患名とその発症日 (疾患名　　　　　　　　　，　　　年　　月　　日)
④ 現在の病状，状態像等(該当する項目を○で囲む)	⦿(1)⦿ 抑うつ状態 　⦿1⦿ 思考・運動抑制　2 易刺激性，興奮　3 憂うつ気分　4 その他(　　　) (2) 躁状態 　1 行為心迫　2 多弁　3 感情高揚・易刺激性　4 その他(　　　) (3) 幻覚妄想状態 　1 幻覚　2 妄想　3 その他(　　　) (4) 精神運動興奮及び昏迷の状態 　1 興奮　2 昏迷　3 拒絶　4 その他(　　　) (5) 統合失調症等残遺状態 　1 自閉　2 感情平板化　3 意欲の減退　4 その他(　　　) (6) 情動及び行動の障害 　1 爆発性　2 暴力・衝動行為　3 多動　4 食行動の異常　5 チック・汚言　6 その他(　　　) (7) 不安及び不穏 　1 強度の不安・恐怖感　2 強迫体験　3 心的外傷に関連する症状　4 解離・転換症状 　5 その他(　　　) (8) てんかん発作等(けいれんおよび意識障害) 　1 てんかん発作　発作型(　　　) 頻度(　　　)最終発作(　　年　月　日) 　2 意識障害　3 その他(　　　) (9) 精神作用物質の乱用及び依存等 　1 アルコール　2 覚せい剤　3 有機溶剤　4 その他(　　　) 　ア 乱用　イ 依存　ウ 残遺性・遅発性精神病性障害(状態像を該当項目に再掲すること)　エ その他(　　　) 　現在の精神作用物質の使用　有・無(不使用の場合，その期間　　年　月から) (10) 知能・記憶・学習・注意の障害 　1 知的障害(精神遅滞)　ア 軽度　イ 中等度　ウ 重度　療育手帳(有・無, 等級等　　　) 　2 認知症　3 その他の記憶障害(　　　) 　4 学習の困難　ア 読み　イ 書き　ウ 算数　エ その他(　　　) 　5 遂行機能障害　6 注意障害　7 その他(　　　) ⦿(11)⦿ 広汎性発達障害関連症状 　⦿1⦿ 相互的な社会関係の質的障害　⦿2⦿ コミュニケーションのパターンにおける質的障害 　⦿3⦿ 限定した常同的で反復的な関心と活動　4 その他(　　　) (12) その他

⑤ ④の病状・状態像等の具体的程度，症状，検査所見　等
表情変化やジェスチャーなど感情表出は乏しい．友人はこれまでできたことが無い．質問に対しては短く答え，会話は継続しにくい．質問が理解できないと，駅名を羅列した発言を一方的に続ける．毎朝一定の時刻に新聞を読むなど，日課どおりの生活をし，全て記録に残している．予定通りに物事が進まないと大声で泣くなど混乱が激しい．過去の就労時にはうつ症状が存在したが，現在は認められない．

検査所見：検査名，検査結果，検査時期　WAIS-Ⅲ　言語性 IQ 87 動作性 IQ 110 全 IQ 98 と言語性と動作性の差が大きい．H22年11月施行．

⑥ 生活能力の状態(保護的環境ではない場合を想定して判断する．児童では年齢相応の能力と比較の上で判断する)
1 現在の生活環境
　　入院・入所(施設名　　　　　　　　　　　　　　)・在宅(㋐)単身・イ 家族等と同居)・その他(　　　　　)
2 日常生活能力の判定(該当するもの一つを○で囲む)
　(1) 適切な食事摂取
　　　自発的にできる　・　自発的にできるが援助が必要　・　援助があればできる　・　できない
　(2) 身辺の清潔保持，規則正しい生活
　　　自発的にできる　・　自発的にできるが援助が必要　・　援助があればできる　・　できない
　(3) 金銭管理と買物
　　　適切にできる　・　おおむねできるが援助が必要　・　援助があればできる　・　できない
　(4) 通院と服薬(要)不要)
　　　適切にできる　・　おおむねできるが援助が必要　・　援助があればできる　・　できない
　(5) 他人との意思伝達・対人関係
　　　適切にできる　・　おおむねできるが援助が必要　・　援助があればできる　・　できない
　(6) 身辺の安全保持・危機対応
　　　適切にできる　・　おおむねできるが援助が必要　・　援助があればできる　・　できない
　(7) 社会的手続や公共施設の利用
　　　適切にできる　・　おおむねできるが援助が必要　・　援助があればできる　・　できない
　(8) 趣味・娯楽への関心，文化的社会的活動への参加
　　　適切にできる　・　おおむねできるが援助が必要　・　援助があればできる　・　できない
3 日常生活能力の程度(該当する番号を選んで，どれか一つを○で囲む)
　(1) 精神障害を認めるが，日常生活及び社会生活は普通にできる．
　(2) 精神障害を認め，日常生活又は社会生活に一定の制限を受ける．
　(3) 精神障害を認め，日常生活に著しい制限を受けており，時に応じて援助を必要とする．
　(4) 精神障害を認め，日常生活に著しい制限を受けており，常時援助を必要とする．
　(5) 精神障害を認め，身の回りのことはほとんどできない．

⑦ ⑥の具体的程度，状態等
自宅内のルーチンになっている行動は問題無くできるが，本人が決めたやり方でしかない．他者とのコミュニケーションは，想定内の会話以外は困難である．たとえば，普段と違う買い物の際には，事前に母から指示を受け，店内からも携帯電話で母に確認する必要がある．受診の際には，必要なことを伝えないので，家族が同行している．作業では，日によって変わると混乱するので，具体的かつ視覚的な指示を細かく伝える配慮が必要である．

⑧ 現在の障害福祉等のサービスの利用状況
(障害者自立支援法に規定する自立訓練(生活訓練)，共同生活援助(グループホーム)，共同生活介護(ケアホーム)，居宅介護(ホームヘルプ)，その他の障害福祉サービス，訪問指導，生活保護の有無等)
　復職に向けて，発達障害者支援センターにて，週1～2回，個別相談を受けている．

⑨ 備考
適切な配慮の得られない職場では，再度うつ症状が出現する可能性があるため，周囲の注意深い観察を要する．本患者と家族に対して，今回のように精神運動抑制の症状が認められた場合には，速やかに再受診する必要が有ることを説明した．また，本人に合った適切な就労状況となるように，雇用者への対応を含めた支援が必要である．

上記のとおり，診断します．　　　　　　　　　　　　　　　　　平成　22　年　12　月　7　日

医療機関の名称
医療機関所在地
電話番号
診療担当科名
医師氏名(自署又は記名捺印)

例2

診断書（精神障害者保健福祉手帳用）

氏　名	医学　花子	明治・大正・⦿昭和・平成 63 年 8 月 8 日生（22 歳）	男・⦿女
住　所	東京都文京区本郷1-28-23		

① 病名 (ICDコードは，右の病名と対応するF00～F99, G40のいずれかを記載)	(1) 主たる精神障害　　広汎性発達障害　　　ICDコード（　F84　） (2) 従たる精神障害　　うつ病エピソード　　ICDコード（　F32　） (3) 身体合併症　　　　　　　　　　　身体障害者手帳（有・無，種別　　　　級）
② 初診年月日	主たる精神障害の初診年月日　　　昭和・⦿平成　22 年　3 月　3 日 診断書作成医療機関の初診年月日　昭和・⦿平成　22 年　3 月　3 日
③ 発病から現在までの病歴及び治療の経過，内容(推定発病年月，発病状況，初発症状，治療の経過，治療内容などを記載する)	（推定発病時期　昭和63 年　08 月頃） 満期正常産で出生し，新生児黄疸で光線療法が施行された他は問題なく経過した．乳幼児健診でも保育園でも特に指摘される点は無かった．就学後からマイペースさが目立ち，いじめを受けることもあり友人関係も乏しかったが，集団の動きには追随できていた．体育と漢字と計算が苦手で，学業成績は低かった．高卒後は専門学校で調理師の免許を取得し，非常勤で保育園の調理に就労した．しかし，職員の数に合わせて食器の数を調整できず，毎日同じように準備しようとした．同僚から強い口調で注意されると焦って大声を出し，日常の活気が低下して会話も遅くなったため，職場から勧められ当科初診となった． 器質性精神障害(認知症を除く)の場合，発症の原因となった疾患名とその発症日 (疾患名　　　　　，　　　　年　　月　　日)
④ 現在の病状，状態像等(該当する項目を○で囲む) ⦿(1) 抑うつ状態 　⦿1 思考・運動抑制　⦿2 易刺激性, 興奮　⦿3 憂うつ気分　4 その他(　　　) (2) 躁状態 　1 行為心迫　2 多弁　3 感情高揚・易刺激性　4 その他(　　　) (3) 幻覚妄想状態 　1 幻覚　2 妄想　3 その他(　　　) (4) 精神運動興奮及び昏迷の状態 　1 興奮　2 昏迷　3 拒絶　4 その他(　　　) (5) 統合失調症等残遺状態 　1 自閉　2 感情平板化　3 意欲の減退　4 その他(　　　) (6) 情動及び行動の障害 　1 爆発性　2 暴力・衝動行為　3 多動　4 食行動の異常　5 チック・汚言　6 その他(　　　) ⦿(7) 不安及び不穏 　⦿1 強度の不安・恐怖感　⦿2 強迫体験　3 心的外傷に関連する症状　4 解離・転換症状 　5 その他(　　　) (8) てんかん発作等(けいれんおよび意識障害) 　1 てんかん発作　発作型(　　　) 頻度(　　　) 最終発作(　年　月　日) 　2 意識障害　3 その他(　　　) (9) 精神作用物質の乱用及び依存等 　1 アルコール　2 覚せい剤　3 有機溶剤　4 その他(　　　) 　ア 乱用　イ 依存　ウ 残遺性・遅発性精神病性障害(状態像を該当項目に再掲すること)　エ その他(　　　) 　現在の精神作用物質の使用　有・無(不使用の場合，その期間　　年　　月から) ⦿(10) 知能・記憶・学習・注意の障害 　1 知的障害(精神遅滞)　ア 軽度　イ 中等度　ウ 重度　療育手帳(有・無，等級等　　　) 　2 認知症　3 その他の記憶障害(　　　) 　⦿4 学習の困難　ア 読み　イ 書き　⦿ウ 算数　エ その他(　　　) 　5 遂行機能障害　6 注意障害　⦿7 その他(　不器用　) ⦿(11) 広汎性発達障害関連症状 　⦿1 相互的な社会関係の質的障害　2 コミュニケーションのパターンにおける質的障害 　⦿3 限定した常同的で反復的な関心と活動　4 その他(　　　) (12) その他(　　　)

⑤ ④の病状・状態像等の具体的程度，症状，検査所見　等
元来対人場面では，特に親しい相手以外と居る際には，緊張が強まりあまり話せなかったが，現在は対人場面を恐怖し，施行や行動が停滞するようになった．
こだわり症状は職場では，自分が決めた数の皿を決めた順番で配置しなければ気が済まないといった行動に現れていたが，現在は，自分は将来も職場では失敗して非難され続けるに違いない，との悲観的な考えが強迫体験となってパニックとなる．興奮のし易さは家庭でもみられ，家族に対し，些細なことでイライラし当たる．
（検査所見：検査名，検査結果，検査時期　WAIS-Ⅲ：言語性 IQ 95　動作性 IQ 87　全 IQ 90　だが積木模様と符号と算数が低い．H22年3月10日施行．AQ-J 37点　H22年3月3日施行．）

⑥ 生活能力の状態（保護的環境ではない場合を想定して判断する．児童では年齢相応の能力と比較の上で判断する）
1　現在の生活環境
　　入院・入所（施設名　　　　　　　）・在宅（ア 単身　㋑ 家族等と同居）・その他（　　　　　）
2　日常生活能力の判定（該当するもの一つを○で囲む）
　（1）適切な食事摂取
　　　　自発的にできる　・　⦿自発的にできるが援助が必要　・　援助があればできる　・　できない
　（2）身辺の清潔保持，規則正しい生活
　　　　自発的にできる　・　⦿自発的にできるが援助が必要　・　援助があればできる　・　できない
　（3）金銭管理と買物
　　　　適切にできる　・　おおむねできるが援助が必要　・　⦿援助があればできる　・　できない
　（4）通院と服薬（㋐要 不要）
　　　　適切にできる　・　おおむねできるが援助が必要　・　⦿援助があればできる　・　できない
　（5）他人との意思伝達・対人関係
　　　　適切にできる　・　おおむねできるが援助が必要　・　⦿援助があればできる　・　できない
　（6）身辺の安全保持・危機対応
　　　　適切にできる　・　⦿おおむねできるが援助が必要　・　援助があればできる　・　できない
　（7）社会的手続や公共施設の利用
　　　　適切にできる　・　おおむねできるが援助が必要　・　⦿援助があればできる　・　できない
　（8）趣味・娯楽への関心，文化的社会的活動への参加
　　　　適切にできる　・　おおむねできるが援助が必要　・　援助があればできる　・　⦿できない
3　日常生活能力の程度（該当する番号を選んで，どれか一つを○で囲む）
　（1）精神障害を認めるが，日常生活及び社会生活は普通にできる．
　（2）精神障害を認め，日常生活又は社会生活に一定の制限を受ける．
　㋛ 精神障害を認め，日常生活に著しい制限を受けており，時に応じて援助を必要とする．
　（4）精神障害を認め，日常生活に著しい制限を受けており，常時援助を必要とする．
　（5）精神障害を認め，身の回りのことはほとんどできない．

⑦ ⑥の具体的程度，状態等
両親との会話は可能だが，仕事についての話題は全て「できない気がする」と拒否する．これまで楽しみだった趣味や娯楽も楽しめず，これまで参加していたイベントがあっても参加しようとしない．食事や入浴なども強く促さないとできず，ひとりでは好きな菓子類も買いに行かない．生活用品は全て両親の買って来たもので済ませている．

⑧ 現在の障害福祉等のサービスの利用状況
（障害者自立支援法に規定する自立訓練（生活訓練），共同生活援助（グループホーム），共同生活介護（ケアホーム），居宅介護（ホームヘルプ），その他の障害福祉サービス，訪問指導，生活保護の有無等）
　特記すべきもの無し．生活保護の受給は無い．

⑨ 備考
広汎性発達障害の特性は幼少期より有していたと考えられるが，就労後，場面に応じた職場での対応ができないことを契機に，うつ病を発症したと考えられる．現在軽症エピソードであり，治療を継続して症状が寛解したのちは，適切な就労環境となるような職場への対応を含めた支援が必要である．

上記のとおり，診断します．　　　　　　　　　　平成　22　年　3　月　20　日

医療機関の名称
医療機関所在地
電話番号
診療担当科名
医師氏名（自署又は記名捺印）

② 初診年月日

　手帳の交付を求める精神障害（発達障害を含む）について，初めて医師の診療を受けた日（初診日）を記載する．診断書が初診日から6か月以上経過した時点のものであることを明らかにし，精神障害により日常生活または社会生活への制約を受けている期間を明確にするための情報となる．前医の初診日を確認することが困難なこともあるが，このような場合には，問診により記載する．

③ 病歴および治療の経過，内容

　発病から現在までの病歴（推定発病年月，精神科受診歴など）：可能な範囲で，幼児期や児童期に遡り，各発達段階でみられたASD関連症状を，その時点では問題としていなかったものも含めて，簡潔に記載する．発達障害の特性と関連する，あるいは影響しうる身体科的な既往（頭部外傷やその他の交通外傷，てんかんなど）についても，簡潔に記載する．なお，推定発病時期については「最初に症状に気づかれた時期を原則とするが，発達障害のように明らかに出生直後からの問題の場合は，出生時（誕生日）を推定発病時期として記入して支障ない．

④ 現在の病状，状態像等

　「主たる精神障害」あるいは「従たる精神障害」の診断名がASD/PDDであれば，その症候に該当する項目(11)に，学習障害などであれば(10)-4に記入し，⑤の検査所見の欄にはなるべく標準的な認知検査の結果を記入する．ASDの合併精神障害がある場合は，④の項目(1)〜(5)に挙げられているような精神病圏の典型的な症候とは現れ方が少し異なる場合も多いが，程度が強く，生活上の困難につながる場合は該当する項目にカウントする．また，現時点のみでなく，これまでおおむね2年間に認められ，おおむね今後2年間に予想される生活能力の状態も含めて判定し，記載する．

⑤ ④の病状・状態像等の具体的程度，症状，検査所見等

　具体的な症状程度を示すものとして，従来は，主に知能指数や認知症のスケールの点数が記入されることが多かったが，高機能ASDの場合には，審査の参考になるような特徴，例えば，ウェクスラー知能検査の下位項目のばらつきや，問診や観察から評価した症状尺度（PARSなど）や自己記入式検査（AQなど）の点数を記入する（ただし，臨床的には明らかに問題でも数値に現れない例もある）．

⑥ 生活能力の状態

　⑥-2「日常生活能力の判定」および⑥-3「日常生活能力の程度」の各項目は，基本的には一人暮らしをした場合を想定して該当するものを選択する（注：過去の特別児童扶養手当の診断書などを参考にして記載する場合には，児童を対象とした診断書などでは，これとは逆に，保護的な環境が前提とされていることに注意する）．

⑦ ⑥の具体的程度，状態等

病状に焦点付けるのではなく，⑥で記した援助を要する，もしくは，できない日常生活能力の部分に関して，簡潔に具体的な状況を記載する．

⑧ サービスの利用状況

病院の精神科デイケアなど医療行為に分類されるものは含まない（記入しても支障はない）．

⑨ 備考

有用な補足情報があれば記載する．例えば，⑥の2と3の評価にギャップが生じる時や，診断書の様式に沿った記入が実際の日常生活や社会生活の障害を十分に反映していない場合などは，そのギャップの理由や実際の困難さが理解できるよう，コメントを加える．

身体疾患の除外

児童期に発達障害に関連した行動特徴が確認できないケース（養育者からの情報では，成人期まで「問題なく」成長した，というようなケース）では，成人期にASD類似症状が現れたとしても，発達障害と断定できない．養育者からなんらかの理由で発達歴が得られない場合も，成人期発症の精神疾患以外に，神経疾患や身体疾患の鑑別が必要である．

高次な認知機能や注意，遂行機能の急速な悪化に関連するものとしては，さまざまな身体的要因が考えられる．例えば，交感神経系の反応性に大きく影響する甲状腺ホルモンや他のホルモン異常や，ドパミンやセロトニンの生合成の律速段階の補酵素である鉄や亜鉛の欠乏など，栄養や代謝の問題も念頭に置く．副腎白質ジストロフィー症や多系統萎縮症といった早発性の認知症などの変性疾患の除外のためには，MRIや脳波が有用である．また，中枢神経系のslow-virus感染症の除外には髄液検査が必要となる．

成人後に，家族が回想する発達歴にはバイアスが大きいので，幼児期や学童期に作成された母子手帳や通知表といった資料が有用である．時系列的に想起されないことが多いので，家族にとってのイベントを手がかりに，記憶を整理しつつ回顧を手助けすることが大切である．

〈小石誠二〉

Q 復職を成功させるために気をつけることは？

ASD/PDD の成人患者が職場において，その中核症状に起因する問題や，2次的に生じたうつ状態などにより，休職や離職を余儀なくされることがしばしばあります．復職を支援するにあたり，それぞれの患者が抱える問題が何であるかを多面的に評価し，職場や福祉とも連携して個別の支援計画を立てる必要があります．

中核症状である対人関係の障害により，職場不適応を起こした場合，周囲から孤立しないためには，少なくともその職場に暗黙のルールがあることを知り，そのルールをできるだけ守ることが重要となります．また，社会的なスキルを高めるために最も必要であるのはソーシャル・スキル・トレーニングです．職場で想定されるさまざまな状況や複雑な場面において，使用できるスキルの選択肢を増やすことで，対応の幅が広がることが期待できます．また，治療・支援者としては，本人の考えや行動した結果がそれで良かったのか，本人へフィードバックすることも重要です．

興味の幅の狭さやこだわりが強く，自分のスタイルに固執したり，単純な仕事を蔑視したり，自己モニターができずに現実と乖離した適性のない分野に執着したりする結果，問題が生じる場合もあります．この場合，本人の作業能力や認知特性をアセスメントし，本人の"強み"を活かせるよう，改めて職務や配置を見直すことが必要です．また，就労意欲を保つための工夫も必要であり，本人の興味や関心と関連づけ，本人の仕事がどのように役立っているのかを具体的に伝えることも，治療・支援者には求められます．

さらに，中核症状ではなく2次的に生じたうつ状態のために，休職に至る場合もあります．うつ状態がみられれば，まずは精神科医のもとで，個々の状態に応じた治療が必要です．薬物療法では留意点があります〔第9章(p60)参照〕．一般的な気分障害への治療に準じて慎重に行います．休養をしっかりとることや，余暇を楽しむよう助言することも大事ですが，時に曖昧な表現が患者のとまどいを強くし，「休養をとるとは何をすることですか」などの問いが返ってくるため，具体的な行動を話し合うことが重要です．ASD 者は深刻な問題があっても一人で何とかしようとし，追い詰められていることもあります．困った時に助けを求め，わからないことは尋ねるというスキルを身につけておくことも必要です．

復職し就労を安定させるためには，やはり本人自身が障害特性を理解し，受容しなければなりません．さらに重要なことは，周囲に一人でも多くの理解者や支援者を作ることです．良い環境のもとでは ASD 者は成長し，成功体験や社会での役立ちを実感することができます．本人への働きかけはもちろん，職場への啓発や教育などの支援も重要で，職場環境を患者がどのように認識しているかも治療・支援者は知っておく必要があります．そのためには，地域や職場の相談員などとの連携や，長期的に支援できる地域ネットワークを築いていくことが重要です．

〔中西葉子〕

第13章

医療と福祉,労働,教育との連携のために医療者が知っておくべき基礎知識
ASD成人の社会参加に向けて

　本章では現行の福祉,労働,教育の制度のなかで,ASD成人が社会参加するうえで利用できる支援に関して,医療者が知っておくべき基礎的な事項について紹介する.多くは「障害者」を対象としたサービスを利用することになる.したがって支援サービス対象者であることを示すために,医師による診断書,意見書などが必要となる.また,福祉,労働,教育の現場で支援にあたっている直接支援者が必要とする情報について,医療従事者も積極的に関心をもって提供に努めるなど連携を持つことが,ASD成人の円滑な社会参加を可能とする.

■ 福祉サービスの利用

　都道府県が指定する指定障害者福祉サービス事業所は,自立支援法に基づく自立(生活)訓練,就労移行支援,就労継続支援等を提供している(表13-1).対象者は発達障害を含む障害者で,市町村が障害者の福祉サービスの必要性などの調査を行った上で支給決定した者である.支援サービスを利用するには,障害者手帳あるいは医師の診断書が必要となる.また,本人が障害者としての就労を希望しない場合はこれらの福祉的支援の対象とはならない.就労し職業生活を継続するためにはどのような支援が必要かについては,本人や医療機関だけでなく,労働および福祉の専門機関と相談して判断にするのが望ましい.

■ 労働・雇用支援

　障害者雇用制度を利用しての就労には一般就労と福祉型就労がある(表13-2).障害者の就労支援は,ハローワーク,地域障害者職業センター,障害者就業・生活支援センターなどで行われている.ハローワークではケースワーク方式により,その人にあった求人の紹介,面接への同行などのサービスを行っている.さらに,障害者を対象とした就職面接会も実施している.こういったサービスの利用には障害者手帳(療育手帳,精神障害者保健福祉手帳)あるいは医師意見書が必要である(例を参照,p81).障害者としての就労を希望しない場合は労働の雇用支援の対象とはならない.

表13-1 発達障害者の利用が見込まれる主な福祉サービス

(1) 相談支援事業
(2) 日中活動系サービス
　　① 就労移行支援事業　　② 就労継続支援事業〔A(原則雇用有)型，B(雇用無)型〕
　　③ 自立訓練(生活訓練)　　④ 児童デイサービス
(3) 訪問系サービス
　　① 行動援護　　　　　　② 移動支援
　　③ 短期入所(ショートステイ)
(4) 居住系サービス
　　共同生活援助(グループホーム)

2010(平成22)年12月10日に公布された「障がい者制度改革推進本部等における検討を踏まえて障害保健福祉施策を見直すまでの間において障害者等の地域生活を支援するための関係法律の整備に関する法律」に，発達障害が障害者自立支援法および児童福祉法の対象になることが明確化されている．発達障害者の利用が見込まれる，

表13-2 障害者の就労

- 一般就労：一般企業等で雇用契約に基づいて就労
- 福祉型就労：一般就労が困難な場合，雇用契約を結ばない生産活動の場を提供する
　　　　　　(旧授産施設，旧福祉工場など)
○ 障害者としての就労を希望しない場合(一般的な雇用)は上記支援の対象にならないことに注意．

　また地域障害者職業センターや障害者職業能力開発校においては，発達障害者を対象とした職業訓練を実施している．いずれもまずハローワークが窓口となる．2010(平成22)年3月独立行政法人高齢・障害者雇用支援機構障害者職業総合センターが，ハローワークの障害者職業相談窓口で使用する相談補助シートを開発した[1]．このなかで精神障害，知的障害，発達障害について記入例が挙げられている．
　基本情報は医師意見書または診断書の所見から記入する．そのためコミュニケーション，社会的相互関係などASD特有の症状について，意見書などに簡潔に記載してあると有用な情報となる．一般就労が可能か，福祉型就労が適切かの判断は医療機関ではなかなかむずかしいところで，経験ある労働あるいは福祉の専門機関に判断を委ねるのがよいと思われる．

高等教育(大学)支援

　高等教育機関において障害学生支援体制を作る教職員に向け，独立行政法人日本学生支援機構(JASSO)が2009(平成21)年10月に作成した支援ガイドでは，視覚障害，聴覚障害，肢体不自由とならび発達障害が章立てされており，大学などの現場における発達障害者支援のニーズの高さが反映されている[2]．大学などで支援が必要になるASDのある学生は，入学時に診断情報のある者とない者がいるが，支援ガイドのなかではこれを①専門医を受診し，発達障害の診断を受け，障害であることの証明(障害者手帳あるいは医師の診断書)がある場合，②手帳や診断書などの公的な証明はないが，校医や学生相談室など学内の専門家が発達障害の可能性を示唆する場合，③

例

主治医の意見書

氏名等	氏名			性別	男／女	生年月日	年　月　日
	住所					TEL	

病名等	病名	(該当するものを○で囲む) 統合失調症・そううつ病(気分障害)・てんかん・その他 ㊇広汎性発達障害㊇
	病気の発生時期	年　　　月頃

障害の状態	現在の精神状態 (具体的な症状と程度)	広汎性発達障害特有の対人関係における質的障害を認める．しかし不眠・不安・抑うつなどの症状はない．
	症状の安定度 (安定の程度，安定した時期等)	不眠・不安・気分障害などはなく，精神状態は安定している．
	日常生活能力の程度 (該当するものを○で囲む)	(1) 社会生活は普通にできる． (2) 家庭内での日常生活は普通にできるが，社会生活上困難がある． ㊂ 家庭内での単純な日常生活はできるが，時に応じて援助や保護が必要である． (4) 身の回りのことはかろうじてできるが，適当な援助や保護が必要である． (5) 身のまわりのことは全くできない．

就労に関する事項	労働習慣(規則正しい勤務とその継続，危険への対応等)の確立の程度および今後の見込み		生活リズムは整っており，現在週5日電車にて通所の上9〜16時の就労移行支援プログラムをこなしている．
	職労に際しての留意事項	作業の内容，環境，時間(作業可能な1日当たりの時間数，1週間当たりの日数)等の制限，配慮事項その他予想される問題点	作業については軽作業が望ましい．指示内容の明確化，職場の人間関係に留意を願いたい．作業時間はおおむね1日8時間可能と考える．
		必要な通院日数	1か月当たり　　　/　　　回程度
	労働能力の程度	就労の可能性の有無	㊇有㊇　・　無
		就労可能な具体的な就労場所・条件等 (①一般企業での通常勤務，②短時間勤務，③福祉施設での軽作業)	知能は平均範囲であるが，認知面において偏りがあり，一般企業での勤務は難しい．障害特性を理解し，作業について随時適切な助言を与えられる職場が望ましいと考える．
	その他参考となる意見 症状をくずす誘因となるもの，てんかん発作に対する対策(発作の起こりやすい時間帯・状況・発作の始まり方等)等		環境の変化，対人関係の変化により，指示や作業内容を良く理解できないことから不安を生じる可能性がある

以上の通り意見を述べる．　　　　　　　　　　　　　　　　平成　　年　　月　　日

　病院又は診療所の名称 _____　　診療担当科名 _____

　所在地 _____　　医師氏名 _____

第13章　ASD成人の社会参加に向けて　　81

医療から福祉サービス利用につないで成功した事例

何もする気がなく，落ち込んで部屋から出てこないという主訴で受診した18歳男性の症例である．

工業高校を卒業後，ある自動車の部品会社に就職したが，入社初日より遅刻したり研修期間中も指導者の説明が頭に入らなかった．質問をされてもまったく答えられず，「お前は何も聞いていないじゃないか」と厳しく叱責され，周囲に笑われた．

翌日より出社せず，自室にひきこもって半年が経つ．診察にてPDDと診断されたため，家族と本人によく説明し，発達障害者支援センターを紹介した．

発達障害者支援センターから地域の障害者職業訓練センターを紹介され，そこでの職業訓練後，ジョブコーチをつけてある食品会社に就職した．その後，周囲の理解のもとで本人の特性に合った役割を与えられ，楽しく仕事を続けており，自信を取り戻した．

（飯田順三）

普段の行動から発達障害の可能性が想定され，本人が支援を求める場合あるいは本人からは申し出がないが，周囲の人間がなんらかの困難を感じている場合，の3つのタイプに分けて，それぞれに応じた支援について整理している[3]．

①の場合，項目に挙げられた支援はすべて提供されるよう検討すべきであるとしている．支援が必要な場面とは，入学まで，入学後の学習支援，学生生活支援，就職支援である．医師が診断書でその必要性について証明すれば，例えば講義を録音したり，資料の電子データ提供を受けたりすることも可能となる．

福祉，労働，教育の支援で課題となる医療的問題

上記に挙げた福祉，労働，教育の支援を提供するうえで課題となる医療的問題は，適切な診断，精神医学的合併症状の適切な対症療法，そして環境変化などのストレスに弱いASD群に対する精神医学的モニターである．

Q 障害者雇用のなかで一般就労を目指すか,あるいは福祉型就労につなぐかの見極めは?

障害者の就労は一般就労と福祉型就労に分けられます(表13-2).障害者自立支援法における就労支援事業には就労移行支援と就労継続支援(A型,B型)がありますが,それぞれの対象とサービス内容は次の通りです.就労移行支援は就労を希望する65歳未満の障害者で,通常の事業所に雇用されること(一般就労)が可能と見込まれる者を対象に,事業所内や企業における作業や実習,適性に合った職場探し,就職後の職場定着支援を実施します.

就労継続支援A型は通常の事業所に雇用されることが困難であり,雇用契約に基づく就労が可能である者を対象に,通所により,原則雇用契約に基づく就労の機会を提供するとともに,一般就労に必要な知識などを高めるよう支援します.

就労継続支援B型は通常の事業所に雇用されることが困難であり,雇用契約に基づく就労が困難である者を対象に,事業所内において就労の機会や生産活動の機会を提供(雇用契約は結ばない)します.

一般就労が可能か福祉型就労が適切かの判断は医療機関ではなかなかむずかしいところです.労働あるいは福祉の専門機関にゆだねるのがよいのではないでしょうか.

(深津玲子)

参考URL

1) http://www.nivr.jeed.or.jp/download/kyouzai/kyouzai31_03.pdf
2) http://www.jasso.go.jp/tokubetsu_shien/guide/hattatsu_shougai.html
3) http://www.jasso.go.jp/tokubetsu_shien/guide/hattatsu_bamen.html

(深津玲子)

Q ASD者の就労上の課題は何でしょうか？

ASDの中核症状である社会性およびコミュニケーションの障害がそのまま就労でも課題となってきます．コミュニケーション面では，ミスをしても報告ができない，不必要な言動が多い，曖昧な指示が理解できない，相手の気持ちを無視してしゃべり続けるなど，がしばしば問題です．また，感情的になりやすく，かんしゃくを起こす，数に興味があるためエレベーターの階数が示されたナンバーボタンを押してしまう，ナンバーボタンの前に立っていた女性の真後ろに立ってしまう，音や光が気になるため，勝手にパソコンのモニターや電気を切ってしまうということが問題となる人もいます．

ASD者の就労には，どのような支援制度があるのでしょうか？

対企業向けの制度として，「発達障害者雇用開発助成金制度」というものがあります．これは，ASD等の発達障害者を雇い入れた事業主に対し，賃金の一部を助成する制度であり，大企業で年間50万円（短時間就労30万円），中小企業では1年半で135万円（短時間就労90万円）となっています．

対発達障害者向けでは，障害者として専門支援を受けたいという人には，若年コミュニケーション能力要支援者就職プログラムというものがあり，ハローワークの障害者専門窓口での相談・支援がなされ，その後地域障害者職業センター，就労支援機関等と連携してジョブコーチによる支援などを受けることができます．

障害者手帳を持っていても職場に障害をクローズドにして就職したい場合にも，ハローワークの一般相談窓口でカウンセリング・求人開拓を依頼することができます．その際に，企業への面接・同行や事業所見学，対人技能訓練を実施しているところもあります．

企業はASD者を雇用する際，どのような支援を行っているのでしょうか？

トラブルがあった際に素早く解決したり，また未然にトラブルを防ぐために毎日短時間の相談時間を設けている企業があります．ASDの人たちの中には視覚優位の人が多いことを考慮して，口頭での指示ではなく，できるだけ文字や絵などを使った視覚的マニュアルを使用しているところもあります．職場内の対人関係についてSSTを行う場合も，相手の気持ちをわかるようにするといった対人技能ではなく，職場のマナーやルールの理解を中心に指導しています．

他には，一人で休息できる場所を設ける，短時間就労のような勤務形態から始める，支援機関や家族との連絡を密に取る，3か月間と期間の決まったトライアル雇用から始めて職場の中でアセスメントを行う，職員全体にASDについての研修を実施する，などの支援を行っているところがあります．

ASD者の就労において医師に期待される役割とは？

最も必要とされる役割は，ASDという診断を行うことです．就労を希望する患者は，診断されることによって，2011（平成23年）に改正された障害者基本法による精神障害者に含まれることになります．精神障害者となれば精神障害者福祉手帳を取得でき，障害者としての就労支援を受けることができ，また企業も雇用率を達成するための障害者雇用を行うことができるからです．

診断以外にも，できるだけ教育や福祉の領域と連携をとることにより，総合的な見地から就労支援担当者やASD者本人にアドバイスを行うことが大切です．

〔梅永雄二〕

症例編

- 症例の冒頭の★印は，頻度や重症度などから編者が判断した重要度（★の数が多いほど重要）
- 疾患名については，症例ごとに用語が異なる場合があるが，それは実際の臨床場面ではさまざまな用語が，しばしば同義的に使われているため，あえて統一していない．

Case 1 家族とのトラブルが絶えない30歳女性 ★★★

家族はつらさをわかってくれない

初診時年齢	30歳	性別	女性
主訴	気分が落ち込み，気力が出ない．不眠，頭痛が続く．診断希望．		
紹介元・紹介に至るまでの経緯	総合病院精神科に通院していたが，専門的な治療はできないと言われたため，本人が希望し主治医の紹介にて受診した．		
家族歴	両親，弟と同居．母親に解離性障害の既往あり．父親は融通がきかず，障害に対する理解がなかった．		
生育歴・生活歴	● 妊娠分娩および出生時に異常はなかった． ● 乳幼児健診で異常を指摘されることはなかったが，いつも寝ていて，夜泣きもせず，おっぱいを欲しがる素振りをあまり見せなかった．人見知りはしなかったが，他児と遊べず一人遊びが多かった．3歳頃から電車の駅名やお経を諳んじて周囲を驚かせた． ■ 解説　乳幼児期の言語発達に問題は目立たなかったが，母親とのコンタクトの悪さや他の子どもと遊べないという社会的相互交流の特徴を認めていた． ● 小学生の頃は多動のため，しばしば学校を抜け出して叱られていた． ● 中学生時からいじめを受け，成績もあまり良くなかったが，休むことはなかった． ● 高校生2年時に，いじめから盗難の犯人に仕立て上げられ，それが原因で停学処分を受けた後，登校しようとすると頭痛や腹痛が強くなり，登校できなくなった． ■ 解説　本人にいじめを受けているという自覚がないケースも少なくない．早期にいじめに対応できていたならば，身体化症状に始まる一連の精神的破たんを防ぐことができたかもしれない．		
現病歴	高校生2年時，不登校にてA病院精神科を受診し，心身症と診断されたが治療中断し，高校も退学した．その後通信制高校へ入学し，25歳で卒業後アルバイトを試みるが，対人関係がうまくいかずに辞めてしまい，以後はひきこもった生活を送っていた．そのころたまたま見たテレビをきっかけに，自分は発達障害かもしれないと思い，B病院の小児科発達外来を受診し，アスペルガー障害および多動性障害の疑いの診断を受けた．しかし，主治医との折り合いが悪く，C総合病院精神科		

現病歴	に転院し薬物療法を中心とした治療を続けていた．さらに，その後も状態が改善しないため，あらためて発達障害の診断と治療を求めてD大学病院を紹介受診した． ■ 解説　母子ともに医療不信があり，父親も非協力的な状況で，ささいな行き違いから医療機関を次々と替えてしまい，福祉も含めた支援にまでつながらなかった． 一人よがりの考えにこだわり，他人の意見を聞くことができないため，対人関係が長続きせず，家族とのトラブルが絶えない．自分なりのスケジュールを決めていて，その通りに動けないと周囲に責任転嫁し責め立てる．漢字やクロスワード，新聞の切り抜きなど，興味のあることには没頭して1日中取り組めるが，家事などはやる気が出ず，頭痛，全身倦怠感を訴えて寝込んでしまうなどの状態で，本人，家族ともに疲れ果てた状況での受診であった． ■ 解説　ASDの可能性について告知は受けているものの，具体的な対処方法が示されず，相談先がなかった．「どこまでが障害なのか」「悪いことは障害のせいにしているのではないか」という家族の思いと，「つらさをわかってもらえない」という本人の思いがぶつかり合い悪循環となっていた．
初診時所見	● 表情はやや硬く，ぎこちない． ● 丁寧な言葉で話すが，言い回しが堅苦しい． ● 診断をしてほしいと強く訴えるわりには「詳細は前主治医に電話をしてください」などと，自らの言葉で説明できない． ■ 解説　一見自分勝手な言動のように見えるが，本人にとっては，自分で不十分な説明をするよりは，直接前医に電話をしてもらって確実な情報を得てほしいという気持ちからの行動であった．
検査結果	WAIS-Ⅲ：言語性IQ 78，動作性IQ 90，全IQ 86．下位項目間の評価点のばらつきが大きい． ■ 解説　境界域知能にあるアスペルガー障害の場合，知的能力が過大評価されることがあるので注意を要する．
診断結果	生育歴および現病歴から，乳幼児期より現在まで持続する相互的社会関係の障害，特定の習慣や儀式への執着などの自閉的特徴が確認され，ASDと診断された．
治療方針	● 抑うつ気分，気力減退，不眠，身体症状などから，抑うつ状態が遷延していると判断し，抗うつ薬（SSRI），抗不安薬による治療を開始した． ● 3回目の診察でASDの診断を告知し，就労を目標とした． ● 自らの特性把握と対人スキルの訓練および周囲の環境調整のために，1行日記をつけてもらい，診察時に振り返ることとした． ● 父親の同伴を求めASDの特性理解と対応の工夫についての家族指導を行い，発

治療方針	達障害者支援センターへの相談を促した. ● 父親の反対で申請できなかった精神障害者保健福祉手帳の申請を行った. ■ 解説　本ケースのように明らかな抑うつ状態などの精神疾患が合併している場合には, 薬物による治療も有効である. さらに, 家族の理解を中心とした環境調整を合わせて行うことが重要である.
治療経過	当初, 不安および頭痛に対して少量の抗不安薬および鎮痛剤を処方したが, 抑うつ状態は改善しなかった. しかし発達障害者支援センターとの相談が進み, 作業所への通所が決まった頃から抑うつ状態が軽減し, 自ら記入しやすいレイアウトの日記帳を見つけ, 日々の出来事と感想を書き綴るようになった. 弟が就職に伴い独立し, 父親の態度も受容的になり, 家族内でのトラブルも少なくなった. 作業所では, SST(生活技能訓練)プログラムにも積極的に参加するなど, 就労に向けて意欲的に取り組むようになった. ■ 解説　周囲の環境が変化することにより, ストレスが軽減し, 良い循環ができるようになると, 精神症状も軽減することが多い.
転帰	● 抑うつ症状はほぼ消失し, 発達障害者支援センターおよび作業所のサポートを得て社会適応訓練事業に参加し欠勤なく訓練を続けている. ● 月に1度の外来通院では, 日記帳を利用した報告をもとに, 指導を行っている. ● 主治医は, 作業所, 支援センター, 事業所と連絡帳を共有し, 時には直接連絡を取るなど, 連携しながら治療に当たっている.

> **→ ワンポイント・アドバイス**
>
> 　各地域に設置されている発達障害者支援センターは, 本人や家族の相談を受けて, 保健, 医療, 教育, 福祉, 就労機関などのネットワークを構築し, 効果的な支援を行う役割を担う機関である. このケースにおいても日頃の家族や本人のサポートを含めた中心的役割を果たし, 関連機関間のスムーズな情報交換が可能となり, 有効な支援につながった.

Case 2 拒食やフラッシュバックが前景の21歳女性 ★★★

周囲が変なせいで…

初診時年齢	21歳	性別	女性
主訴	食べられない．将来に不安を感じる．		
紹介元・紹介に至るまでの経緯	食事や水分摂取を拒否し，脱水および痙攣状態となったため内科に入院となった．身体的には改善したが，食欲不振が改善しないため，家族の希望があり入院中に同院精神科受診となった．		
家族歴	父は単身赴任中．母，妹2人との4人暮らし．母の話によると，父は友人があまりおらず，マイペースで集団行動が苦手という．父方の親族に精神科通院歴がある． ― 解説　ASDの診断はない場合でも，対人関係を築くのが不得手であったり，マイペースであったりする家族情報は注目すべきである．		
生育歴・生活歴	● 出生時異常なし．幼児期，言葉の遅れはなかったが，一人遊びが多かった．乳幼児健診で異常は指摘されていない． ● 幼児期より車種，看板，国旗に興味を持ち，見たものをすべて覚えていた．特定の遊び友だちはいたが，人見知りが強く，集団生活が苦手であった． ● 学校では場の雰囲気を読むことができず，いじめられることがたびたびあった． ― 解説　言語発達が比較的良好であると，健診でも幼児期に発達の問題が見逃されることは少なくない．		
現病歴	高校での昼食中，会話ができず毎日孤立した．ささいなことで気分が落ち込むようになったため，担任より精神科受診を勧められた．「軽いうつ病」と診断され，スルピリドを開始されたが症状は動揺性であった．大学に入学した頃から，「周りから変わった人と言われる．気が滅入る」と言い，別の精神科クリニックを受診した．社会不安障害と診断され，フルボキサミンを中心とした薬物療法で，一時，症状は軽減していた．しかし3年生になり，徐々に将来への不安を訴えるようになった．歩行時に人とぶつかったり，食事中に口角から水や食べ物がこぼれるなど，注意力の低下が目立つようになった．ある日，大学より帰宅後に「周りがおかしいと思っていたけど，自分がおかしいことがわかった」と言い，その日の夕食から食事と水分を一切摂らなくなった．数日後に衰弱し，痙攣を起こしたため救急搬送され，身体的な精査および治療が行われた．その後全身状態は改善したが，食欲不振と無気力が続いたため，家族が当科の受診を希望し，受診となった．		

初診時所見	●動作が緩慢であり，表情は乏しく，ぎこちない． ●質問に対しては凝視しながら，ゆっくりと真剣に返答する． ●受診に至ったエピソードに対しては「よくわかりません」と他人事のように淡々と答え，希死念慮は否定した． ●漠然とした自己不全感と将来への不安を感じている一方で，話題が過去（特に高校時代）に及ぶと，強い他罰的感情を繰り返し訴えた．また，若干の食欲低下の無気力が認められたが，うつ病の診断には至らない程度である．
検査結果	WAIS-Ⅲ：言語性 IQ 103，動作性 IQ 78，全 IQ 91．処理速度が特に低かった．
診断結果	●内科入院前後から，食事や入浴中に高校時代の記憶がよみがえり，固まって行動ができなくなることや，突然その当時の会話を再現し「あの時こう言えばよかった，今から伝えに行く」と訴えるなど，過去のトラウマに対してのフラッシュバックが頻発していた． ●背景には，生育歴や生活歴から幼少時より社会的相互交流の障害や，言葉の遅れはないものの，コミュニケーションの障害が継続している．興味や行動の限局，常同性に関しては，今回の摂食拒否にみられるように残存するものの幼少時より緩和され目立たなくなっているため，PDD-NOS（特定不能の広汎性発達障害）と診断した（DSM-Ⅳ）． ●この ASD 特性をベースとして成人期に入り他者との違和感を自覚し始め，自信を失うと同時にその原因を高校時代の出来事と関連づけて，被害的感情を募らせている様子がうかがえた．
治療方針	●まず母親に発達の問題を告知し，家族にも共通する ASD 特性とそれに起因する問題点への理解を促すこととした． ●本人に対しては母親の希望で診断名の告知は行わずに，認知特性や対処方法を具体的に助言し，環境調整をサポートし，自己評価の回復を治療の目標とした．
治療経過	大学は休学し，自宅療養を開始した．当初は高校時代への怒りの感情を訴え続け，両親を罵倒し，入学させたことに対する謝罪を求めた．面接を通して，これまで感じてきた体験を支持的に傾聴し，怒りを受容することで信頼関係の構築に努めた． 薬物療法としては，以前に前医にて抑うつ症状に効果のあったフルボキサミン 50 mg/日およびペロスピロン 8 mg/日を無気力やフラッシュバックの改善を期待して再開した．3 か月を経過したころから，フラッシュバックやそれに伴う被害的な感情は軽減し，「ずっと考えていても仕方がない．たまたま変わった集団に入っただけ」と認知には偏りがあるものの，本人なりの前向きな発言や自己分析を語るようになり，復学の意欲を示した．そこで，これまでうまくいかなかった過去の対人行動へのフィードバックや，今後遭遇する可能性の高い対人場面のシミュレーションを行い，コーピングの改善に努めた．また規則正しい生活を指導し，復学への準備を支援した．

転帰	● その後大学に復帰した．課題や試験などの負荷がかかる際に抑うつ状態を呈することはたびたびあるが，なんとか自分のペースで大学生活を送っている． ● 現在直面している大きな課題は就労の際の職業選択や求職活動である． ― 解説　職業イメージの形成がむずかしく，不安が高まりやすい．一般就労を第1目標としているが，就労支援へ繋ぐ選択肢も検討しており，その際には本人への告知について再検討が必要となる．

> **→ ワンポイント・アドバイス**
>
> 　拒食症状や過去の出来事のフラッシュバック症状それ自体は一般的なよくある症状だが，ASD者においてはその現れ方の独特さに注目してほしい．特に，フラッシュバックの際に，通常のPTSDでは回避しようとするところを，逆に出来事を完璧に再現しようと行動化する点はASDに特徴的である．

Case 3 ひきこもりから脱出したいと願う18歳女性 ★★★

人と違うことを隠すのに必死だった

初診時年齢	18歳	性別	女性
主訴	家から出られない.		
紹介元・紹介に至るまでの経緯	セカンド・オピニオンがほしいと主治医からの院内紹介.		
家族歴	両親と3人暮らし．兄は独立して別居，姉はアスペルガー障害と診断されているが，独居し，大学へ通学している.		
生育歴・生活歴	● 幼児期は過敏で夜にすぐに目が覚めた． ● 小学校では友人がいたが，抜毛癖があった． ● 中学入学後すぐ不登校となったため，秋から嫌がる本人を転校させて母親が送迎した． ● 高校では自分が人と関わるとそのうち嫌われることがわかったので人と違うことを隠すのに必死で，親しい友人はできず，不眠となり内科に通院．2年時に大量服薬，自傷行為もあり高校を中退した．その後自宅にひきこもっていたが，大学入学資格検定には合格した．正月に郵便局でアルバイトをしたことがある．一所懸命やりすぎて体調をくずした． ● 現在は，自宅でパソコン，ゲームに没頭している．母親がいないと過ごせない状態である.		
現病歴	17歳のときに，精神科クリニックでADHDと診断された．その後別の精神科クリニックでうつ病，自律神経失調症と診断され，フルボキサミン（デプロメール®）投与を受けた．別の病院精神科を受診した際にASDを疑われ，院内の児童精神科医に紹介された． ━ 解説　中学より不登校，高校中退後よりひきこもり傾向にあったが，適切な診断にたどりつくまでに時間がかかった．早くに適切な診断を受けることで，学校で支援を受けることが可能だったかもしれない.		
初診時所見	● きわめて感情表出が乏しく，対人関係は受け身で，自発的および相互的な対人交流が持てないようであった． ● 言語理解は特に問題なく，また明らかな興味の限局，強迫的あるいは儀式的行動は認められない.		

初診時所見	● 自己評価は低いが，こちらの質問には考えながら真面目に答え，時に横から口をはさむ母親に反論もする． ● 神経学的異常なし．
検査結果	WAIS-R：言語性 IQ 109，動作性 IQ 80，全 IQ 98．下位項目間の評価点のばらつきが大きい（山：理解 17，谷：積木模様 4）． AQ-J：総合 27 点（カットオフ 26 点）． PARS：幼児期 8（カットオフ 9 点），思春期成人期 33（カットオフ 20 点）． ■ 解説　AQ-J，PARS のスコアはあくまでも ASD 疑いをスクリーニングする目的であり，陽性診断率は低い．ただし，自発的には語られない多くの重要な情報が得られ，有用である．本ケースでは臨床的印象では ASD とわかりにくい非典型例であったが，AQ-J，PARS そして WAIS-R のプロフィールから，強く疑われた．
診断結果	特定不能の広汎性発達障害（PDD-NOS）．対人不安も強いが，進学や就労の希望が本人にあり，現状を変えて自立したい，と強い意欲を認めた．
治療方針	数回の面接後，ASD 以外の精神症状が安定していたため，精神科受診は経過観察程度とし，生活訓練，就労移行支援のサービスを提供している事業所に紹介した．
生活訓練における経過	● 就労訓練を目的に事業所へ通い始めたが，昼夜逆転があり，また就労希望はあるものの，現実的に社会参加の課題が多いと判断され，生活訓練として開始された．午後からの通所とし，徐々に時間を早め，1 か月ほどで 10 時開始とした． ● 外出用の服の組み合わせや，他人から変に思われないかなどが気になり，外出時の準備に時間がかかり遅刻，欠席が見られた．また入室時の挨拶の仕方がわからず，扉の前に長時間立っていたこともある．精神的に不安定になると遅刻が増える．これらを課題として個別支援計画書が作成された． ● 他者との会話や意思伝達について，訓練開始直後は担当支援員との面接や交換日記をつけ，話題を作ることから始めた． ● 一方，就労準備については，ワープロ基本操作，表計算基本操作の技能はほぼ習得できたが，本人曰く，就労は当面考えられない．大学進学のために人とうまくやっていけるようになりたい，と自らの希望を述べるようになった．家族は，本人が将来の目標を持ってほしいと願う． ● 就労支援のためのチェックリストの結果，5 段階評定で 3 以下の支援課題は，生活リズム，規則的な食事，援助を求める，挨拶やその場に応じた会話，共同作業，感情の安定，自分の能力の理解，仕事の報告，欠席・遅刻の連絡，作業環境の変化への対応，などであった．このことより職業訓練ではなく，本人が興味のある菓子作りのプログラムを導入し，他の職員を加え，人との接点を徐々に増やした． ● 約 5 か月間の支援により，担当支援員以外との会話や買い物も行えるようになっ

生活訓練における経過	た．また挨拶の仕方については，モデリングや定型的な入室方法（見るところを決め，決まった挨拶をする）などにより，スムーズに行えるようになった． ● 通所期間中不安が高まることはあっても，担当支援員と面接することで落ち着き，特に診療の必要はなかった． ● 訓練終了後，大学進学を希望し，予備校へ進学． ■ 解説　障害者支援施設においてモデル的に自立支援法の生活訓練を実施した症例である．通所当初は女性担当支援員のみが関わり，毎日の実体験に沿って適切な行動などについてフィードバックを繰り返した．その後男性を含む担当チーム，最後に不特定男女のいる環境とスモールステップで社会環境を変化させていった．
転帰	● 予備校通学後，芸術系大学に通学中である． ● 苦手な体育（チームプレー）については，母が同伴して大学学生課に相談，発達障害の診断書を提出することで座学のみでの単位取得が許可された． ■ 解説　事業所通所前は，分離不安が強く母親が常に一緒にいないといられなかったが，生活訓練などさまざまなサポート付きの社会場面を経験することで自信がついた．例えば大学入学前に，母親が大学最寄り駅までの回数券を2綴り（22枚）購入し，最初の5回は同行し，その後一人で回数券がなくなるまで通学のリハーサルをするなど．これは事業所通所開始時に生活訓練の一環として行った支援の応用である．また自らの育児を後悔し，抑うつ的だった母親は支援員らの教育的および支持的サポートにより，今ではよきキーパーソンとして本人の自立を手伝いながら見守っている．

> **→ ワンポイント・アドバイス**
>
> 　2010（平成22）年12月に公布された「障がい者制度推進本部等における検討を踏まえて障害保健福祉施策を見直すまでの間において障害者等の地域生活を支援するための関係法律の整備に関する法律」において，発達障害が障害者自立支援法の対象となることが明確化された．自立支援法下の日中活動系サービスの1つとして，ここで挙げた生活訓練（自立訓練）があるが，発達障害成人へのサービス提供を行っている事業所はまだきわめて少ない．今後の普及が期待される．

Case 4 職場の配慮で復職がスムーズだった35歳女性 ★★★

頑固で一度思うとそれに固執してしまう

初診時年齢	35歳	性別	女性
主訴	うつ病で通院しているが治るかどうか不安である.		
紹介元・紹介に至るまでの経緯	涙が出て職場に行けないとのことで,近医精神科を受診し,うつ病の診断で2か月休養した.復職したが,全身倦怠感が強く,職場にいたくないという思いは変わらず,上司の勧めにより当院精神科受診.		
家族歴	両親と同居の3人暮らし.精神医学的家族負因はない.		
生育歴・生活歴	●帝王切開にて出生,乳幼児健診では異常は指摘されなかった. ●人見知りはなく,手のかからない子であった. ●特定の友人と遊ぶのみで,人付き合いは苦手であった. ●思春期に,人と会話していると,「何を話していいかわからなくなる」や「言っていいことと悪いことの区別がつかなくなる」と感じるようになった. ●短大卒業後は,技術職として現在の職場に就職し,現在14年目になる.		
現病歴	以前より勤務中に周囲の話すことが理解できないこと,作業の優先順位がつかないこと,音に過敏なことに悩んでいた.職場で突然泣き出したり,不眠が現れ朝が起きにくく,通勤が苦痛に感じるようになり,やがて,休日も外出ができなくなった.そのため,近医精神科を受診し,うつ病の診断のもと加療を受けた.2か月の自宅休養をし,自宅では問題なく過ごせるようになったが,通勤を再開すると症状が再燃した.		
初診時所見	●表情は乏しいものの,職場以外では抑うつ症状は軽快するとのことで,受診時はつらさは特に感じていないようであった. ●本人の話では,以前から質問の返答に困ること,会議で多くの人が話すと理解できないことがあること,そのような際に聞き返せないこと,周囲から頑固で融通がきかないと言われるとのことであった.自分自身でも「頑固で一度思うとそのことに固執してしまうところがある」と述べた.同時に2つのことをすることが苦手であり,日常生活においては,音に過敏であることを訴えた.		
検査結果	自記式質問紙の自閉性スペクトル指数日本版(AQ-J)は32点であった(カットオフ26点).		
診断結果	発達歴に関する客観的な情報は入手できていないが,児童期から現在まで続く相互		

診断結果	的な対人交流の困難を認め，言語発達に明らかな問題はないがコミュニケーション上の問題があり，融通のきかなさも認められることから，軽度のASD（ASD閾下も含む）を疑った．現在は軽快しているが，ASDにうつ病が併発したと考えた（DSM-Ⅳ-TR）．
治療方針	うつ症状に対して，薬物療法を中心とした治療を継続すると同時に，ASD特性について本人や周囲に理解してもらうことにより，生活のしにくさを改善することを目指した．
治療経過	抗うつ薬を中心とした薬物療法を継続しながら，本人が困っている「周囲から勤務中に話しかけられた時にどう対応するか？」「会話の内容が理解できなかった時にどう聞きなおすか？」などを具体的に話し合った．実際に面接での話し合いの後，職場での行動を変えてみて，その結果を報告してもらうことを繰り返した．上司とも面談し，うつ病の症状出現には，患者自身の特性が大きく影響していることを伝え理解を得た．具体的には，対人面の希薄さ，気分の易変性や音に過敏であること，会話において理解不十分な時もあいまいに返事してしまい，その結果どうしていいかわからなくなったり，仕事の優先順位がつけられず困惑してしまうことを説明した．これらへの職場での対応方法として，本人への指示は順位付けをして伝えるほうがよいことなどを助言し，上司との面談で職場における本人の評価は，同僚のなかで一番知識があり，ある面では高いこともわかった． ■ 解説　入念に周囲のASD特性の理解を促すだけでなく，職場での環境調整に具体的な助言をすると復職がよりスムーズとなる．職場での能力は高く評価されており，職場の協力も得やすかった．
転帰	現在，職場内の理解も深まり，うつ症状は軽快し，勤務は行えており，休日にはジムに通う生活を送っている．継続的な受診を行い，日常の困惑場面について対処法を助言し，日常生活で実践に取り組んでいる．

> → ワンポイント・アドバイス
>
> うつ症状の悪化や遷延化にASDの特性の存在が多大に影響することがある．ASD特性のあるうつ病患者の精神科治療においては，うつ病の治療とともにASDに関する理解を本人および周囲に促すことは大変重要である．

Case 5 不登校からひきこもり，家族への攻撃に発展した24歳女性 ★★

わたし，どこも悪くないと思うんです

初診時年齢	24歳	性別	女性
主訴	「ひきこもり．家で暴れる．食事を食べようとしない」（両親） 「わたしはどこも悪くないと思うんです」（本人）		
紹介元・紹介に至るまでの経緯	数年前に，ひきこもりと家庭内暴力のために家族が精神疾患を疑ってA精神科クリニックを受診した．精神疾患はないとの判断にて，以降通院することはなかったが，同様の状態が続き，拒食が現れたため当院精神科を受診．		
家族歴	両親と姉の4人家族．姉も高校生時よりひきこもり．		
生育歴・生活歴	● 周産期の異常はなし． ● 独歩の開始は1歳3か月と遅めであったが，初語1歳，2語文1歳9か月と言語発達に遅れはなく，乳幼児健診で異常を指摘されたことはなかった．指さしや視線追従などの共同注意の頻度は少なく，表情が乏しいこともあり，「子どもらしくない」と母は感じていた．興味をもったことやできたことを母に伝えて喜ぶ様子もなかった．幼稚園に入った初めの1年ほどは登園渋りが続き，集団の中に入れず，運動会では参加を拒否して暴れた．生活に変化があると嫌がった． ● 小学校ではスムーズに通い始め，行事への参加もできるようになった．友人は少なかったものの，時々友人の家に遊びに行くこともあった．忘れ物を過度に心配して何度も確認する傾向があった．成績は中の上であった． ― 解説　当初母親は「小さいころに変わったことはなかった」と述べていたが，具体的な行動を尋ねていくと多くのエピソードが語られた．		
現病歴	小学校6年時，友人と思っていたグループのメンバーが本人の嫌いな級友と仲良くしているのを見て，「絶交された」と思い，登校を渋ったことがある．中学に入学してからも，友人は少なく，友人関係がうまく築けていないようだと母は感じていた．中学1年の1学期は腹痛やふらつきを訴え，半分程度学校を休んだ．2学期以降はまったく学校へ行かずに中学を卒業した．通信制の高校に入学し，入学式には参加したものの，レポートがこなせないと感じ，不安になって中退した．その後，壁や家具を蹴るようになり，次第にその頻度や長さ，激しさがエスカレートしてきた．20歳より保健所に相談を始め，ひきこもり青年を対象とした共同作業所に籍を置くようになった．「知らない人といると緊張するので少しずつ慣れたい」と，年に数回程度しか行っていない．家で暴れることはなくなったが，最近になって食事		

現病歴	を拒否するようになり，家族が困っている． ■ 解説　小学校以降は感情を爆発させることもあるが，対人関係の問題は受動的である点以外は，明らかな異常行動はなく，目立たなかった．対人行動のパターンが受動型の ASD の場合，思春期以降に初めて対人的な問題が明らかになることも多い．
初診時所見	● 礼儀正しく終始にこにこしており，母の説明に，言葉では不快感を訴えても表情変化は少ない． ● 本人の話からは，人への理解が外見や表面的な行動のレベルにとどまっており，内面への理解や共感が稀薄で自発的なコミュニケーションが困難であることが明らかになった．例えば過去に友人の少なかった理由として，「髪型が男の子っぽかったから」と言い，内面への洞察はない． ● 暴れる理由については，「姉が嫌いなので，姉を見るとむしゃくしゃする」と言い，姉が嫌いな理由については「大した理由でなくて笑われるかもしれないけど，姉が食べる時に音をたてて食べたり，決まった場所に物をしまわないのが嫌．姉を見なくても，姉がたてた音を聞いただけでいらいらする」と言う． ● 食事をしない理由を尋ねると，「わたしがこんなに姉を嫌っているのに，わからない家族に抗議している」と言う（しかし，姉を嫌いなことを直接伝えてきたことはない，と母親は発言している）． ● 経過や診察の様子からは，幻覚妄想や気分変動は特に認めなかった．
検査結果	知らない人と 2 人きりになるのが嫌だと検査を拒否したため，未施行．
診断結果	ASD（アスペルガー障害）と診断．現在の様子からは対人相互関係の障害は目立ちにくいものの，幼少期からの対人相互関係における障害，および習慣へのこだわりが認められ，習慣へのこだわり，知覚過敏が強くなり，ついにひきこもり，家庭内暴力へとつながっていた．対人不安や姉への嫌悪もきわめて感覚的な次元で捉えられているようである．
治療方針	● 本人と家族には診断と現在の行動の説明を丁寧に行い，家族には，本人の行動の理由を推測で判断せず，他者が思いもつかないような理由で本人が行動していることが少なくないことを意識して本人から話を聞いた上で対応するように助言した． ● 感情のコントロールのむずかしさに関しては，薬物治療を試みることとした．
治療経過	「家庭内では無理に姉と関わらない」という約束のもと，リスペリドンの服用を開始．1〜2 mg/日の服用で「以前よりいらいらしやすさが減った」との報告があり，実際に家で暴れることはほとんどなくなった． ■ 解説　発達障害を有する症例では，薬剤への反応性が強く出現する場合があるので，通常よりも慎重に調整する必要がある．

転帰	「社会に出て働けるようになりたい」という本人の希望があり，当面の目的として共同作業所に定期的に行くことに取り組んでいる．本人のペースを大切にして，今のところ，週1回通所を継続している．

> **→ ワンポイント・アドバイス**
>
> 不登校からひきこもりに至った人のなかには，広汎性発達障害など発達障害を主診断とする者は約3割との報告もある．現在の状態だけでなく，生育歴や成長過程の情報を収集し，発達的観点から，本人を捉えることが大切と言える．

Case 6 勉強家,ときどきアスペルガー障害の28歳女性 ★★

がんばっている自分を認めてほしい

年齢	28歳	性別	女性
主訴	「しんどい」,食行動の異常,「アスペルガー症候群ではないか」.		
紹介元・紹介に至るまでの経緯	本人の希望により,精神科主治医からの紹介.主治医からの紹介状には,境界性パーソナリティ障害として治療を行ってきたが,診断に疑いを持つようになった経緯が説明されていた.		
	■ 解説　特に高機能ASD女性では,対人認知が悪いが対人希求性があり,思春期以降,強迫的な要素が絡み合って人を巻き込む境界性パーソナリティ障害様の行動様式をとることがある.		
家族歴	両親と弟との4人暮らし.父親は職人.家族は口数が少なく,会話は多いほうではないが仲は良い.		
生育歴・生活歴	●妊娠中や出生時,発達初期に特記すべきことはなかった.おとなしい子どもだったが弟の面倒をよくみた.幼児期は近くに住む祖母が主に養育にあたった.特に問題は気づかれなかった. ●小・中学校では不登校がちで,精神科受診のエピソードがあった.高校・大学時代は親しい友人はできなかったものの,成績は良く,特に問題なく卒業した. ●大学卒業後,大学院に進学したが,指導教員のアカハラ,セクハラ問題があり,周囲の助言によって退学し,その後会社に就職した. ●学生時代に結婚歴があるが,短期間で離婚.		
	■ 解説　高機能ASD女性は相手を信じやすく,性被害にあいやすいことはしばしば経験する.		
現病歴	小学校5年生時,授業中に教師の話に出てきた「ばい菌」が怖くなり,「ばい菌が飛んで口の中に入ったのではないか」という強迫観念と母親への頻繁な確認が続いたため,母親に連れられてAクリニック児童精神科受診となった.強迫性障害と診断され,薬物治療,遊戯療法,家族ガイダンスを受け,数か月で症状改善のため治療終了となった. 　中学2年生時に,元気がなくなり学校へ行きたがらないため,再び母親とともにAクリニックを受診.同級生女子と話題が合わない,無理に合わせるのがしんどい,と訴え,興味の喪失,活動性の減少,抑うつ気分などうつ症状に加え,洗手強		

現病歴	迫, 円形脱毛症も認めた. 服薬で症状軽快があり, 保健室登校を再開した. 約半年で治療終了となった. 大学院でのトラブルを機に, 再び抑うつ的となり, 希死念慮を抱き, 大量服薬, リストカットなどの自傷行為や, 過食衝動が止まらないためB精神科クリニックに通院することとなった. 薬物療法と並行して, 精神療法を続けるが, 症状に変化がみられず, エチゾラムに依存する傾向がみられたため, 途中から処方をしない方針をとっていた.
初診時所見	● 表情や態度は陰うつだったが, 落ち着いてはっきりと述べることができた. 訴えは無力感, 希死念慮や食行動の異常(1つの食材しか食べられず, 食べ始めたら止まらない)など多岐にわたった. ● 自分の置かれた状況への怒り, 理不尽さ, とまどいを話すと, 混乱してその複雑な対人状況の全体を説明することはできなかった.
検査結果	**WAIS-R**:知能はIQ 100と正常域で, プロフィールにばらつきはなかった.
診断結果	発達歴は母親からは特記すべき情報は得られず, 本人の回顧によって小学校まで遡りエピソードを確認しながら情報を収集した. その結果, アスペルガー障害(DSM-Ⅳ-TR 299.80)の, A.対人相互的交流の障害〔(2), (3)〕, B.活動パターンは柔軟性がない〔(2)〕, D.言語や認知の発達の遅れがないこと, に合致した. 強迫症状やうつ症状は臨床閾下であった.
治療方針	● 患者の高い能力と内省力, 動機付けを考慮して, アスペルガー障害という診断告知を通して, 自己を客観視する材料とすることは有益だと考えた. ● 患者と一緒に, 日常生活で経験する対人トラブル状況を本人のASD特性と照合して, 最適な問題解決を考えるという作業を行うこととした. ● 食行動の異常など具体的な行動異常に対しては, 認知行動療法的アプローチにより, 感情と行動を自己モニターして日記を書きとめるよう指示し, 外来診察時にそれを振り返りながら話し合った. ● 投薬は, 前医の方針を引き継ぎ, 本人も納得の上, 処方しないことにした. ■ 解説　高機能ASD女性は男性と比べて内省, コミュニケーションが高いと報告されるように, 本ケースも精神的に安定していると冷静に内省することができ, そういうときは表情も自然で, 会話はスムーズで, こだわりも目立たなくなる.
治療経過	診断名については納得できたようで, 自分でも積極的に本を読んで, 主治医にも時々勧めてくれた. 会社では一部の同僚との人間関係に毎日パニックや過呼吸を起こしながらも, 常にトップの業績を維持することにこだわった. 一方, 同じ発達障害を持つ同僚に相談したり, 上司に障害について打ち明けて仕事上の悩みを相談したところ, 配置替えや対人トラブルの調整など, 職場環境を配慮してもらえるようになった. 環境が整うなかで, 理解者を得て, 自らパニック回避のために対処するようになり, 当初の食行動異常や多彩な訴えも消失し精神的に安定していった.

治療経過	安定した時期には，対人関係の障害はやや軽快し，柔軟性も改善し，ASD特性を持ちながらもアスペルガー症候群の診断基準を下回るようになった（PDD-NOS）．
転帰	● 仕事を続けながら資格試験の勉強をし，合格したので，資格を活かした現在の仕事に転職した． ● 現在の職場の上司にも障害を告知した．上司とは時に衝突しながらも，能力と努力を評価されており，サポートを受けながら務めを立派に果たしている．

> **━ 解説** 本ケースは，安定した状態（一見，ASDとはまったく見えない）と，他人の言動の影響で自信を喪失し，反復傾向が強くなった状態（ASD特性が際立つ）とのギャップが激しく，別人と思えるほどであった．
> 　本ケースは前医が治療経過のなかですでにパーソナリティ障害を否定していたおかげで治療方針の転換が可能となったが，生育歴を知らないとパーソナリティ障害の診断がついても不思議ではないと思えた．継続して診療することで，気分変動に連動したさまざまな症状出現の悪循環を断ち，薬物を使用せずにリセットすることが可能となった．繰り返すうちに自己モニターがうまくなり，自分で対処できるようになりつつある．今後予想される結婚や出産，育児などの際に，必要があれば早期介入ができるようフォローしていく予定である．

> **→ ワンポイント・アドバイス**
> 　Hans Asperger自身，性差に注目しており，女性は人生後半になって自閉的特徴が顕在化するという事実をすでに看破していた．一般精神科の女性患者のなかにも本ケースと似た患者は一定数いると推測される．より発達的な視点に敏感となり，生育歴を詳しく尋ねることが有用である（女性は雄弁である）．

Case 7 職場不適応から買い物依存に陥った38歳女性 ★★

お金はなくても人形が欲しい

初診時年齢	38歳	性別	女性
主訴	趣味のアンティーク人形を何個も買ってしまい，クレジットカードで支払えなくなっている．買い物依存を治したい．		
紹介元・紹介に至るまでの経緯	21歳時から通院している精神科クリニックの医師からは，境界性パーソナリティ障害との診断を受けていたが，家族が診断に納得できず，転医を勧めた．		
家族歴	両親と同居．兄は結婚を機に独立．精神科的遺伝負因はない．		
生育歴・生活歴	●妊娠分娩および出生時に異常はなかった． ●1歳半健診時には発語があり，2歳になるまでに2語文を話した．幼児期には特に異常を指摘されることはなく，家族も問題を感じなかったという． ●小学校高学年になると，同年齢の女児のように身だしなみに関心を持つことがなく，話題が合わなくなった．学業成績は常に上位だったが，友人はできず，同級生からはからかわれがちだった． ■ 解説　小学校高学年になると，女児は同性同士で固定したグループを形成する傾向が強く，それまでより高度な対人スキルを要求される．この時期に対人関係につまずく高機能ASD女性は多い．		
現病歴	大学在学中に，ボーイフレンドに「突然」冷たくされたことを機に外出することが怖くなり，自宅にひきこもるようになった．周囲の勧めで精神科クリニックを受診し，うつ病と診断され，休学して治療を続けた．大学中退後，うつ症状がいくぶん改善したため，通院を継続しながら就職したが，上司の指示に従わず，叱責されることが多かった．半年後にうつ病が再燃し，衝動的に大量服薬をした後，退職した．その後，再就職するたびに職場の人間関係がうまくいかず，数か月単位で退職することを繰り返した．6社目となる現在の職場でも，同僚と休憩時間に何を話していいのかがわからない，いつ解雇されるかが不安と述べる．その一方，趣味の高価な人形は，1つ買い始めると，次々にかわいい新作品が売りに出されるのでやめられなくなった．		
初診時所見	●会話はスムーズで視線も合うが，表情はやや乏しい． ●主訴である買い物依存の話題になると，治したいと言いながらも，欲しいと思っているアンティーク人形の魅力について話し続け，生き生きとした表情になり，深刻さを感じさせない．		

初診時所見	■ 解説　高機能の ASD 女性は ASD 男性に比べ，対人反応が良く，背景の問題が見えにくいことに注意．
検査結果	WAIS-Ⅲ：言語性 IQ 119，動作性 IQ 107，全 IQ 117 だが，ばらつきが大きい（山：絵画配列 14，谷：符号 5）． ■ 解説　一般的には ASD 者は絵画配列を苦手とするが，特に知的能力の高い女性ではこのような非典型例も存在する．
診断結果	● 母親には PARS を用いて電話面接に協力してもらい，幼児期の発達歴を尋ねると，「他の子どもに興味がない」「見せたい物を持ってくることがない」「指さしで興味があるものを伝えない」「普段通りの状況や手順が急に変わると，混乱する」などの自閉症的な行動特徴が明らかになった． ● 本人の報告と母親からの聴取により，言語性コミュニケーションの障害はないが，対人的相互反応の障害と，行動・興味の限定的・反復的様式が幼児期より一貫して認められ，アスペルガー障害と診断した． ● 同時に，職場での対人関係の持ち方に困惑し，いつ退職を迫られるかわからないという不安を抱えており，うつ病の診断基準は満たさないが，軽度の抑うつ気分と自尊心の低下，焦燥が認められた．主訴にあった買い物依存は「特定不能の衝動制御障害」の基準を満たさず，ASD と関連した限局的な興味とこだわりの産物と考えられた．
治療方針	本人と家族に診断結果を説明し，買い物依存の背景には ASD 特性と，慢性的な不安が存在していることを理解してもらい，心理教育と環境調整そして薬物療法の継続を提案した． ■ 解説　依存症も，うつ病や不安障害ほどではないが ASD と合併が報告されている．これも早めに対応すると回復が早くなる．
治療経過	うつ症状と不安症状に対しては，セルトラリン 50 mg/日，ブロマゼパム 4 mg/日，バルプロ酸 200 mg/日の処方を継続した．買い物依存については，本人と話し合いクレジットカードを母親に預け，人形の購入に使う 1 か月の上限額を決め，限界設定を明確にしたところ，おおむね限度内に収まるようになってきた．初診から約 3 か月後に職場内で配置転換があり，外部からの電話対応が中心の業務に緊張が高まりミスが増え，次第に出勤もおっくうになり，うつ症状の増悪が認められたため，休職し自宅療養とした．結局，復職の自信が持てないと本人が言い，退職を決めた．
転帰	● 退職後，約半年の自宅療養の後，抑うつが消滅し，次第に外出する機会が増えてきた． ● 当初は給与面で迷っていたが，特性に配慮してもらえる職場で長く働きたいと本人が希望するようになり，精神障害者保健福祉手帳を取得した． ● 現在は精神障害者雇用枠での就労を果たし，比較的安定した生活を送っている．

> ➡ **ワンポイント・アドバイス**
> 　定型発達者の場合は，うつ状態に陥ると興味が全般的に減退するが，ASD者の場合は逆に興味の対象への熱中の程度が強まることがある．

Case 8 結婚・出産・離婚で不適応が強まった40歳女性

わたし，アスペルガーがあるんです

初診時年齢	40歳	性別	女性
主訴	「計算ができない，記憶力が悪い．わたし，アスペルガーが少しあるんです」と，診断希望．		
紹介元・紹介に至るまでの経緯	うつ病にて精神科通院中であった．娘の発達障害診断をきっかけに自身も発達の問題があるのではないかと思い，娘の主治医からの紹介で当院受診に至った．		
家族歴	10年前に離婚し，小学生の長女と2人暮らし．長女はPDD-NOSおよび学習障害と診断されている．親類は気性の激しい人が多く，集まるといつも家の何かが壊れるほどのケンカになった．		
生育歴・生活歴	両親が遠方に居住しているため，本人を通じて母親からの情報を入手した． ●周産期に異常はなし．乳幼児健診で言語発達の遅れを指摘され，言語訓練を受けた．母親は，対人面の発達に特に違和感を感じなかったという． ●2歳で保育園に入園したが，かんしゃくを起こすことが多く，先生がピアノを弾いている最中に蓋をしめたり，フォークで同級生の足を刺したことがあった．「集団保育は危険」と判断され，別室保育になることも頻繁であった．一人遊びが多く，パズルに夢中だった．不器用でボール遊びができなかった． ●小学校低学年では，授業中に立ち歩きが目立ち，注意されると激怒して机や椅子を投げた．ゲームやスポーツのルールが理解できず，自分のルールを通そうとして集団行動がとれない，という行動が小学校中学年までみられた．特別支援学級を勧められ，しばらく通級したが嫌で，普通学級へ戻してもらった．その後は努めておとなしくするようにした．小学校時代，特定の友人はいないが，誘われれば同級生と遊ぶこともあった． ●中学校では，授業中空想にふけっていた． ●高校入学後は，仲の良い友人ができ楽しく過ごしたが，計算がまったくできなかった． ●卒業後は料理の専門学校へ入学し，寮生活を始めたが，学業，対人関係も順調で「この頃が一番楽しい時期だった」．卒業後，職場で知り合った男性に結婚を申し込まれ，「好きでもなかった」が，21歳で結婚． ●結婚後は専業主婦をしていたが，夫が金銭管理していた．当初，夫の両親と同居したが，姑との関係が悪化して別居し，後に離婚となった．長女を出産後は抑うつ気分，意欲減退があった．		

生育歴・生活歴	▬ **解説** 幼児期に，言語面，対人面，不器用，かんしゃく（衝動性制御）などの発達上の問題のエピソードが認められており，学童期にも，多動，かんしゃく，対人面，学習面の問題が続いていた．このように丁寧に発達歴を尋ねると，ASDと診断される人にもさまざまな発達上の問題を持つ症例は，適応上の問題も深刻である．
現病歴	出産1年後，精神科受診．うつ病の診断のもと治療開始．離婚の話し合いの際に夫に包丁を振り回して措置要件となったことがあった（人格の問題とされ入院には至らず）．娘が6歳時，本人が娘に対し罵声を浴びせたり，食事を与えないことがあるなどして虐待が疑われ，児童相談所のフォローを受けるようになった．児童相談所の定期的な監督・指導のもとでその後育児は安定し，親子関係は改善した．治療を継続していた抑うつ状態は寛解・再発を繰り返し，離婚後はパートタイムで就労したものの，対人トラブルで抑うつが再燃し，その都度転職することとなった．職場では，作業をやりとげることが困難で，「聞いているのか？」などと怒られることもしばしばあった．また，金銭管理ができず，借金が数百万になったため，法定後見による保佐人の支援を受けることになった．娘がPDD-NOSおよび学習障害と診断されたことを機に，自分にも同様の傾向があるのではないかと考えるようになった． ▬ **解説** 発達特性に気づかれることなく成人し，社会生活もそれなりにうまくいっていたが，結婚・出産・離婚などのライフイベントにより遭遇する高度な対人状況への不適応が顕在化したと考えられる．成人になってからの発達障害の診断は難しいが，女性の場合，育児困難になる場合はその時点で診断と支援につなげたい．
初診時所見	● 礼節は保たれ，受け答えはスムーズだがやや冗長．表情や視線の用い方は自然である． ● 「記憶力の悪さ」については，「昔から，大事な用事でも忘れてしまうことが多く，メモをつけるようにして」おり，計算については，現在も「計算機を使わないと簡単な計算もできない」と言い，適切に代償してきたことがうかがえる．初診時，抑うつ状態は寛解していた．
検査結果	**WAIS-Ⅲ**：言語性IQ 81，動作性IQ 92，全IQ 85．算数，数唱，語音整列に落ち込みがみられた． ▬ **解説** 数の概念だけでなく，記憶を保持しながら別のことをするという記憶能力にも落ち込みがあることを示す所見である．
診断結果	ADHD（不注意優勢型）および学習障害（算数障害）． ● 児童期にASD症状（対人相互関係の障害とこだわり），ADHD多動症状，不器用が認められたが，発達とともに持続しているけれども，目立たなくなっていった

診断結果	症例である(ASDの診断閾下). ● 現在でもADHD不注意症状は残り,生活に支障を来している. ● 計算能力は一貫してまた他の能力と比較して劣っており,客観的には確認していないが日常生活から算数障害を推測した.
治療方針	ADHDと算数障害という発達障害は日常生活および職場で業務や対人関係に影響を及ぼしており,職場の対人トラブルは,またうつ症状の誘発・増悪を招くという悪循環が生じていた.自らの発達障害特性の気づきと代償スキル向上,そして衝動性のコントロールを促し,うつ再燃の予防を目標とした.
治療経過	職場の対人トラブルを機に,出勤拒否とうつ症状増悪をみたため,休職(後に解雇)し,自宅療養をしながら,育児や家事など日常生活の見直しとともにうつ症状の治療を継続した.
転帰	うつ状態の改善がみられ,今後の就労について,自分の特性を踏まえて現実的な検討を相談している段階である.本人の特性を理解してくれる職場という観点から,障害者雇用も選択肢に含める必要がある.

> **→ ワンポイント・アドバイス**
>
> ADHD,LD,ASD,DCD〔developmental coordination disorder:発達性協調運動障害(いわゆる不器用)〕の合併ケース.
>
> ASD自体は閾下で軽症で知能は正常範囲であるが,他の発達障害の合併で,社会生活だけでなく,日常生活や作業能力に大きな問題を抱える本ケースのような症例は少なくない.

Case 9 面接の不合格続きに不安が高まった28歳女性 ★

面接で何と答えればよいのかわからない

初診時年齢	28歳	性別	女性
主訴	自分の診断名と治療について知りたい.		
紹介元・紹介に至るまでの経緯	大学の勧めで精神科クリニックに通院していたが，自分の診断と治療に疑問をもち，当院をインターネットで検索し，主治医の紹介状を持って受診した.		
家族歴	●父が双極性障害，母方祖父がうつ病. ●両親は患者が幼少時に離婚した（母が出産後戻らず，離婚となった）. ●その後，母，継父，弟と4人暮らし．母と非常に仲が良い．学校と家の往復生活.		
生育歴・生活歴	●満期産，周産期に異常なし．夜泣きがひどかったこと以外は気になることはなく身体発達は順調であった. ●乳幼児健診では特に指摘は受けなかった．歩き始めてからは多動で，外出時は目が離せなかった．花，昆虫，車などさまざまな種類の図鑑を始終見ていた．3歳頃には家庭用の医学書を熱心に眺めていた．言葉遣いが大人びており，「大人と対等な口調と態度で」会話をしていた．質問をすることが好きで，答えないとしつこく繰り返した．幼稚園では集団活動に参加せず，一人で遊んでいることが多かった．同年齢の子どもの遊びに割って入り，自分の言う通りに動かそうとするために，年長になるにしたがって嫌がられて仲間はずれにされるようになった．ファンタジーを好み，一人で空想に浸って過ごすことも多かった．運動は苦手で，手先は不器用であった．母は，「変わっているが頭の良い子」と，特に問題を感じなかった. ●小学校では成績は上位であったが，教師の言うことを聞かず反論して集団行動を拒否したり，級友に一方的に自分の意見を押し付けたりするために，友だちもできなかった．受験勉強をして中高一貫の進学校に入学した. ●中学校では記憶力に優れていたが，英語の発音が苦手で，数学の理解が困難になり，次第に得意不得意の差が目立つようになった．女子とは話題が合わず，男子と会話することが多かった. ━ 解説　幼少時より，社会性の乏しさ，興味の偏りなどASDの特徴は明白であったが，問題の気づきが遅れた.		

現病歴	難関大学に進学したものの大学生活になじめず，交友関係は定着しなかった．意欲低下，集中力低下，不眠などうつ症状が出現し，大学の保健センターを受診，アミトリプチリン，アモキサピン，睡眠導入剤の処方を受けた．就職の時期になり，働く自信が持てないため大学院に進学した．大学卒業後も精神科クリニックに転院してうつ病治療を継続し，精神障害者保健福祉手帳を取得した．次第に攻撃的になるなど気分変動がみられるようになり，双極Ⅱ型障害の診断のもとで，炭酸リチウムを追加処方されたが，気分は安定しにくかった．卒業を控えて就職の時期に入り，障害者雇用枠も含めた就職面接で不合格となることが続いた．対人場面で頭痛，腰痛，手の震えなどの身体症状も出現し，診断と治療に疑問を持って，当院を受診した． ■ 解説　ASDに気分障害や不安障害の合併が多いということは，主訴から気分障害や不安障害が疑われる患者のなかに，ASD的特性を持つ人が一定数潜在するということでもある．現在の症状だけでなく，生育歴聴取が不可欠である．
初診時所見	● 一人で来院．短髪でズボンをはき，男性のような恰好であった． ● 自分の状況について，持参したパソコン書きのメモを見ながら淡々と話した． ● 疎通は良好であり，奇異さは感じられなかった．
検査結果	WAIS-Ⅲ：言語性 IQ 114，動作性 IQ 84，全 IQ 101 であり，ばらつきが大きかった（山：算数 15，谷：絵画完成 6）． ■ 解説　言語性 IQ と動作性 IQ の乖離の大きい本ケースの場合，視空間処理の障害の合併が疑われる．優秀な学業成績は言語性記憶に依存したものと考えられる．
診断結果	幼少期からの一方的な対人関係の持ち方，興味の限局が明らかであり，認知発達に遅れがないことから，DSM-Ⅳによるアスペルガー障害と診断された．
治療方針	● 大学入学後より，双極Ⅱ型障害の併発，さらに就職活動の時期に社交不安障害を併発したと判断された． ● 気分安定薬を中心とした双極性障害の治療に加え，対人場面でのコーピングについては，心理士による認知行動療法的アプローチによる定期的面接で助言を継続することとした． ■ 解説　本人に治療意欲があり，理解力が高い場合は，認知行動療法的介入を導入しやすく，ASD者にフィットする．
治療経過	その場の雰囲気や表情などから相手の気持ちを読むことがむずかしいために，どう振る舞えばよいかわからなくなる．相手の話のポイントがつかめないなどの気づきが得られ，対人関係について自分が抱える問題については徐々に冷静に評価できるようになった．病状の経過に基づいて精神症状と身体症状のつながりについて説明

治療経過	し，場面ごとに具体的な対応を助言した結果，身体症状の訴えは徐々に軽減した．しかし，就職面接になると，「他人と比べられて評価されることが疲れる」「面接の質問の意図がわからない．答えはいくつか浮かぶものの，どれを答えればよいかわからない」と不安感が助長され混乱がみられたので，就職活動は一時中断することとした． ■ **解説** 社会参加を無理して急がせず，合併症治療を優先して進めることにより，本来の ASD 特性と向き合える余裕が得られる．
転帰	● 今後の就職活動が最も重要な課題である．大学院での研究の継続については，決断はできていないが，おそらく大学から紹介された民間の発達障害者の就職支援会社に相談する予定である． ● こうした支援を求める行動は適切に自発的にできており，スポーツジムに通うなど，日々の健康管理も適切である．今後も通院を続けながら，より適応的な社会参加を目指すことが望ましいと考えられる．

> **→ ワンポイント・アドバイス**
>
> 合併精神疾患を持ちながらも，ASD 特性への気づきを持ち，適切な治療を継続する動機づけが高く，さらに必要な社会的資源を求める行動を身につけられた症例では，着実に現実的な進路選択に向けて長く支援していくことが重要である．

Case 10 電話相談で気持ちの整理がついた20歳女性 ★

納得できたので、もう悩まないことにしました

初診時年齢	20歳	性別	女性
主訴	自分のことがわからない.		
紹介元・紹介に至るまでの経緯	保健所でのひきこもり相談. 交通の不便な居住地のため来所できず，電話での相談申し込みにより，保健所嘱託医（精神科医）が担当することになった.		
家族歴	本人の拒否のため家族からの聴取はできず. 本人によれば特記事項なし.		
生育歴・生活歴	● 本人が母子手帳を確認したところ，妊娠中，出産時の異常なし. ● 3～4か月時の目つきがどこかおかしいとの項目に，「はい」とチェックされていた. 始歩1歳2か月. 2歳時までに2語文あり. 乳幼児健診で発達の遅れを指摘されたことはない. 幼稚園は年少組から入園. 当時のことはあまりよく覚えていないという. ━ 解説　家族に聴取可能な場合にも母子手帳など幼少時の資料は参考になる.		
現病歴	小学校4年の頃から，自分は他の人と何かが違っていると漠然と不安に感じ始めていた. 小学校で成績上位. 思い出せる友だちはいない. 中学・高校は演劇部に所属して活躍し，部活動を通じて親しく行動をともにする友だちができた. しかし，自分は他の人と何かが違うという感じはずっと続いていた. 高校卒業後，その違和感が強まって悩み，進路を決めかねた. 両親に相談しても「普通だから大丈夫」と軽く考えられ，あまりとりあってもらえなかった. そのうち自宅にひきこもるようになり，ほとんど人と会うことなく，テレビや読書で時間を過ごすようになった. 現在は，簡単な買い物以外，外出しない. このように過ごしている様子を母親に叱責されることがたびたびあり，家族との関係が険悪になった. 市の広報で保健所のひきこもり相談を知り，自分で電話相談を申し込んだ.		
初診時所見	● 遠方の保健所にまで出かけて直接面談する意思はないと言う. また，親との関係が険悪なため，相談医が親と電話で話すこともしてほしくないと言う. ● 話し方，話の流れ，話の内容に特別な違和感は感じられなかった.		
検査結果	実施された検査なし.		

相談の方針	● 月1回，1回1時間の電話相談であったため，電話相談では診断はできないが，嘱託医として一定の意見を伝えることまでは可能と伝え，事前に了解を得た． ● この枠組みのなかで，何回かに分けて生活歴，発達歴を丁寧に聴取してまとめる方針を伝えたところ，理解が得られた（診断についての見立ては後述）．
相談経過	● 終了まで7回の電話相談を継続した．発達歴を聴取するなかで，以下のことが明らかとなった． ・小学生の頃から，同世代の子どもと一緒にいると，どう振る舞っていいかわからず困っていた．特に，他の人の気持ちがいくら考えてもわからない．したがって，集団の中では目立たぬよう控えめにしていた．学校の科目は全般的に興味がもて，また，義務感があったのでよく勉強した．良い成績が得られると充実感があった．何もすることがない時間は空想遊びをしていた．空想は，緑，水色，ピンク，オレンジ色の球体が空中に浮かんでいる視覚イメージで，今でも時々この空想遊びをすると言う．中学になり，人の中での振舞い方を身につけたかったので演劇部に入った．演劇では，自分が行うべき行動やセリフが決まっていたので，普段より楽に過ごせた．セリフは台本を2～3分見ると一気に覚えることができたので，ほかの部員に驚かれた．その数ページは今でも思い出せる．高校に進学し，やることが決まっていればその通りに動いていたが，やることがなくなると，自分と他人との違いについて漠然と考えるか，同じ空想遊びをして時間を過ごした．高校3年時の進路相談で，自分は何かが違う，他の人との付き合い方がわからないと担任に訴えたが，進路相談と関係ない話題であるため取り上げられることはなかった．大学受験も可能な学力であったが，自宅から離れて一人で生活することに不安を感じているうち卒業となり，やるべきことがなくなって現在に至った． 以上の内容を5回の電話で聴取．他人との場面でのぎこちなさ，視覚的なイメージでの空想遊びの仕方，優れた視覚的記憶力の非常な高さなどは自閉症や広汎性発達障害とよばれている人たちの特徴とよく似ている．自分でもこの点についてよく考えてほしい旨を伝えた． 6回目の電話では，嘱託医の意見を聞いた後，自分で自閉症の人の手記を何冊か読んだところ，自分とそっくりだと感じたということが報告された．7回目の電話では，自分のことがひと通りわかり納得できたので，これからは必要以上に悩まないことにしたと話した．また，近くの老人保健施設の貼り紙を見て，その求人に応募し，定期的なボランティアを始めたことが報告された． ■ 解説　図形的な空想遊びはDonna Williamsの，視覚的記憶の高い能力はTemple Grandinらの出版物など，ASD者の手記に詳述されている．本ケースは診察ではなく電話相談のみの事例であることから，医師が慎重にASD診断を伝えているのではなく，「ASD者と似た特性がいくつかあるようだ」と説明していることに注目してほしい．

転帰	ボランティア参加から半年後，職場で良い評価が得られ，非常勤職員として採用された旨が報告された．
まとめ	本ケースは高機能 ASD が診断の候補として考えられた．ASD 特性はあるものの診断基準を満たさない閾下ケースである可能性が十分にある． 　本人の解決意欲が高いことが相談継続を成り立たせた主な要因と考えられるが，電話相談のみであり，慎重な対応が求められた．言葉で説明する能力の高さを確かめた後，ほとんどオープン・クエスチョンで質問するように努めた．例えば，「小学生の頃，熱心に勉強していたようですが，何もやることがない退屈な時は，何をしていましたか」「その空想遊びとは，どんなものですか」「演劇部に入った理由は何ですか」「台本のセリフは，どのようにして覚えましたか」といったもので，発達障害の臨床経験を踏まえた工夫の1つである．回答を誘導せず自由に語ってもらうことで具体的な内容を評価できた．その結果，対人場面での本人の当惑や人の気持ちの理解の困難さ，独特な視覚イメージ，視覚的記憶の高さが明らかとなり，ASD に見られる特性の一部が明らかになった．発達歴の確度の高い詳細な情報は得られないが，現在 ASD の特性がほぼ明らかで，その特性から今の不適応が説明できることから，このような事例は「probable ASD」として対応することが可能と考えられる． 　電話相談のみでのやりとりは，面接や診察と比べ誤解が起きる危険が高いと言えるし，こちらから意見を伝えるにも相当な慎重さが求められる． 　この事例の対応は，就労につながったとの意味で，ひきこもり相談として肯定的に評価してよいと思われる．

> → ワンポイント・アドバイス
>
> 　臨床の場では，種々の制約からこのような「probable ASD」ケースは多い．診断の厳密性の限界と患者にとっての利益のバランスを考えて，「probable ASD」と臨床的に判断することの意義は小さくないと思われる．

Case 11 統合失調症と診断されていた27歳男性 ★★★

自分は何をやってもダメなんです

初診時年齢	27歳	性別	男性
主訴	自傷行為.		
紹介元・紹介に至るまでの経緯	本人が自らの希望で母親とともに受診.		
家族歴	両親と本人の3人家族.		
生育歴・生活歴	●妊娠・出産時の異常なし．生後4か月頃，あやし笑い，合視が乏しかったという．始歩1歳0か月，初語2歳1か月，2語文3歳1か月と言語発達の遅れがあった．ミニカーを並べる単調な遊びを好んだ．3歳児健診で自閉症を疑われ，幼稚園入園までの1年間療育を受けたが，医師の診察と正式な診断を受けたことはなかった．幼稚園では他児にほとんど関心を示さず，玩具を並べて一人で遊んでいた． ●就学時健診で指摘なく，小学校の普通級に就学．学校生活では教師の指示をよく守り，学力は中の上程度であった．しかし，グループ活動や自由時間などで，一貫して同級生との情緒的なやりとりは少ないようであった． ●最終的に4年制大学を卒業．その後就労が続かず就職2年目に退職し自宅閉居． ■ 解説　学校の休み時間など，自由な場面での過ごし方を尋ねると，ASD特性についての具体的なエピソードが得られやすい．		
現病歴	退職後，就労に関する家族との意見の対立を契機に興奮し，物を投げるほか，自分の頭を手で叩く，壁に打ち付けるなど自傷行為に及んだ．このため，家族に伴われてA精神科病院を受診．疎通が悪いことと行動の奇妙さから「統合失調症」と診断され医療保護入院となった．リスペリドン8mg/日，バルプロ酸800mg/日を中心とした薬物治療を受けて約2か月後に退院．その後も担当医の指示通りに処方薬を内服していたが，一日中眠気が続くことを母親が心配し，B病院精神科を受診した．		
初診時所見	●服装や頭髪に乱れはない．一見，表情やジェスチャーに違和感はないが，内的な強い緊張感がうかがわれた．短い質問に対しては，おおむね応答は可能であった．必要以上に丁寧な話し方が目立った． ●診察医に，統合失調症の患者との面接で生じるようなプレコックス感は起きなかった．		

初診時所見	● 自我意識の異常所見なし．病識あり．意識・見当識に明らかな異常を認めず．幻聴や思考形式と内容に精神病症状を疑わせる所見はない．これまでも幻覚・妄想・思路障害が生じた時期はなかったという．気分について，「自分は何をやってもダメなんです」との発言が多く，自己嫌悪感を伴う抑うつ気分がうかがわれた．明らかな希死念慮なし．食欲，睡眠良好． ● 母親に言われて，初診の約1か月前から向精神薬の内服を徐々にやめた． ■ 解説　典型的なASDでは，統合失調症など他の精神疾患との鑑別は容易だが，高機能ASDの不穏な状態では誤診されることも少なくない．高機能ASD者には他者との違和感を強く感じる人と，他者への無関心からASDの自覚がまったくない人までさまざまである．慎重な鑑別が重要．
検査結果	WAIS-Ⅲ：言語性IQ 85，動作性IQ 83，全IQ 83． 下位検査の評価点のばらつきが大きかった．知能検査は，認知特性を明らかにすることで適性を調べ，今後仕事を選ぶ際に有用と思われる旨を説明した上で，本人と母親から同意を得て実施した． ● 頭部画像検査，脳波検査で異常所見なし．
診断結果	統合失調症や急性一過性統合失調症性障害は除外され，発達歴・生活歴から高機能自閉症が考えられた．
治療方針	方針として，診断と患者の認知特性を本人と家族に伝え，理解を深めること，不穏や自傷行為の低減のため補助的に薬物治療を行うこと，および地域の支援を受けながら就労を目指すこととした．
治療経過	母親と本人に診断とその特徴を伝えたところ，よく当てはまると納得が得られた．この際の説明の仕方として，診察と心理検査の結果から患者の特性を簡潔に伝え，そのような特徴を持つ人を専門家の間では「高機能自閉症」との用語で呼んでいると表現した．薬物治療について，衝動的な自傷行為の軽減に役立つ可能性があることを適応外使用とおもな副作用とともに説明したところ，本人と母親から同意が得られた．処方は，バルプロ酸400 mg/日とした．地域の発達障害者支援センターでの相談を勧めた．初診から半年後，発達障害者支援センターでの就労支援により，清掃作業に就労．勤務先には同様の特徴を持つ同僚がいて，時々意見が衝突し感情的になることがあったが大きなトラブルには至らなかった．なお，その同僚につられて常同運動が目立つことがあった．一時期，内服薬を続けて飲み忘れた時には，過去の嫌な出来事を思い出しては自分の頭を手で叩く行動が増えた．内服を再開したところ自傷行為の頻度が少なくなったことから，本患者では興奮を抑えるのにバルプロ酸が有効と考えられる．血液検査上，白血球減少症や高アンモニア血症などの副作用はみられていない．

治療経過	■ 解説　診断告知のみでは診察医としての役割を果たしたとはいえない．患者・家族に診察医としての意見を丁寧に伝えるなかで，医学的診断名を使いつつ具体的な対処方法まで説明してこそ，治療的意義が大きい．
転帰	現在も同薬を続けながら仕事を続けている． ■ 解説　幼児期に自閉症を疑われたにもかかわらず医師の診察を受ける機会はなく周囲から継続的な対応がなされなかったこと，さらに成人期に統合失調症との誤診のもとで入院治療が行われたことが医療側の課題として挙げられる． 20年前は現在ほど，発達障害の知識がほとんど広まっていなかったことは勘案される余地はあろうが，自閉症の早期発見・早期支援の重要性が再確認される．また，一般精神科臨床でも，発達障害の可能性も考慮し，発達歴に関する情報収集のための時間の確保やチェックリストなどを用いた発達の評価を心がけてほしい．

→ ワンポイント・アドバイス

患者の言動が一見理解できないことを根拠に統合失調症と診断するのは誤診につながる．自閉症者の言動も，その特性を知らなければ，安易に「了解不能」とされかねない．

Case 12 診断告知後，自殺企図のあった18歳男性 ★★★

診断は予想どおりとは言うものの…

初診時年齢	18歳	性別	男性
主訴	学校に行くのが怖い．自閉症ではないかと心配している．		
紹介元・紹介に至るまでの経緯	本人が発達障害の診断を希望したため，クリニックの主治医からの紹介で当総合病院精神科を受診した．		
家族歴	両親と弟1人，父方祖母と同居．精神科的遺伝負因はない．		
生育歴・生活歴	●生育歴は，母子手帳や幼稚園の連絡帳，通知簿などを参考に母親が記入した問診票をもとに，母親から詳細に聴取した． ●出生時異常なし．独歩15か月，初語18か月と若干の遅れがあった．乳児期の人見知りや甘え，後追いなどは弟と同程度であった．2歳6か月健診で「言葉がやや遅れていて視覚優位」と指摘されたが，経過観察に終わった．幼児期はミニカーや三輪車のタイヤを回す遊びに没頭することが多く，ほかの子どもと遊ぶことはあまりなかった．スケジュールや行動パターンについてのこだわりがあり，においに敏感であった． ●ささいなことをよく覚えており，空想癖があった． ●小・中学校では，場の雰囲気を読めずに大人びた言い回しで不適切な発言をしてしまうことから，いじめを受け，クラスでは孤立していた． ●高校ではほとんど欠席せず同級生と交わらずに勉強に没頭し，成績は常に上位で，難関大学を目指していた． ■ 解説　乳幼児期から相互社会関係の障害および特定の興味への限局などのASD的特徴が推測されるが，何の支援にもつながらなかったケースである．就学前になんらかの支援が得られていれば，一方的ないじめを受け続けることは防げたかもしれない．		
現病歴	高校生2年時，同級生から「おまえは嫌い」と言われたことをきっかけに，周囲の言動がすべて自分への攻撃のように感じるようになった．登校が苦痛になるとともに，勉強に対する意欲が消失し，全身倦怠感や腹痛，起床困難などが生じたため，A総合病院精神科を受診した．適応障害との診断を受け，薬物療法を主とした治療が開始された．その後も周囲のささいな言動をきっかけとして，いじめを受けた時の情景を思い出しては号泣し，ベッドから起き上がれない状態が続いた．		

現病歴	■ 解説　ASDでは，思春期を過ぎてからようやく周囲と異なる自分を自覚し，それまで気にならなかった他人の言動に過敏になる患者も多い．しかし，他者の意図を理解できないために攻撃を受けたように感じ，被害関係念慮から妄想的となることもあるため，他の精神疾患との鑑別が必要となる．
	夏休み期間中に病状が改善しないため，セカンドオピニオンを求めBクリニックを受診した際，自ら紹介状を開封し「発達障害疑い」という記述を目にしたことをきっかけに，「自分は高機能自閉症ではないか」という思いが強くなった．「絶望的な気持ちになり」衝動的に大量服薬による自殺を図った後，Bクリニックに転院し，被害関係妄想状態と診断され，抗うつ薬(SSRI)などを中心とした薬物療法を受けていた．
	■ 解説　本人にとって「自閉症かもしれない」という不安感は耐えがたいもので，パニック状態となった．一見してわかる重度のうつ状態でなくても，パニック状態では衝動的に自殺企図に及ぶ危険性があり，慎重な対応が必要である．
初診時所見	● 一見すると礼儀正しいように見えるが，視線の合わせ方にぎこちなさがあり，言語表現も回りくどく，構音がやや不明瞭だった． ● カルテをあからさまにのぞき込むなど，社会的な未熟さを感じさせた． ● 本人の述べる内容からは重度の抑うつ状態が予想されるが，他人事のように話し，表情や態度から陳述内容に見合った抑うつ感や疲労感，焦燥感を読み取ることは困難であった．
	■ 解説　自らの感情を適切に感じ取り，説明することが難しい場合があることを念頭に置き，できるだけ具体的に説明してもらうなど，本人の心理状態を把握することが重要である．
検査結果	**WAIS-R**：言語性IQ 124，動作性IQ 106，全IQ 122．山：類似16，谷：絵画完成8とばらつきがみられた．
診断結果	● 生育歴からは，言語発達の遅れの有無を客観的に特定できなかったが，乳幼児期から現在にわたる社会的相互関係に障害があり，幼児期に常同的な遊びへの没頭，および習慣や様式への強いこだわりを認め，アスペルガー障害と診断した． ● 気分の変動に反応性があることなどから，非定型の特徴を伴う大うつ病を併存していると診断した．
治療方針	● 3回目の診察で本人および母親に発達障害と診断を告知した．その場で本人は，「予想通りの結果です」と述べ，母親ともに納得した様子であったが，その翌週「発達障害の診断にショックを受けた」と，抗うつ薬(SSRI)，睡眠導入剤など約1か月分の処方を服薬し，自殺を図った．

治療方針	■ 解説　たとえ診断を希望して受診している場合でも，本人の精神状態や自殺企図などの衝動的行動の既往については十分に配慮する必要があり，告知や説明のタイミングには細心の注意が必要である．
	●その後の診断変更：治療経過の中で，一時的にせよ女性と交際し，インターネットで知り合った友人と頻繁に遊びに出かけるなどの対人関係を持てていたことを知り，アスペルガー障害の診断からPDD-NOSに変更し，そのことを告知した． ●また，経過の中で，軽躁状態が出現し，併存症を双極Ⅱ型障害に変更した．
	■ 解説　ASDにおける友人関係では，一時期良好な関係を保っていても，トラブルを起こしやすく，相手側に理解がない場合修復が難しい．
治療経過	副作用に敏感で薬へのこだわりが強く，本人の強い訴えによって処方変更が繰り返された．高校卒業後，親や主治医の反対を押し切り，声優を目指す専門学校に入学した．当初は友人との交流もあったが，軽躁状態となり高額な録音機材をカードで購入するなどして奨学金を年度途中で使い果たしてしまうようになった．また，再びささいな対人関係のストレスから「誰もわかってくれない」と強い抑うつ気分を呈し，登校困難となった．金銭的な不安から，自ら希望して精神障害者保健福祉手帳を申請した．翌年，専門学校を中退後，障害年金の受給を希望し，「広汎性発達障害」として年金申請の診断書を発行した．通院と並行して発達障害者支援センターでの相談を促したが，その後前医のBクリニックへの転医を希望して当院の通院は中断した．
	■ 解説　ASDの診断を確定したものの，併存する気分障害の治療に難渋した．ASDの診断を受け止めるまで根気強く本人の理解を促すことが重要である．
転帰	当初存在した強い希死念慮や自殺企図は見られなくなり，同世代の友人との交流が可能となるなど改善もみられたが，本人が望む社会復帰は果たせないままに，転院となった．障害年金の受給の可否など，詳細な転帰は不明である．
	■ 解説　初診から約3年半の経過で，アスペルガー障害および非定型の特徴を伴う大うつ病性障害の併存から，PDD-NOSおよび非定型の特徴を伴う双極Ⅱ型障害の併存へと診断名を変更し，治療方針も変える必要が生じた．

> **→ ワンポイント・アドバイス**
>
> 告知のタイミングや説明は，本人のその時の精神状態や既往に細心の注意を払い，治療方針についても ASD 独特のこだわりを配慮し，本人の理解と納得を丁寧に確認しながら治療を進めていたら，経過は変わっていたかもしれない．

Case 13 精神科治療の中断を繰り返してきた31歳男性 ★★★

なんとか息子を
ひきこもりから脱出させたい

初診時年齢	31歳	性別	男性
主訴	息子は発達障害ではないか．ひきこもっている状況を変えたい．		
紹介元・紹介に至るまでの経緯	母親が保健所に相談し，精神科受診を勧められた．		
家族歴	初診当時，両親と別居し，祖母と同居していた．本人が高校生の時以来，家庭内暴力のため両親と別居，同胞はなし．母親が片付けがほとんどできず，そのことで患者とトラブルになることがしばしばあった． ━ 解説　主な養育者の対応により問題が複雑化・遷延化することがある．		
生育歴・生活歴	● 周産期に異常はなかった． ● 1歳6か月時の乳幼児健診では落ち着きのなさと始歩の遅さを指摘されたが受診には至らなかった．始歩1歳7か月で，その後も運動発達は緩徐であった．言語発達の遅れはなかった．電車や虫の知識が豊富で，一人遊びを好み，母が一緒に遊ぼうと手を出すとかんしゃくを起こして拒否した．外出時は突然飛び出してその場から離れてしまうため，母は目が離せなかった．保育園でも落ち着きがなく，よくかんしゃくを起こして物を壊した． ● 小学校では成績は良かったが，運動や図工は不得手であった．高学年になるに従い，授業中奇声を上げる，他児に自分の考えを押し付けるなど，状況に不適切な一方的な態度が目立つようになった． ● 中学入学後，いじめにあったことを契機に2年時より不登校となった． ━ 解説　ASDでは幼少期に多動が目立つことがあり，ADHDの側面しか把握されない場合があるため，詳細な生育歴聴取が必要である．ADHDの多動症状が単独の場合は，高学年になるに従い，問題は軽減するのが一般的である．		
現病歴	自宅にひきこもりがちになり，昼夜逆転となった．手洗いが頻回となり，本にすべてビニールカバーをかけて，汚れるのを嫌った．思いどおりにいかないと大声を出し，母親に暴力を振るうようになった．希死念慮の訴えも聞かれた．この頃，精神科を受診したが，数回カウンセリングを受けたのみで中断した．中学3年生時，特別支援学校に転籍したがほとんど登校しなかった．受験を経て普通高校へ進学したが，多弁となり，奇声をあげ，自分は自宅の2階から飛べると言い張って傘を		

現病歴	持って飛び降りるなど，無謀な行為を繰り返し，結局，中退した．精神科病院を受診し，気分安定薬を主とした薬物治療を受けたが，中断した．両親は患者の暴力を避けるために本人と別居した．2階建て家屋の1階に祖母，2階に患者が居住した．祖母とは食事を運んでもらう時以外は接触もなく，ほぼ自室にこもって過ごした．その後，母親が手配した通信制高校に編入し，大検取得後，通信制大学に進学し，学習は続けて卒業できた．以降，ひきこもりが続いていた．また，過度の手洗いや本のカバーかけは持続した． ■ 解説　合併精神症状(不潔恐怖や気分の浮き沈み)が前面に出ており，ASD本来の特徴が見えにくい状態で経過した．このため，表面的な対応に終始し，治療中断を繰り返した．
初診時所見	● 母親と来院．一見すると礼儀正しくみえるが，話し方は抑揚のなさが目立ち，表情変化に乏しかった．衣類にはだらしなさが目立った． ● 手洗いや本のカバーをつけることについて問うと，「自分は免疫がついていないので1日に1時間は手を洗わないと病気になる．本は傷まないようにすべきものだから(宅配で)届いたらすぐにカバーをかけて置き場所を決める」と淡々と述べ，これらの行為に対する不快感は表出されなかった．
検査結果	WAIS-Ⅲ：言語性 IQ 111，動作性 IQ 90，全 IQ 102で，山：類似14，谷：符号5． ● 頭部CT異常なし．脳波検査てんかん性突発波なし．
診断結果	● 生育歴より，幼少期からの相互的な対人関係の障害，限局的な関心と活動を認め，認知的発達に遅れがないことからDSM-Ⅳによるアスペルガー障害と診断した． ● 初診時には抑うつ状態であったが，聴取した経過中に，ひきこもってほとんど口をきかず身辺不整となる抑うつ状態と，攻撃性・気分の高揚が明らかになり軽躁状態とを繰り返していたため，双極Ⅱ型障害の併発と診断した． ● 不潔恐怖を疑わせる行為が持続していたが，現時点での症状の程度から，強迫性障害の診断基準(DSM-Ⅳ)は満たさなかった．
治療方針	合併する気分障害に対する治療をまず優先することとした．
治療経過	初診時抑うつ状態と判断されたため，フルボキサミンの投薬を開始した．患者の好む哲学を話題として信頼関係を構築しながら，生活状況の把握を行った．母親同伴の面接時には，家族の接し方と今後の環境調整について本人を交えて話し合った．初診より半年後に，アスペルガー障害と気分障害の診断で精神障害者保健福祉手帳を申請し2級を取得した．抑うつ状態は改善し，ひきこもりの状況は続いているものの，母とメールでやりとりをするようになった．この時期，体力が落ちてきた祖母の負担を軽減し，また生活の見守りを強化するために，両親宅近隣へ祖母とともに転居した．転居には数か月の準備を要したが，患者の部屋の状況や生活リズムをできるだけ保持することでどうにかやり遂げることができた．その後，社会復帰を

治療経過	目標として，統合失調症患者を主な対象としたデイケアを併設する精神科クリニックに転医し，通院とデイケア通所を開始した．数回の通所の後，再びひきこもり長時間読書をして考え込み食事や睡眠が不十分になる．哲学の洋書を一度に数十万円分購入し，返品を促す両親と激しく口論するなど再び軽躁状態となり，当院への通院を再開した．
	■ 解説　ひきこもりの段階から社会生活を取り戻すにあたっては，本人との信頼関係構築，家族支援，医療や福祉の資源活用を継続的にタイミングよく進めていく必要がある．本ケースでは少し急ぎすぎたことは反省点である．
転帰	● 通院再開後，母親の協力を得て，以前通っていたデイケアのナイトケアのみ再開している． ● 本人には徐々にデイケアに参加するよう動機づけを行っている．当面は，生活の自立を目標としている． ● 就労経験がなく見通しが立てにくいが，将来的には患者のレベルに合った就労を長期目標として支援を継続している．

> **ワンポイント・アドバイス**
>
> 治療と並行して社会参加の訓練の段階にきているように思われたが，合併精神疾患のあるケースでは，医療の大きな役割は精神症状のモニターと再発予防にある．社会参加はどこまで可能かは治療経過中に何度も見直す必要がある．

Case 14 強迫性障害で入院中にアスペルガー症候群と診断された27歳男性 ★★★

迷惑行為をやめられない

初診時年齢	27歳	性別	男性
主訴	ささいなことに執着し，うまく対応できないとパニックになる．		
紹介元・紹介に至るまでの経緯	強迫性障害で近医心療内科を受診していたが，自宅で不穏興奮状態を呈し，入院目的で当院精神科を紹介され，母親とともに来院となった．		
家族歴	両親，弟と本人の4人暮らし．父方の祖母が強迫性障害である．		
生育歴・生活歴	● 出生は特に問題なし．初期発達については，人見知りや指差しはあまり認められず，一人で遊ぶことが多かった．言葉の遅れはなく1歳半健診および3歳児健診においても特に異常を指摘されていない．電車および植物には興味があり，電車の最高速度まで覚え，植物の学術名や栽培法についてよく母親に話した． ● 高校を卒業後，知人の紹介でアルバイトをいくつか行ったが長続きしていない． ● 漢字検定などの資格を多数取得している． ■ 解説　定義上，アスペルガー症候群は3歳を過ぎないと診断できないことになっているが，ASD特徴が3歳までに明白な場合，幼児期に遊びや日常生活の対応についての助言をすることで，育児に役立ち，後の社会適応を高める．		
現病歴	植物に関わる仕事がしたいと希望し，花屋でアルバイトを始めたが，店で一方的に自分の興味のあることを同僚や客に話し，短期間で解雇となった．この頃から，手洗い行為が頻回となり，自らインターネットで探した近くの心療内科に通院を開始した．近医では強迫性障害と診断され選択的セロトニン再取り込み阻害薬(SSRI)を中心にした投薬が開始された．その後，インターネットを使い，病状や向精神薬の薬効について自分で調べ，主治医と治療方針について衝突することが多くなった．易刺激性が亢進していき，隣人に大声で文句を言い，宅配人を威嚇するなど近隣での迷惑行為がエスカレートした．同時に近隣から警察に被害届が出ていないかと確認することも増え，近医からの勧めで，母親とともに当院精神科を受診し，同日入院となった．		
初診時所見	● これまでの経緯について尋ねると，今まで処方された薬の種類および量を時系列で早口に返答した． ● 表情は険しいが，椅子にじっと座り終始丁寧語で返答した． ● 診察中も，隣人から被害届が出ていないかという不安が強くなると，何度も母		

初診時所見	親に電話で確認するように指示し，「できない」と母親が言うと激しく興奮し，母親に対して殴るようなしぐさを繰り返した．「被害届は出ていないとは思うが，出ていないか不安だ」と述べ，また，手洗い行為についても「何度も洗って，きれいになっているとは思うが，きたなく思えて何度も洗ってしまう」と説明し，その行為に明白な自我異質性を認めた． ●電車や植物に対して質問が及ぶと長時間一方的に話し続けた．
検査結果	**WAIS-R**：言語性 IQ 113，動作性 IQ 85，全 IQ 99．言語性 IQ と動作性 IQ の間に明らかな乖離を認め，下位項目では，組み合わせ・絵画配列の項目が特に低く，数唱・積み木模様が高かった． ■ 解説　高機能 ASD 者では，特にアスペルガー症候群では，言語性 IQ ＞動作性 IQ になることが多い．しかし，この高い言語性 IQ は，高い言語能力を示すとは限らず，獲得された融通のきかない知識に偏っていることがしばしばである．
診断結果	現病歴・生活歴および心理検査などの所見と診察時の所見および DSM-Ⅳ に基づいて，強迫性障害を併発したアスペルガー症候群と診断した． ■ 解説　通常，ASD と強迫性障害は鑑別がむずかしい．本ケースは強迫性障害の診断基準を満たしたが，いずれか一方であるというよりむしろ，連続的あるいは重複と捉えたほうがよい場合も少なくない．
治療方針	治療方針としては，強迫症状軽減のための薬物調整および社会性の向上のための SST を中心としたデイケアへの参加を促し，また本人および家族に対して疾病教育を頻回に行い，日常生活での対応方法についても相談することとした．
治療経過	入院時より，他人に危害を加えてしまうかもしれないという強迫観念があった．薬物に対するこだわりが強かったため，本人に対して常に事前に使用目的を詳細に説明した．リスペリドンとバルプロ酸を中心に薬物調整を行ううちに興奮状態は消褪した．また，洗浄強迫にはフルボキサミンの投薬も行った．主治医，臨床心理士および児童精神科医で検討を行った結果，本人および両親に対して診断の告知を行うこととした．まず本人に病名を告げ，障害の特徴について時間をかけて本人が納得するまで，丁寧に説明を行った．さらに，両親と面談を行い，障害の特徴について時間をかけて説明し，その内容を再度本人に伝えた．当初，家族は本人が言うことを"わがまま"と捉え，告知後もしばらく障害や対応に関する認識には本人と両親とで隔たりが大きかった．家族は本人の言うことをすぐに否定し，それに対して本人が反応し攻撃的になるなど悪循環がみられたため，両親との関係改善が不可欠と考えられた．本人および両親に対してパンフレットを用いて説明を何度も繰り返した．次第に，本人の障害特性に関する両親の理解は深まり，本人の言うことに対して頭ごなしに否定することは少なくなった．その結果，強迫症状が軽減し状態が安定したため，SST のデイケア参加と外泊を繰り返し，家庭内適応が良好であるこ

治療経過	とを確認し，入院から2か月後に退院となった． ■ 解説　ASD，特に高機能 ASD は，家族内に一部の症状を持つ者の頻度が高い．似た者同士の関わりが効を奏す場合もあるが，逆に著しく悪影響をもたらす場合は丁寧な家族への対応とガイダンスが重要となる．
転帰	退院後は，現在も当院に定期的に通院を行い，デイケアへの通所も続けている．また，精神障害者保健福祉手帳取得や就職に向けてケースワーカーとの面談も繰り返している． ■ 解説　本ケースでは，アスペルガー症候群と関連した社会性の障害から対人トラブルを招き，家族の無理解から強迫症状への悪影響をもたらし，それが悪循環をつくるに至ったと考えられる．

> → ワンポイント・アドバイス
>
> 　明らかな強迫性障害の患者のなかに，背景に ASD 特性をもつ者が一定数存在することに注意．本ケースでは，アスペルガー症候群の特性について本人だけでなく家族が理解してくれたことが治療経過に良い影響を及ぼしたと考えられる．

Case 15 パニック様発作や幻聴で救急外来受診を繰り返した21歳男性 ★★★

服飾業界でセンスを活かしたい

初診時年齢	21歳	性別	男性
主訴	過換気発作，自分を馬鹿にする内容の幻聴		
紹介元・紹介に至るまでの経緯	過換気発作などの症状を訴え，自ら救急車を要請して当院救急外来を頻回に受診．経過中に幻聴の存在を疑わせる言動があったため，統合失調症の疑いで当科紹介され初診に至った．		
家族歴	精神・神経疾患の家族歴なし．父親は高圧的な態度で人に接する人で，本人にもそのように接する．母親は本人が幼少時に離婚し音信不通．本人の理解者である姉は，遠方に嫁いでいる．		
	━ 解説　家族歴からは，遺伝的要因と環境因の両者の関与が推察される．医療機関受診に至る発達障害の患者では，このような場合が多く見受けられる．		
生育歴・生活歴	母親からの情報がなく，父親は育児への関心が薄かった様子で，資料も紛失が多かったため，周産期，乳幼児期についての詳細な情報は得られなかった． ●幼少期より人見知りをせず，独特の言葉遣いが目立つ子どもであった．他の子どもと遊ぶことは少なく，動物の図鑑などを好んで同じものを繰り返し読み，内容を正確に記憶していた． ●小学校時代は一貫して友人は少なく，級友にからかわれながら遊ぶことが多かった．成績は下位であったが，科目間のばらつきが著しく，教師からは「やればできるのに努力をしようとしない」と評価されることが多かった． ━ 解説　総合的な能力としては低め，学業成績は不良であるものの，得意分野には傑出した能力をうかがわせることがあった．このような患者では，能力評価が安定しにくく，こうしたギャップから周囲も本人も混乱しストレスを生じることが多いようである． ●中学進学後も成績は一貫して下位，自宅で同級生と遊ぶ様子も見られたが，会話やゲームに興じる友人たちの輪に加わらず，一人で本などを読んでいることが多かった．学校では，いじめもあったようだが，本人は意に介さない様子であった．中学時代より体形や容姿を気にし始め，男らしい容貌への憧れが強くなった． ●ダイエットや筋力トレーニングなどに執心し，中学卒業後は自ら希望して自衛隊		

生育歴・生活歴	に入隊した.
現病歴	自衛隊の訓練中に過換気発作を生じ，入隊後2週間で除隊となった．除隊後は，コンビニエンスストアなど数種のアルバイトを経験したが，対人関係の問題や規則を守れないことなどを理由に短期間で解雇された．その後憧れていた服飾関係やモデルの仕事などを中心に就職先を探したがうまくいかず，自宅で父に叱責を受けた後などに過換気発作を生じるようになった． ― 解説　自他の内面理解が困難なASD者では，興味から派生するイメージが先行して進路などを決定するために，自らの特性や能力とのギャップから不適応を生じるケースは多い．特に人に関わる事実を客観的に捉えたり内省するスキルが不足しているため，何度も失敗を繰り返してもそのことに気づかない． 過換気発作のたびに救急外来の受診を繰り返すようになった．
初診時所見	● 痩せ型で，髪型や服装は奇異ではないものの，独創的で非慣習的な印象であった． ● 過換気症状を主訴としたが，検査上は症状に見合う所見を認めず，診察室では特別な処置なく速やかに症状は消失した． ●「キモい」など，自らを責める内容の幻聴の存在を訴えるものの，質問の内容により幻聴の性質や内容は変化し，客観的に異常体験の存在を強く疑う所見を認めなかった． ● 質問に対する理解や解釈は独特であり，質問の意図を汲んだ回答を得ることは困難であった．
検査結果	WAIS-R：言語性IQ 88，動作性IQ 70，全IQ 82と境界線級知能であった．下位項目では，知識，理解が低く，数唱，符号は平均よりも高かった．
診断結果	幻聴は状況依存的で曖昧な性質であり，統合失調症の診断基準を満たさなかった．生育歴，生活歴より社会性の乏しさやこだわりの強さなどが一貫して認められ，ASDと診断した． ― 解説　本ケースはパニック障害の診断基準を満たさないものの，不安障害の要素を強く有した．本ケースのように，ASDでは青年期に至り長期にわたる社会不適応の2次障害としてパニックやうつ症状を主訴として受診に至るケースは少なくない．
治療経過	少量のリスペリドンとフルボキサミン，ロラゼパムなど，症状の軽減を目的とした薬物療法と，本人への支持的精神療法を開始した．幻聴は比較的早期に改善したが，治療者に対し依存的となり，過換気症状を頻回に訴えて時間外の受診を繰り返した．救急外来では自らの将来の夢について語り出すなど，場にそぐわない行動がみられた．

治療経過	■ 解説　本ケースのような演技的な言動はASD特性だけでは説明できず，パーソナリティ特徴の修飾を受けて独特な表現になったと解釈すべきであろう．

症状は父親の本人への対応により変動しやすく，臨床心理士によるペアレントトレーニングを開始した．本人に対しては，規則正しく目的のある生活を送ること，症状の自己コントロール能力を身につけることを目的に，SSTを含む精神科デイケアプログラムへの参加を促した．2か月に1回の割合で，主治医，本人，父親，臨床心理士，作業療法士でミーティングを行い，ともに治療の進捗の確認と新たな対応の提案などを行った．父親の接し方が変化するにつれて，本人の情動は安定し，時間外に受診することは減少したが，統合失調症のメンバーを主体としたデイケアには馴染めず，診察場面やデイケア場面で幻聴の悪化を訴えるようになった．臨床心理士によるカウンセリングを併用し，デイケアの参加回数を減らし，SSTと個別の作業療法を中心にした．

■ 解説　治療者チームや支援者が患者や家族と問題を共有し，一貫した対応ができるよう理解を統一することは，非常に有益である．

生活上のイベントに影響されやすく，過換気や幻聴を時折訴えるものの，救急外来の受診はなくなった．就労については，本人は「服飾関係の職場で自分のセンスを活かせる仕事がしたい，それ以外では働きたくない」と頑なに訴え続けたが，必要な対人スキル不足が本人のウイークポイントであること，安定して勤務を継続する練習が必要であることなどを繰り返し説明した．

転帰	●就労に向けてのいくつかの段階が必要であることを理解し，最初のステップとして設定した作業所への通所は，つまずきは多いものの意欲的に取り組むことができている． ●薬物療法単独では著効せず，家族への働きかけや個別的なSSTなど行動介入が奏効した印象であった．

■ 解説　職種の目標設定が極端に非現実的ではあるが，就労への意欲は高い．このような症例では，障害特性に適合する職種を選択し，周囲の理解や支援を得ることができれば，作業所利用を経て障害者雇用などを目標にするのが適切と考えられる．

> **ワンポイント・アドバイス**
>
> 　成人になってから受診に至る患者では，本人の特性自体を修正するための直接的な働きかけには目に見える効果がすぐには得られにくい．ASD症状それ自体に改善が明らかでない場合でも，周囲のサポートによって，本人や周囲の生活の質(quality of life；QOL)が明確に向上することはよく経験する．QOLが高くなると，気持ちに余裕ができ，自身の発達特性により注意が向けられ，適応的な行動修正がスムーズに進むこともある．

Case 16 診断名にショックを受けた23歳男性 ★★

将来はフリーターくらいしか道がない

初診時年齢	23歳	性別	男性
主訴	締め切りを守れない，メモをよくなくす，計画的に物事ができない，集団行動が苦手．診断希望．		
紹介元・紹介に至るまでの経緯	在籍大学の保健管理センター医務室からの紹介．		
家族歴	父親は死別，母親は健在で会社員．10歳年上の兄と2人暮らし．家族歴は特記事項なし．		
生育歴・生活歴	●正期産，正常分娩． ●乳幼児健診などで特に遅れを指摘されたことはない．物音に敏感で，寝つきの悪い子であった．乳幼児期より一人遊びが多く，母親への後追いもなかった．1歳時より母親は勤め始めたが，保育園にも嫌がらず通った．集団遊びには参加せず，紙ちぎりに没頭することが多かった． ●小学校では忘れ物が多かったが，成績は良好．対人面では自分は悪くないのに自己弁護せず笑顔でいるため，濡れ衣を着せられることが多かった．決まりごとを厳格に守るなど生真面目なところがあり，頑固な子だと母親は感じていた．劣等感が強く，「僕はバカだから」が口癖であったが，学問に目覚めて難関大学に入学した． ■ **解説** 言語能力や学力は高いにもかかわらず，社会的困難さは「僕はバカだから」としばしば口にさせるほどの劣等感を植えつけたものと思われる．		
現病歴	大学3年で留年．実験装置をよく壊す，必要な材料や資料を片付けられずよく紛失する，実験ノートをきちんと作れないなどの状態であり，自分には研究は向かないと思い始めた．大学院進学はしないつもりで就職活動して内定したが，アルバイトの簡単な作業がいつまでも覚えられず，精神的に追い詰められて大学近くの精神科クリニックへ通院開始した．インターネットで調べ自分はADHDではないかと疑い主治医に確認したところ「そうです」と言われ，以来，自分は何をやってもダメだと感じるようになった．大学の保健管理センターからの紹介で当院を受診した．		

現病歴	■ 解説　発達障害特性をもつ青年や成人が，自分のことを知りたくて診断を求めて受診するというケースは少なくない．臨床医は安易に診断名を告げるだけでは本人にとってただマイナスの影響を及ぼすだけかもしれないというリスクを十分意識し，本人にプラスになる伝え方を工夫してほしい．
初診時所見	● 本人一人で来所．落ち着いた服装，表情に乏しい． ● 「遅刻も多いし締め切りを守らない ADHD の自分は研究室でも浮いていると思う．就労してもフリーターしか道がないのではないか．診断を言われてからすべてにやる気がなくなってしまった」と話した． ● いつも準備がギリギリになって締め切りが守れない，約束やスケジュールをメモせずよく忘れてしまう，物事を先を予測して計画的に進められずとにかくやってみようとする，集団行動が苦手である，などと自覚しており，診断についての再評価と対処法を知りたくて来所したと語った． ● 次回受診時に WAIS-Ⅲ の実施と母親からの生育歴聴取を行うこととした． ■ 解説　本ケースは初診時，本人のみが受診していたが，母親に自分の適応困難の悩みや過去および今回の受診のことを話せていた．そのため母親の来所や生育歴聴取への流れがとてもスムーズであったが，家族とのコンタクトがむずかしいこともある．
検査結果	WAIS-Ⅲ：言語性 IQ 116，動作性 IQ 101，全 IQ 110．下位項目間の評価点のばらつきがみられる（山：類似・理解 16，谷：数唱 6）．
診断結果	● 生育歴からは乳幼児期から現在にわたり社会的相互作用の障害，興味の限局が認められ，ASD の特性が認められた． ● 母親からは詳細な生育歴を聴取できなかったが，診断は PDD-NOS と閾下 ADHD を併せ持つと考えられた． ● 3 回目の受診時に本人，母親に結果をフィードバックした．集中は苦手なようだが知的好奇心を刺激されるようなむずかしい課題には集中しやすく，処理能力も高いという強みも同時に説明した．ただし，以前 ADHD の診断を受けたことに強くとらわれ抑うつ的になったことから，ADHD の傾向は認められるが中核群ではないことを伝え，ASD という新たな診断名は伝えなかった． ■ 解説　過去の経過から，本人が診断名に対して固執し 2 次的に抑うつ的になりやすいことが予測されたため，ASD という新たなレッテルを貼ることにならないよう診断名告知は避けた．
治療方針	診断告知のフォローを行い，過去の抑うつエピソードが再発しないかどうかモニターすることとした．生活上の助言として得意な面を活かして，苦手な面を補えばよいことを強調し，そのような工夫ができるようサポートすることとした．

治療経過	大学院へ進んだものの，失敗のたびに自分はダメだと思うようになり，研究室へ通うのがおっくうになった．新たな抑うつ症状に対してフルボキサミン（デプロメール®）50 mg/日，また，極度の不安によるカタトニア様症に対してリスペリドン（リスパダール®）1 mg/日を開始し，自宅療養を続けた．約半年後，大学院を退学し公務員試験の勉強を始めた．規則正しい生活を送るようになり，症状軽減がみられ，フルボキサミンは25 mg/日に，リスペリドンは0.5 mg/日に減量した． ━ 解説　大学院を中退することは本人にとって大きな挫折体験であったと思われるが，就労への意欲を失わなかったことは本人の強さの1つの現れと考えている．
転帰	● 抑うつ，不安などの併存症状はみられず，日常生活も安定して送れている． ● 公務員試験へ挑戦した後，障害者職業センターへの相談希望もあり紹介した． ● 就労訓練に通った後，大学院での専門知識が活かせる民間企業に一般就労で採用された． ● 1年以上経過したが，現在のところ順調に就労できているようである． ━ 解説　診断名としては明言を避けたまま医学的サポートを継続するなかで，徐々に自分の特性への気づきを深めていった．適応的に過ごせるようになったことで自己評価も回復しつつある印象を受ける．

> → ワンポイント・アドバイス
>
> 　診断の求めに対しては，本人は自分の状態について理解し，具体的な方策につながるようなケースに応じた説明が大切．弱みと同時に強みについて丁寧に説明する．安易な診断名の告知に終わらないこと．

Case 17 思春期に入って注察念慮が現れた16歳男性 ★★

自分だけ浮いている

初診時年齢	16歳	性別	男性
主訴	学校に行きたいのに行けない．		
紹介元・紹介に至るまでの経緯	精神科クリニックにて通院治療中，家族の希望で当院精神科へ紹介となる．		
家族歴	両親と妹と同居．精神科的遺伝負因はない．		
生育歴・生活歴	●出生時に異常はなかった． ●乳幼児発達は初語が24か月と遅く，3か月の経過観察後に問題なしと言われた．それ以外特記すべきことは認めない．3歳頃には走行中の車の一部を見ただけですべての車種名が言えた．幼稚園の頃から，自己主張やわがままを言わず相手に合わせるタイプであると母親は感じていた．本人は年長クラス（6歳）のとき他児にいじめられていたということを数年後初めて母親に打ち明けている． ●小学校・中学校では対人関係で特にトラブルはなかったが，親しい友人はいなかった．成績は常にトップクラスであり，スポーツの部活動にも積極的であった．第1志望の高校に合格し，入学後から大学受験を目指して意欲的に学習に取り組んでいた． ■ 解説　対人関係が受動的で知的にも高い場合，ASD特性を持っていても思春期を迎えるまで学校生活が順調であるようにみえる症例がある．思春期につまずいたとき，これまでうまくいっていた時期とのギャップのためにかえって大きく苦しむこともあるが，成功体験があることは今後の心の支えとなりうる．		
現病歴	高校1年生の夏休み，理容室で髪を短くされすぎたことを家族に笑われ，その頃から小遣いで高価な衣服を買ったり，強度の近眼であるのにメガネを外して過ごしたりするなど，容姿を気にする様子があった．高校1年の2学期から「女子の目が気になる，怖い」「男子と何を話していいかわからない，自分だけ浮いていると思う」などと家族に打ち明け，自宅で大泣きすることもあった．登校すると言って終日裏山で死に場所を求めてさまよったが死にきれず，帰宅して打ち明けたところ，家族にあたたかく迎えられた．年内は自宅で休養したが，冬休みが明けても登校できなかったため家族とともに精神科クリニックを受診したところ，統合失調症と診断された．容姿へのこだわりなどは続いていたが，3月には保健室登校は可能となった．4月に家族の希望で主治医の紹介状を持って当院精神科外来を受診した．この時点		

現病歴	での処方は，ハロペリドール（セレネース®）16 mg/日，リスペリドン（リスパダール®）12 mg/日，クエチアピン（セロクエル®）150 mg/日，ビペリデン（アキネトン®）4 mg/日，ブロチゾラム（レンドルミン®）0.25 mg/日であった．
	▬ 解説　挫折や失敗を繰り返すなかで自己評価が揺らぎ，他者に対し極端に過敏になったり被害的な受け止めをしたりすることがある．訴える内容によっては統合失調症のようにみえることもあり，抗精神病薬により症状が和らぐ症例を経験することも多いが，統合失調症という診断をつけることを急がず経過をみるように心がけている．
初診時所見	● 両親に挟まれるように座り，うつむいてほとんど視線を合わせない．表情は憔悴しており，両親の経過説明を黙って聞くが自分では話をしない． ● 両手指の振戦と下腿の不随意運動がみられる． ● 休養と薬物調整を目的とした入院を提案すると，それには頷いて同意する．
検査結果	入院中に知能検査を実施． **WAIS-Ⅲ**：言語性 IQ 118，動作性 IQ 78，全 IQ 100．言語性 IQ と動作性 IQ の乖離や下位項目間の評価点のばらつきは大きい（山：知識 16，理解 16，谷：絵画配列 4）．
診断結果	生育歴とこれまでの経過から ASD と判断したが，診断告知については両親の意向を尊重し，本人には診断名を伝えないこととした．
診断と治療方針	● 入院中に母親から詳細な生育歴聴取を行った． ● 乳幼児期の言語発達の遅れがあり，受動的なコミュニケーションや何らかの活動を介した人間関係は持つことができるが，幼少期から相互的な対人的やりとりには若干の障害があることがうかがえた． ● このことより ASD（PDD-NOS）をベースに持ち，思春期に入って進学校という新しい環境で不安が高まり，注察念慮や醜形恐怖，希死念慮などに発展したのではないかと考え，両親に説明した． ● ASD について両親に対して心理教育的説明を行ったところ「よく理解できたし，息子の様子と結びつけて肯定的に受け止めることもできたが，非常に敏感な子なので診断名としては伝えないでほしい」との両親の希望があり，本人には「幼いときから持ち続けている特徴」として伝えることとした．
	▬ 解説　本人自身の診断名を両親のみに伝え，本人に伝えないという判断には賛否分かれると思われるが，一度伝えてしまうと取り消すのは困難であること，また重要なのは診断名を知ることよりも診断特性に沿った支援が得られることと考え，本ケースでは診断告知を保留とした．
治療経過	休養と薬物調整を目的として，約 3 か月間任意入院した．病棟環境に徐々に慣れてくると，「僕は流行の歌手も知らないし，自分から話題も作れない平凡な男で，

治療経過	みんなから見下されていると思う」「特に理由はないけど，自分の精子が正常かどうか不安」「退院して元の学校に復帰するか転校するかと考えていたらしんどくて，それなら死んだほうがいいかなと思ったりする」などさまざまな思いを吐露した．これまで「やる」と決めたら何でも真剣に打ち込むことができたこと，自分の思いと周囲の意見に従うことのバランスがとりにくく自己主張も抑えてきたこと，など誘因となったかもしれないこれまでの経過を一緒にふり返った．「高校でも一所懸命がんばったけど勉強も友人関係も思ったようにうまく行かず自信をなくしてしまったのかもしれないね」と伝えると「そう思う．少しでも自信をつけて退院したい」と応じ，担任や養護教諭とも連携をとりながら病棟から試験登校を開始することとなった．英会話学校への通学も始めた．入院中より向精神薬を漸減し，退院後半年ですべての処方薬を中止した．年度末まで休学することを決め，英会話学校と自宅療養を中心とした生活を送った．英会話学校でさまざまな年齢や職業の級友と交流が持て，また英語に自信がついたことで，転校せず1学年下りて復学することを自ら決めた．復学後4か月でいったん治療を終結した．
転帰	● その後不登校になることもなく高校を卒業し，大学に現役合格した． ● 一人暮らしを始め，学業とサークルとアルバイトを両立させながら過ごしていた． ● 大学1年生の終わり頃，友人から「お前はハンサム」と言われたことを契機に醜形恐怖様の容姿へのこだわりが再燃し，本人の希望で当院精神科を再受診した．アリピプラゾール（エビリファイ®）3 mg/日投与で2か月間治療を続けたが，「外見のことはどうでもよくなってきた」と症状の消失をみ，エビリファイ®を漸減中止．夏休みに治療終結となった． ■ 解説　今後も再び治療が必要となった時には精神科医療を利用するよう助言し，今回は本人への診断告知をしないまま終結している．就職が次の課題であることを家族には伝えてある．

> **→ ワンポイント・アドバイス**
>
> 　発達障害では，重要なのは障害特性の理解であり，まだ自己評価の定まらない若い患者への診断名の取り扱いには慎重となるに越したことはない．

Case 18 多剤併用処方による脱抑制で悪化した26歳男性 ★★

対人恐怖や感覚過敏が楽になった

初診時年齢	26歳	性別	男性
主訴	眠気．アルバイト先で上司から嫌われる．		
紹介元・紹介に至るまでの経緯	●大学卒業後，アルバイト先の勧めで発達障害者支援センターに相談し，センターで案内されて受診したクリニックで，アスペルガー症候群と注意欠如・多動性障害（ADHD）の合併と診断され治療を受けた． ●眠気や易怒性のため，さらに社会生活が困難になったため，家族の希望で当院受診となった． ― 解説　元来のADHD的な特性が，処方薬による脱抑制で強調された結果日常の困難が増し，それに対してさらに薬が追加されて悪循環になっていたものと推測される．		
家族歴	父親とは死別．母親と妹の3人暮らし．精神科疾患の家族負因はなし．		
生育歴・生活歴	●満期正常産で周産期異常なし． ●始歩11か月，始語14か月．2語文は2歳半過ぎとやや遅れた．乳幼児期は，人見知りはなかったが，人への関わりに奇異な点はなかった．2歳から保育園に入り，他児の遊びによく参加するが，熱中すると指示が耳に入らないと指摘された． ●小学校では学力は高かったが，授業中の離席や他児への質問に返答するといった行動でよく教師に注意された． ●中学校でも落ち着きなく，多弁で，提出物はいつも遅れ，教師の指示の取り違えはしょっちゅうであった．		
現病歴	大学進学後，ゼミの課題などには熱心に取り組み，他人の嫌がることでも喜んで引き受けた．対人関係は一方的で誰にでも親しく話しかけていたが，本人の自覚としては，会話していないと相手に嫌われているのではないかと気になってしまうから，とのことだった．趣味のフィギュア集めに多忙で，就職活動に不熱心だったのも災いして就職先が見つからず，いくつものアルバイトをするが，長くは続かなかった．現在のアルバイト先で発達障害の疑いを指摘され，発達障害者支援センターに相談し，クリニックを受診することとなった．当初から複数の抗うつ薬に複数の抗不安薬を加えた多剤併用を主とする治療経過で，易怒性が現れるなど明らかに状態が悪化したが，本人には増悪したという自覚がなかった．		

初診時所見	●なれなれしく「…なんだよね」との口調に終始する．問診の間も，すぐに話題が逸れて質問内容と関わりのないフィギュア収集について，細部に注釈を付けつつ楽しそうに口数多く話す．アルバイト先のことを話題にすると，上司が服装や言葉遣い，遅刻などを注意したことを話しながら激昂する． ━ 解説　こうした診断面接風景は，発達障害児の診察場面で養育者側にも時々みられるものである．それなりの面接の段取りを工夫する必要がある．
検査結果	**WAIS-R**：言語性 IQ 105，動作性 IQ 96，全 IQ 100 で目立った所見はなかった． **AQ-J**：本人記入では 29 点だが両親の記入では 36 点といずれもカットオフ（26 点）を超えた． ━ 解説　AQ-J も含めて，自記式の質問紙では，本人の気づきが乏しいと低くなる．逆に自身へのとらわれが強いと高くなる．家族や身近な人からの情報も併せて得ることが望ましい．
診断結果	初診時の状態は過去，現在ともに，ADHD 症状が認められ，ASD の存在を考慮に入れても，ADHD（不注意優勢型）としての側面による困難が大きい．ただし，現在の ADHD 症状は処方薬による脱抑制の影響が大きいと考えられた．さらに本人や両親から聴取した過去の様子から，アスペルガー症候群と診断した．
治療方針	●本人は処方されている 3 種類のベンゾジアゼピン（BZ）系抗不安薬や，うつ病治療時の常用量のアモキサピン，スルピリド，パロキセチンと，少量のリスペリドンやカルバマゼピンを必要なものと捉えていたが，減量を図る方針を理由の説明とともに伝えたところ，同意した． ●アルバイト先での状況を詳しく聴き，よくできている面を評価しつつ，上司のアドバイスを確認しながら，シミュレーションをしてどういう行動が適切か話し合った． ━ 解説　BZ 系に対しては依存症が生じやすく，漫然とした長期投与が原因で，困難な治療経過になることもしばしば経験される．
治療経過	内服の漸減で，仕事中の居眠りや易怒性は軽減し，先輩のアドバイスを聞くようになり，その点を評価しつつ，さらに助言に従い服装を整えたり，上司に謝ったり，挨拶したりするようになった．同僚からは，社会人として通用するようになったと褒められ，上司からの評価もやや改善した．契約延長は得られなかったものの，本人の希望でハローワークの発達障害者を対象とした職業訓練コースを受けるための診断書を作成した．職業訓練コースは 6 か月，無遅刻で積極的に取り組め，修了書を得た．
転帰	その後，初診から 1 年あまりで家族の都合で転居し，それに伴い転医した．当時の処方はカルバマゼピン 200 mg/日とパロキセチン 10 mg/日になっていた．

転帰	■ 解説　SSRI 単独では，気分変動を増悪させる可能性があるが，本ケースでは対人恐怖や感覚過敏が楽になった，との本人の印象が強く，少量で継続していた．

> **→ ワンポイント・アドバイス**
>
> 　不適切な多剤併用と発達障害に関連した行動の悪化が悪循環となった例である．この患者のように，訴えや症状の報告が冗長で，診察は毎回，長時間を要する場合，診察時間に制約のある一般の外来診療では，このような処方行動も例外的なものではないと思われるが，注意を促したい．

Case 19 学校に居場所がなかった14歳男性 ★★

本当は26歳警察官．特殊支援学級の生徒ではありません

初診時年齢	14歳	性別	男性
主訴	自分の言動を否定されるとかんしゃくを起こす．		
家族歴	両親と本児の3人暮らし．		
生育歴・生活歴	● 重症妊娠中毒のため35週帝王切開で出生．哺乳障害があり生後43日目に退院． ● 始歩1歳5か月，始語1歳10か月と初期発達が遅れ，1歳9か月から療育開始．列車を飽きずに見続けるなど，こだわりが強かった． ● 就学相談では田中ビネー検査IQ 88だったためで通常級判定となる． ▬ 解説　アスペルガー障害を除いて，多くのASDが発達の遅れを初診時の主訴とする．		
現病歴	小学校入学直後から学習に集中ができず，学業困難がみられた．協調運動が苦手でラジオ体操を真似できない，字を小さく書けないなどもみられた．小学校2年生時よりいじめにあい，学校へ行き渋るようになった．乱暴な言葉や大声に対し必要以上に怖がった．このころから，警察関係の知識の吸収に熱中し，細かいことまで覚えた．教育センターの助言で，中学は特別支援学級に通うこととなった．本人は普通学級を希望しており，支援学級に通うことを嫌がった．そのころから自分は26歳の警察官だと主張し，学校を本部，普通学級との交流学級を合コンと呼称，他の生徒を同僚と呼び，周りに警察用語を強要し，相手に拒否されるとかんしゃくを起こして自分の顔を叩く，母親に当たり散らすなどがみられるようになる．悪魔が「おまえは警察官じゃない」と囁くなどの幻聴様の訴えもみられた．中学2年の終わり頃にA精神病院を受診したが警察官であることを否定され診療を拒否．サポート校入学後，不登校となり，当院精神科を初診した．		
初診時所見	● 初診時には母親と本児が来院．自分は26歳の警察官と称し，それを母親が否定すると「むしゃくしゃする」と興奮して叫んだ． ● 視線は合いにくく，関わりは一方的で独特の言葉遣い．自分の興味のあることに対する質問をし，こちらの質問に的確に答えることは困難． ▬ 解説　前医で治療が中断したようなケースでは，どのような経緯で今回の受診となったのか前もって同伴者から情報を得ておくと診療の混乱を避けることができるかもしれない．		

検査結果	WISC-Ⅲ：言語性 IQ 85，動作性 IQ 61，全 IQ 71 で，全体としては境界線級知能で下位検査間で乖離が目立った． ● 一般的な血液検査，頭部 CT では特記すべき異常所見は認めない．脳波はてんかん性の異常がみられた． ■ 解説　境界線級知能ではたいてい言語性 IQ ＜動作性 IQ だが，本ケースのように逆の場合，非言語性学習障害（視空間処理の障害）の合併の可能性を念頭に置く．
診断結果	● 観察と母親から得られた幼児自閉症評価スケール（CARS）の結果から，相互的対人関係の障害，コミュニケーションの障害，常同反復的行動の存在を確認した．症状の程度から，診断は ASD（非定型自閉症）と考えられた（ICD-10）． ● 精神病圏の鑑別には特別な注意を払い，否定的と判断した結果，主診断は非定型自閉症で，不器用，知覚過敏などの合併症状が背景に存在すると考えられた．
治療方針	● 本人の訴えを傾聴し，本児の興味に話を合わせて関係作りを図り，後に社会的なルールに関する SST 的なアプローチを行うこととした． ● 家庭・学校側と連携をとって本児の低下した自己評価を回復させる働きかけ（学校での役割作りなど）とパニック時の対応について話し合う方針をとることとした． ■ 解説　本人の興味に tune in して関係を作っておかなければ，その後に必要となる指示的あるいは行動療法的なアドバイスに対する拒否反応にあってしまう．
治療経過	当初は家庭での父親の本児に対する拒否的な態度が変化せず，それに反応したパニックが続いた．本人は「障害児」という言葉を気にしてその意味を医師に尋ね「障害児の悪魔」と言っては嫌悪していた．パニックが激しく，脳波異常もあることからバルプロ酸を 500 mg/日まで増量した．その後，パニック時の対応を工夫できるようになり，「脳移植」と唱えると気持ちが切り替わり落ち着くなどパニックの頻度は減っていった．不登校の状態は続き，学生服に自作のバッジを付けて警察署に顔を出すなど独特のこだわりによる問題行動は続いたが，「本当は 26 歳警察官ですけど実は高校生です」などと真実の自分を徐々に受け入れるような言動もみられるようになった． ■ 解説　ASD 児も思春期には親への反抗や葛藤を経験し，情緒的に不安定となるケースも存在する．パニックに対して本人なりのコーピングが見い出せるように援助することで，結果として自己効力感が増すことが期待される．
転帰	● 現在，継続治療中のケースである． ● 親の希望により本人への障害告知を行っていないが，将来の就労へ向けてどのように本人に納得できるような自己理解を促すかが今後の課題として残されている．

| 転帰 | ■ 解説　本児は自閉症状に加えて幻覚・妄想様症状がみられ精神病圏との鑑別が問題になった．高機能自閉症にみられる「妄想様観念」は，自閉症特有の認知や強迫性と密接に結びついた風変りな内容の「固定観念」なのか，精神病的な妄想なのかを陳述内容から区別するのは困難である．
しかし，経過を詳細に追っていくことで以下のことが明らかとなった．
①本児は小学校低学年からのいじめ体験から被害的・迫害的対人関係が固定していた．
②こだわりの対象として警察官に対しての激烈な憧れがあったが，将来警察官になれないことを周りから指摘されてから，かえって警察官に固執し始めた．
③元来プライドが高く中学で支援学級に進学したことが著しく自己評価を低下させた．
④幼い頃から自分にとって都合の悪いことを悪魔と呼んで嫌っていた上に，自分が障害者ではないかという不安が強かった．
これらを知ることにより，一見精神病的症状にみえる奇異な言動が，ASD児においては，1つ1つ生活上の出来事と具体的に結びついて形成されてきたことが理解され，精神病は否定的と考えられた． |
| --- | --- |

> → ワンポイント・アドバイス
> 　　ASDの統合失調症の併存率は1%と一般人口と変わらないとされている．幻覚・妄想様状態がみられても，丁寧な縦断的，精神病理学的な観点からの鑑別が重要である．

Case 20 就職活動ができなくなった21歳男性 ★★

変わり者の僕を，いつも周りの人たちが助けてくれた

初診時年齢	21歳	性別	男性
主訴	母親より「本人に障害があるかどうか知りたい」．		
紹介元・紹介に至るまでの経緯	同級生やきょうだいと比べて「何かが違う」と感じながら育ててきた母親が，インターネットで発達障害のことを知り，本人を説得してともに受診した．		
家族歴	両親と3人暮らし．妹と弟は独立．家族歴に特記事項なし．		
生育歴・生活歴	●正期産，正常分娩．言語発達の遅れについては指摘されたことはない． ●ガラガラなど玩具に対する反応が鈍いと母親は感じていた．幼い頃はプラレールが好きで，一人でいつまでも平気で遊んでいられる子どもだった．ボタン掛けや靴ひも結びが苦手，定規で線がまっすぐ引けない，書字が遅い，など手先の不器用さがあった． ●小学校入学当初，音声チックが出現した．また，大学入学後にも話し始める前に必ず音声チックが出た． ●暗くて狭い場所や，非常ベル，サイレン，花火などの大きな音を極端に恐れた． ●夜尿が13歳までみられ，療育センターへ相談に行ったことがある． ●話す内容が母親には幼稚に思える反面，人の名前や年号を覚えることが得意． ●幼いころから大相撲に特別高い関心を示し，力士の知識が驚くほど豊富で周囲を驚かせた．今も評論家のように批評することが続いている． ●小・中学校では，からかわれることはあるものの比較的楽しく過ごすことができていた．高校でも大きな問題はなく過ごせていた． ●17歳までは環境の変化を契機に頻回に自家中毒を起こした． ━ 解説　本ケースは幼少期からASD行動特性の他にも，不器用，チックなどの発達障害特性，そして恐怖症状，夜尿など複数の心身の症状が存在した．各症状は軽度であっても丁寧な対応が必要な例である．家族や同級生など周囲の人に受け容れられ，サポートされながら育ってきた様子がうかがえるが，そうしたサポートが得られない状況での破綻はめずらしくない．		
現病歴	大学入学当初より，身体がふらつくという症状が出現．大学2年時に追試を3度受けたことや，20歳になって国民年金を払わなければならないプレッシャーなどから，本人が「自殺」という言葉を口にしたことがあった．就職活動を始めたが，説明会へ行っても何をしてよいかわからず，面接で思うように話せなかったことから，以後		

現病歴	就職活動はしていない．本人の様子を見て心配した両親が，本人に障害があるのなら診断を受け，公的な支援を利用して就労させたいと思い，障害や受診について初めて本人にそのことを話題にしたところ，本人が「自分は他人より劣っていて，人から見たら変わり者だと感じていた．同級生にLDの子がいたが，自分はその子と同じだと思っていた」と打ち明けた．本人の就労への意欲は強く，就労に結びつくのならと受診を決心した． ■ 解説　精神遅滞を伴わない発達障害の場合，大学へ進学することも珍しくない．大学生活は高校までと比べて，自発的に情報を求め，行動を起こすことを要求される場面が多い．それらに繰り返し遭遇するなかで混乱し不安が高まり，「こんなにつらいなら死んだほうがいい」と極端な考えに至ることも起こりうる．
初診時所見	● カジュアルだが清潔な服装で来院．表情も柔らかく，時折笑顔もみられた． ● 母親が「同年代の子や弟とは違うと感じていたが，比較してはいけないと思ってなんとかやってきた．インターネットで調べたら，アスペルガー症候群の特徴がピッタリあてはまるように思う」と話すと，本人も「母親からアスペルガー症候群ではないかと言われ，障害者だと言われたことがショックだった．でも働けるのなら診断してほしい」と続けた． ● まずは本人の能力の優れている面と苦手な面を検査で確かめ，自分を理解してもらった上で就労するという方向を目指すという目標を共有し，次回の検査予約を行った． ■ 解説　本ケースは母親主導で受診に至っている．本人にとって支援が必要となったタイミングで，本人も納得の上での受診ではあるが，本人の動揺も十分理解できるものであった．親子のコミュニケーションが良好で信頼関係が十分であったことが，本ケースの経過に非常によい影響を及ぼしている．
検査結果	WAIS-Ⅲ：言語性IQ 94，動作性IQ 59，全IQ 74と境界線級の知能であった．下位項目間の評価点のばらつきは大きい（山：単語・理解11，谷：絵画配列・絵画完成・符号2）．言語性IQと動作性IQの乖離が大きく視覚認知の問題の併存も疑われる（未検査）．
診断結果	● 生育歴および現病歴より，言語発達の遅れは客観的な資料がないので詳細不明だが，乳幼児期から現在にわたる社会的相互作用の障害，興味の限局が認められ，ASDと診断した． ● 3回目の受診時にWAIS-Ⅲの結果と合わせて，本人と母親に診断を伝えた．
治療方針	● 認知特性の偏りがありながらも高校まで学習面や対人関係で大きなつまずきなく過ごせていることに触れると，「テストやレポートの前になると，周りの人がなぜか助けてくれて，いつもどうにかなってきました」と本人が話し，「それはあなたの人柄のよさと，ご両親や周りの方のサポートのおかげですね」と返すと，

治療方針	「ほめられてうれしいです」と照れながら応じた． ● 「卒論と就労のことに同時に取り組むのは自分にはむずかしいと思う」と話すため，精神障害者保健福祉手帳の取得には初診から半年以上経過する必要があることを説明し，まずは卒業論文に集中することとなった． ■ 解説　本人の発言から，周囲の人を信頼し安心して接してきていることがうかがえ，大きな強みとなっている．また，卒論準備と就職活動の2つを並列処理することの苦手さを自ら表明していることから，告知以前から本人自身が自分の特性とうまくつきあってきているであろうことも推察される．
治療経過	大学卒業とほぼ同時に，障害者職業センターへの意見書を提出して2か月間のワークトレーニングを利用した．職業センターの勧めで更生相談所にて療育手帳の判定を受けたところ，療育手帳を取得することができた．そのため精神障害者保健福祉手帳は申請しないこととなった．ワークトレーニングでは不器用なため作業に苦労したが，本人の人柄が高く評価され，ハローワーク内でのチャレンジ雇用[注]という枠でただ1人採用されることとなった．採用となったことがうれしい反面，プレッシャーや不安が強く，一時的にアルプラゾラム（ソラナックス®）の頓用を使用した．2週間の研修の後，3年間の契約で正式雇用となった． ■ 解説　受容的な生育環境のなかで他者を信頼し被害感をもつことなく過ごせたことが，本人の穏やかで安定したパーソナリティ形成に影響しており，本人の社会適応にプラスに働いていることに注目したい．
転帰	現在も非常勤職員としてハローワークにて印刷業務の補助などの仕事を続けている．採用から約1年が経過したところであるが，順調との近況報告があった． ■ 解説　本ケースは，就職活動で初めて大きな挫折感を意識し，自身の問題に向き合うことになったASDである．支持的な養育環境や周囲のサポート，そして本人の穏やかで柔和な性格が相互に作用し合って，2次障害を起こすことなく経過してきたと考えられた．

> **→ ワンポイント・アドバイス**
>
> 　幼児期から多彩な精神症状と身体症状があったにも関わらず，比較的予後が良好なのは身近な周囲，特に家族のサポートが重要であることを教えてくれる症例である．

注：1年以内の期間を単位として，各府省・各自治体において，非常勤職員として雇用する仕組み．1～3年の経験を踏まえて，ハローワークなどを通じた一般企業などへの就職につなげるための取り組みである．

Case 21 母親の介護ストレスから統合失調症を疑われた46歳男性 ★★

論理的でない言動が許せない

初診時年齢	46歳	性別	男性
主訴	母親の介護でストレスがたまる．母親の言動が論理的でないことに腹が立つ．		
紹介元・紹介に至るまでの経緯	地域の福祉担当者が保健所の相談を勧め，精神疾患の疑いありとして保健所から当科紹介となった．		
家族歴	母親と同居している．父親はすでに死去．姉が一人いるが結婚して別世帯．精神科的遺伝負因については不詳．母親が認知症で治療・介護を受けている．		
生育歴・生活歴	●本人の話では，幼少期から対人交流は少なく，友人と呼べる人とも深い関わりを持つことはなく，表面的なつきあいだったようである． ●大学卒業後は会社に勤務したが，その後転職し，現在失業中である．経済的には母親の年金(父の遺族年金を含む)に依存している． ●趣味は天文学でそれに関する本を古書店で探したり，専門書を徹夜で読みふけったりしている． ━ 解説　乳幼児期の生育歴についての情報源がいない本ケースのような成人患者も少なくない．		
現病歴	数年前から母親が認知症を発症し，徐々に悪化し介護するようになった．それとともに，次第に耳鳴りや不眠などの身体症状が出現した．「母親の話す内容が事実と違って論理性に欠けること」に腹を立て，時に暴力をふるう．家庭内だけでなく母親の通院に付き添った際にも「医師の説明に意味がない」ことに激昂し，主治医に食ってかかった． ━ 解説　当初は仕事もせず家族以外との交流が乏しいことと，大学や就職するあたりまでは問題はなかったと思われたことから，統合失調症を疑われたようである．		
初診時所見	●面接中はほとんど視線を合わせずに，こちらの問いかけに応じる． ●口調は抑揚に乏しく，ほとんど感情の表出が見られない．会話は理詰めで思考障害は認められないが，他者の感情に対する配慮がない． ●介護についての苦労を語るが，どこか他人事のような口振りで話し，母親の言動が合理的・論理的でないことに強くこだわる様子がある．		

検査結果	**WAIS-Ⅲ**：言語性 IQ 139，動作性 IQ 106，全 IQ 126（山：理解 19，谷：絵画完成 6） **PF スタディ**：状況の理解の悪さや登場人物の立場を理解することの困難さ，思い込みの強さが目立った．場面を説明されればある程度平均的な回答は可能だが，欲求不満に伴う意見や感情が表出されない傾向がある． — **解説** PF スタディは結果だけでなく，実施の際の態度やどういう場面と認識したのかを尋ねると通常あまり見られない反応をするなど，ケースの理解に参考になる．
診断結果	● 家族から生育歴を聴取することができなかったが，本人の話すエピソードから，乳幼児期から現在にわたる社会的相互関係に障害があることが推定された． ● 現在は，対人状況認知や他者の感情理解の拙劣さ，また天文学への強い興味と没頭，融通がきかず過度に論理的であることへのこだわり，などが認められている． ● 慢性的な抑うつ気分が持続しており，自己不全感，不眠，集中困難などを認め，気分変調症と診断した． ● 総合的に，ASD（アスペルガー障害）に気分障害（気分変調症）が併存する状態と診断した（DSM-Ⅳ）． — **解説** 事例化のきっかけは母親の介護の負担であったが，それ以前の職場不適応の頃からも慢性的な抑うつ気分は持続していたようである．
治療経過	不眠の改善，情動の安定を目的にエチゾラム 1 mg，バルプロ酸 400 mg を眠前に処方したところ，不眠が改善し，母親の行動に対して腹を立てることも減った．経過中に，母親の主治医の発言に腹を立て暴力行為に及ぶことがあり，薬物量を調整することを繰り返した．本人の負担軽減と環境調整のために介護サービス（ホームヘルパー，デイサービス，ショートステイ）が導入されて以降は，徐々に安定した生活が送れるようになり，最終的には暴力行為は消失し，バルプロ酸を 300 mg まで減量した． — **解説** 母親の介護担当者にも本人の行動特性を説明し，理解してもらったことも効を奏した．
転帰	● 現在も当院通院中であり，薬物療法は継続中． ● 最近，母親の介護度が要介護 5 から要介護 4 にダウンしたことに納得がいかない様子ではあったが，認知症をテーマとした一般向け講演会に積極的に参加するなど，介護にも前向きに取り組んでいる．

> **→ ワンポイント・アドバイス**
>
> 「ひきこもりがちの変わり者」を，安易に統合失調症と判断しないように注意が必要．

Case 22 リストカットがやめられなくなった24歳男性

心が無になった時にしてしまう

初診時年齢	24歳	性別	男性
主訴	リストカットの回数が増えた.		
紹介元・紹介に至るまでの経緯	産業医より入院加療を勧められ,職場近くの病院精神科から紹介された.		
家族歴	両親と弟2人の5人家族.大学入学時から単身生活をしている. 弟がアスペルガー症候群と診断されている. ■ 解説　ASDは家族集積性が高い.		
生育歴・生活歴	●妊娠分娩および出生時に異常はなく,乳幼児健診では異常を指摘されることはなかった. ●人見知りはなかった.幼児期,男の子と遊ぶことはなく,女の子たちの中でマイペースに遊ぶことを好んだ.鉄道やミニカーが好きで,タイヤのことを「イヤ」と呼んでいた.電車の駅名や車種はすぐに覚えた. ●中学校でいじめにあい,休むこともあった. ●教師を希望して大学に入学したが,教育実習で理解の遅い生徒を教えられないことより,教師に不向きであることに気づき,断念して,現在のIT関連会社に就職した.		
現病歴	入社後,上司からのパワハラにあい,睡眠障害,動悸などを呈するようになったため,産業医に相談した結果,一時は配置転換で安定を取り戻した.しかし,チームのリーダーを任された頃から,仕事の手順がわからなくなり,リストカットをするようになった.		
初診時所見	●診察に協力的な態度ではあるが,表情やジェスチャーは少なく,あいづちはぎこちない.質問に対する回答は冗長であった. ●実家療養中の現在はリストカットはなく,友人に勧められた資格取得のための勉強をして過ごしている.睡眠障害,食欲低下もなく抑うつは認めない. ●リストカットの理由は,「心が無になった時にしてしまった.それからやめられなくなった」と抽象的で,受診に関しても「周囲が勧めたから」と受動的であった. ●両親によると,極端すぎるほど聞き分けのよい子で,見たものを説明するのは得意だが,想像力を要することは苦手だという.		

検査結果	WAIS-Ⅲ：言語性 IQ 130，動作性 IQ 91，全 IQ 114．下位項目間の評価点のばらつきが大きい．山：単語・類似・算数 16，谷：絵画完成 6．
診断結果	●生育歴および現病歴から，乳幼児期から現在までにわたり，非言語的な表現が乏しいといったコミュニケーション上の質的な障害（明らかな言語発達の遅れは認めない）があり，幼児期に人見知りがなく，人間関係の構築が不得手であるなどの対人的相互反応の質的障害も認め，慣れたパターンでないと混乱してしまうといった常同的な行動を認めたため，PDD-NOS と診断した（DSM-Ⅳ-TR）．
治療方針	●リストカットの背景にうつ症状などの合併精神障害は認められず，自宅での生活は安定していることより，職場の環境調整と早期の職場復帰を目指すこととした． ●職場不適応の契機の 1 つとして，業務の計画立案を行うリーダー役を任されたことを考慮し，産業医に業務の見直しを提案した． ━ 解説　産業医と連携して，職場環境を整理することは重要である．
治療経過	本人と家族には，頻回のリストカットは職場不適応に対しての反応であり，その持続背景には本人の認知特性が影響していることを説明した．薬物による治療ではなく，本人や周囲の特性に対する理解と再度の配置転換などの職場の環境調整を通して，職場復帰を目指すことを提案した．産業医に，状況判断の弱さゆえ総合的な立案，計画は苦手であり，職場のリーダーを行う上で不適応に陥ったという治療者の解釈を説明した．本人の特性として論理思考や記憶は得意で，困難な課題も根気よく行うといった長所の反面，周囲に尋ねたり助けを求めるという対人行動がとりにくく，不満を感じても気持ちに注意を向けない結果，行動化してしまうといった短所への理解も促した．今後はこうした特性を配慮した業務で経過をみるよう依頼した．
転帰	現在は安定して就業を続けているという． ━ 解説　本ケースでは，ASD 特性の診断とその特性についての本人の理解とそれに配慮した職場の理解が得られたことで環境調整がスムーズになされ，その結果早期に職場復帰が可能となった．

> **→ ワンポイント・アドバイス**
>
> 　拒食症状や過去の出来事のフラッシュバック症状それ自体は一般的なよくある症状だが，ASD 者においてはその現れ方の独特さに注目してほしい．特に，フラッシュバックの際に，通常の PTSD では回避しようとするところを，逆に出来事を完璧に再現しようと行動化する点は ASD に特徴的である．

Case 23 児童青年期の自閉症診断が支援につながらなかった28歳男性

手帳をもらって就労支援を受けたい

初診時年齢	28歳	性別	男性
主訴	就労支援を受けたいので，精神障害者保健福祉手帳を作りたい．		
紹介元・紹介に至るまでの経緯	発達障害者支援センターに相談したところ，就労支援を受けるためには，病院を受診し精神障害者保健福祉手帳の診断書を作成してもらうことが必要と説明された．		
家族歴	大学卒業まで両親と同居していた．姉は独立．精神科的遺伝負因はない．		
生育歴・生活歴	●妊娠分娩および出生時に異常はなかった． ●乳幼児健診では言語発達の遅れと指さしの乏しさから"自閉傾向"と指摘されたが，受診に至らなかった．他児と遊ぶことが少ない「おとなしい子ども」だったと言うが，周囲には理由のわからないかんしゃくを起こすこともあった．会話は成立しにくい半面，数字に対する関心が強く，過去の出来事の日時をよく憶えた． ●小・中学校ではいじめもあったが，学校を休むことはなかった．普通高校を卒業し，大学に入学した．卒業後，大学院に進学することを希望したが，試験に失敗した． ■ 解説　乳幼児期からコミュニケーション障害が明らかに認められており，アスペルガー障害の診断基準には該当せず，受動型の高機能自閉症の典型症例である．		
現病歴	大学院入試に失敗し自宅で勉強していた時期に，姉の勧めで総合病院精神科を受診したところ，高機能自閉症と診断されたが，通院はしなかった．翌年大学院に合格し一人暮らしを始め，特に問題なく卒業した．卒業後，父親の紹介で印刷会社に就職したが，半年後，作業の覚えと能率が悪いと休職を勧められたため，発達障害者支援センターに相談した．その結果，現在の仕事は辞めることにし，就労支援を受けて再就職を目指すことになった． ■ 解説　「おとなしい」とみなされていたために，一度ならず自閉症と診断されるも診断の意味するところと本人の行動との関連が家族にも十分理解されなかった．長い教育期間には支援につながらなかったが，実社会に出て現実に直面し，家族が初めて診断の意味を理解し始めた．診断告知の際の，家族や本人への丁寧な説明があれば，もっと早く支援につながったのではないかと思われる． 友人はこれまでできたことがないという．鉄道への関心が強く，収集している鉄道		

現病歴	雑誌を捨てようとせず，その内容はほとんど記憶している．毎朝決まった時刻に新聞を読むなど，日課通りの生活をし，すべて記録に残しているという．父親によると，自分の思った通りに物事が進まないと大声で泣くことがしばしばあるという．
	■ 解説　鉄道好き＝発達障害では決してない．興味の持ち方やその程度，また鉄道への興味以外の儀式的な特徴が生活を支配していないか，診察の際には丁寧に尋ねたい．
初診時所見	●表情やジェスチャーなどの感情表出は乏しい． ●質問に対して短く答え，会話は継続しにくい．質問が理解できないと駅名の羅列を一方的に続けることがある．
検査結果	WAIS-Ⅲ：言語性 IQ 98，動作性 IQ 110，全 IQ 104．下位項目間の評価点のばらつきが大きい（山：数唱 16，谷：理解 4）．
	■ 解説　ウェクスラー検査は必ずしも ASD 診断の根拠とならないが，本ケースでは自閉症に典型的なプロフィールであった．
診断結果	生育歴および現病歴から，乳幼児期より現在までにわたる，相互的社会関係の障害とコミュニケーションの障害，特定の習慣や儀式への執着などの主な特徴の持続が確認され，自閉症と診断された．
治療方針	●職場不適応の詳細が不明であったため，本人と家族の了解を得て，職場での様子について上司から情報を集めたところ，上司からの叱責が続くうち，反応性にうつ症状である精神運動抑制が出現していた可能性が疑われた． ●離職後はうつ症状などの合併精神障害は認められず，本人の希望に沿い，精神障害者保健福祉手帳を作成することにした．
	■ 解説　職場での不適応という誘因が明らかな反応性のうつ症状の場合，職場と距離を置くだけで症状が改善する場合が多い．したがって，環境調整をしなければ再発する．
治療経過	本人と両親，発達障害者支援センターの担当者には，過去にうつ症状が存在していた可能性があることを伝えた．現在は治療が必要な症状はなく，通院を定期的に行う必要はないが，今後の再就労に向けて，不適応の徴候を見逃さないよう助言を行った．不適応が強いとうつ症状が再燃する可能性があるため，今回のように精神運動性の停滞が認められた場合には，速やかに病院を再受診する必要があることを説明した．
	■ 解説　本人だけでなく，家族や福祉担当者にも今後予測される注意点を伝え，わかってもらえたか確認しておくことが重要である．
転帰	職業能力開発校で約半年間の職業訓練を受けた後，ジョブコーチによる支援を受け，企業に就職し，軽作業に従事している．

> **ワンポイント・アドバイス**
>
> 　本ケースのように診断書を求めて受診する例は今後，増えることが予想される．2011（平成23）年4月から，精神障害者保健福祉手帳の改訂版が全国の医療機関で使われるようになった．ASDやADHD，学習障害など発達障害に関連した症状の記載がしやすくなった．

Case 24 アスペルガー症候群かどうか知りたくて来院した19歳男性

僕の生年月日はたぶん○月○日です…

初診時年齢	19歳　　性別　　男性
主訴	アスペルガー症候群かどうか知りたい．
紹介元・紹介に至るまでの経緯	自分がアスペルガー症候群であるかどうか知りたいと精神科クリニックで相談したところ，当院を紹介され受診．
家族歴	両親，弟との4人暮らし．父親はうつ病の診断にて休職中．
生育歴・生活歴	● 出生時異常なし． ● 乳幼児期の発達に遅れはなかった．3歳時健診で目が合いにくいことを指摘されたが，再検で問題なしと言われた．幼児期夜泣きの激しい子であった．辞書や図鑑類を読みふけったり一人で砂場で黙々と遊ぶなど，幼い頃から他人と遊べない子だと母親は気づいていた．運動面では衣服着脱や靴ひも結び，ボタン留めが他児より遅かった．ブランコからよく落ちるなど怪我も多く，大縄飛びのようなリズム感の必要な遊びや球技は苦手であった．幼少時から電車に興味があり，名称や車両の特徴にも詳しく，また駅へ行くと何時間でも眺めていた．現在では戦闘機，潜水艦，武器全般に興味の対象は広がり強い関心を持っている． ● 小学校入学時から学校を嫌がり，時に欠席したり，授業中「脱走」したりすることもあったという． ● 高校2年の一時期不登校となったが，どうにか卒業に至った．担任の勧めで職業能力開発校で職業訓練を受けることにした． 　**解説**　乳幼児健診でアイコンタクトの乏しさを指摘されたが，診断や支援には至らなかった症例である．本人の受動的で穏やかな性格のおかげで一見したところ大きなトラブルなどはなかったようだが，集団で過ごすことの苦痛が耐えがたかったことがうかがえるエピソードは多い．
現病歴	寮生活を始めたが，寮での集団生活に馴染めず，また実習形式の講義で他者と交わることによるストレスを強く感じていた．入学後まもなく軽度の入眠障害を生じ，精神科クリニックを受診して睡眠薬を処方され頓用していた．半年後，休学手続きを取り実家にて療養を開始した．自分は周りの人と何か違うと思い，インターネットで調べるうちにアスペルガー症候群ではないかと思うようになり，初めてそのことを母親に打ち明けた．クリニックの紹介で当院初診となった．

現病歴	━ 解説　寮に入ったり一人暮らしを始めたりすることで，これまで家族など身近な存在から日常受けていたサポートが途切れ，初めて適応破綻に至ることはよくみられる．本ケースでは破綻後に家族が本人をあたたかく受け容れており，2次障害的な苦しみからの速やかな回復が可能となり，自己への気づきと次の受診への勇気が得られた．
初診時所見	● 表情やジェスチャーは乏しい． ● こちらが質問することに敬語や丁寧語を使って答えるが，質問の意図をよく理解していない．生年月日を尋ねると正しく答えるが「たぶん○月○日です…僕自身はそのときのことを覚えていませんから」と「丁寧に」説明を加える． ● 休学した今は比較的ゆったり過ごせていると言う．しかし，もしアスペルガー症候群であったら自分は将来就労することができないのではないか，と将来の不安を語る． ● 心理検査と診断確定を強く希望したため，次回受診時にWAIS-Ⅲを行うこととした．
検査結果	WAIS-Ⅲ：言語性IQ 123，動作性IQ 86，全IQ 108．下位項目間の評価点のばらつきは非常に大きい（山：理解19，谷：符号3，記号探し3）．
診断結果	● 生育歴および現病歴より，言語発達の詳細は確認できないが，乳幼児期から現在にわたる社会的相互作用の障害と興味の限局が認められた． ● ASDをベースに持ち，職業能力開発校での実習や寮生活による対人ストレスから2次的に不眠などの症状を呈したと考えられた． ● 3回目の受診時にWAIS-Ⅲの結果と合わせて本人，母親に診断結果をわかりやすく伝えた．「自分の特性がわかって納得できた」と話した．
治療方針	● 就労に関する不安が強かったため，「発達障害特性をオープンにして理解の得られる環境で就労する方法もある」と精神障害者保健福祉手帳や自治体の発達障害者支援センター，障害者職業センターなどについて情報提供を行い，必要時には手帳申請や各機関への紹介・連携なども可能であることを伝えた． ● 継続通院は希望せず，必要時には受診するとのことで，いったん終診とした． ━ 解説　発達障害診断に関連して，将来への不安，とりわけ就労に関する不安を述べる患者は少なくない．就労について医療機関で細やかな支援をすることは困難であるが，「障害があるから働けない」のではなく，自分の特性に合った就労の仕方がある，就労について相談する方法があるということを具体的に伝え，支援機関へ丁寧につなぎ連携も続けることが重要と考える．
転帰	● 数か月後に，障害者職業センターへ行く決心がついたということで意見書作成の依頼があった．その3か月後，職業センターの勧めで就労移行支援制度を利用することになり，再度意見書を提出した．数か月後，入園型の障害者支援施設にて

転帰	作業訓練を開始した．施設の紹介で就職先が見つかったため，精神障害者保健福祉手帳の取得を希望したため，手帳用診断書を作成した．訓練期間を経て正規採用となった．

> ― 解説　経過を振り返ってみると，幼少時より集団で活動することにむずかしさを周囲も感じ，自分と周囲との間に違和感を持ちながら過ごしてきた本人が，ようやく自らの自閉症的な特性を知ることで納得でき，再び社会参加への意欲を取り戻したように思われる．本人に対する家族の柔軟な対応や，本人の就労・自立への強い動機づけがあったことも，本人の比較的良好な転帰につながっているものと考えられた．

> → ワンポイント・アドバイス
> 　本人の考える"アスペルガー症候群"の意味を十分に聞いた上で，ポジティブな意味づけを工夫し，診断告知に成功した症例．就労への取り組みに役立つ具体的な説明が効を奏した．

Case 25 職場不適応で解離性健忘を引き起こした33歳男性 ★

仕事って何のこと？

初診時年齢	33歳	性別	男性
主訴	仕事に関する記憶がない．		
紹介元・紹介に至るまでの経緯	近医内科で，健忘に関する精査および加療を勧められた．		
家族歴	両親との3人家族．精神科的遺伝負因はない．		
生育歴・生活歴	●正常分娩． ●始語は1歳半頃で，言語発達の遅れは認めなかった．乳幼児健診で異常を指摘されたことはなかったが，人見知り，後追いは認めなかった． ●小学校時は毎日駅に行き，何時間も電車を見て過ごした．電車やさまざまな乗り物の模型を集めた． ●中学校時代から現在まで特定の友人はいない．学習面では成績は中から上，体育，美術が苦手であった． ●大学を卒業後，会社に就職したが，3年後苦手な仕事を頼まれたため退職した．その後，現在のデータ処理の仕事に就いた． ●社会人となってからも，休日には一人で電車で遠出し，座席は必ず最前部の左端と決めている．服装は一年中同じ型と色のジャケットとシャツを着用していた． — 解説　幼少期のこだわり（興味の限局）や儀式的行動がその表現を変えて続いている人である．正常知能の成人では，一見，生活に支障のないこだわりのみ残存しているようでも，詳しく尋ねると，思考様式を支配しており，不適応と関連していることが明らかになることもある．		
現病歴	仕事上の責任や負担が増えた頃から，不眠が出現した．休日に一人で遊びに出かけた帰りの電車の中で，とつぜん頭が締め付けられるような感覚がしてから，仕事に関する記憶だけが消失した．翌日，母親に「仕事は？」と聞かれ，「何のこと？」と健忘を認めたため，近医を受診した．解離性健忘の疑いで当院精神科を紹介された．		
初診時所見	●服装は紺のジャケットに白いシャツ姿で，深々と頭を下げてから入室するなど，過度に丁寧な印象である． ●表情の変化はあまりみられない．視線は合うことが少なく，会話が続かない．		

初診時所見	●地元の方言は一切なく，標準語で話す． ●自記式質問紙の自閉性スペクトル指数日本版(AQ-J)は33点であった． ■ 解説　AQ-Jが高いことは直接的な診断根拠とはならないが，カットオフ26点以上は精査が推奨される．
検査結果	WAIS-Ⅲ：言語性IQ 123，動作性IQ 109，全IQ 119と正常知能であるが，下位項目でばらつきが著明であった(山：数唱18，谷：完成4)．
診断結果	生育歴および現病歴から，乳幼児期より現在にわたる，相互的対人関係の質的障害，コミュニケーションの障害，そして限局した興味と儀式的常同的な行動パターンを認め，ASDと診断した(DSM-Ⅳ-TR)．これに合併して解離性健忘が発症したと考えられた．微細運動の不器用さも認められた．
治療方針	●今回，本人の気づかいおよび葛藤が明らかでなかったことや，母親の不安が強かったこともあり，診断名の告知は行わず，コミュニケーション上のつまずきや社会性の問題などといったASD認知特性を本人と母親に理解してもらうよう具体的な説明と助言を行うこととした． ●解離性健忘には，休養の指示と，薬物治療(ジアゼパム4 mg/日)を継続した． ●言語的なコミュニケーション能力が十分でないため，通常の診察に加え，非言語的な箱庭療法を行った．
治療経過	定期的な診察では，解離症状に対して本人の心理的葛藤への洞察と言語化を促していくとともに，今後の対応について助言した．会社の上司に来院してもらい，本人の特性と適した職場環境への理解を求めた．箱庭療法は，患者が強い興味を示し，約5か月間で計15回施行した．内容は当初，空白が多く，場面も非日常的であったが，徐々に登場人物が増え，家庭やファンタジーの世界を表現するなどの変化がみられた．箱庭の中で少しずつ自己表現が可能になってきたと思われた．このような経過の中で，解離性障害は徐々に改善した．段階的な復職を経て，症状が増悪することなく，約3か月後には完全な復職を果たした．同僚から「勘が戻ってきた」と評価され，患者自身も「職場で自然に身体が動くようになりました」と述べるなど，自信の回復がみられたので，服薬を中止した． ■ 解説　ほとんどの高機能ASD成人には，洞察を追求する言語を介する精神療法は有効でない．本人の思考様式にあったチャンネルで表現を促していくとその結果，気づきが得られることもある．
転帰	復職後，いったん終診となったが，職場内の対人関係のトラブルを契機に，半年後より再び通院している．対人面の質的な問題と柔軟性の乏しい認知スタイルが社会適応の大きな妨げとなっている．今後，さらに自己理解を深め，その場に応じた具体的なサポートを行っていくことが重要と考える．

転帰	■ **解説** ASD に箱庭療法が有効であるというエビデンスはほとんどないが，本ケースでは視空間的・絵画的イメージで言語を介さず，本人が自己を表現でき，そのことで治療者とのコミュニケーションが深まった点で有用であったと考える．

> ➡ **ワンポイント・アドバイス**
>
> 　高機能 ASD の人々には，言語でものを考える人（一般的な思考様式とされている）もいるが，視覚的にものを考える人が多いことを念頭に，患者-治療者のコミュニケーションを工夫してほしい．

Case 26 産業医の紹介で就労が継続できた27歳男性 ★

社内での行動がおかしいと言われました

初診時年齢	27歳	性別	男性
主訴	会社での行動がおかしいと言われた．		
紹介元・紹介に至るまでの経緯	会社の診療所の産業医からの紹介で，職場の診療所の看護師とともに職場での対応への助言を求めて来院．		
家族歴	両親と本人の3人家族．家族内に明確な精神疾患はない．		
生育歴・生活歴	●分娩，初期発達に顕著な問題はなかったとのことである． ●小学校ではある程度友人もおり，趣味のプラモデルは上手なことで有名であった． ●中学・高校での成績は上位であり，友人もいた． ●大学卒業後エンジニアとして会社に入社して3年目である．		
現病歴	学童期を通じて，いじめや不登校などの問題はなかった．就職後，職場では比較的対人関係は良好であったが，指示されたことが理解できず考え出すと他のことが手につかずそのまま考え込んで朝まで会社に残る，などの奇異な行動が続いたため，産業医の診察を受けたところ，なんらかの認知面の問題を指摘された．		
初診時所見	●若干緊張しているものの，落ち着いて穏やかに状況を話す．会話内容に明確な異常はない．コミュニケーション能力は比較的良好で内面の情緒の表出についても自然な印象を受けた． ●抑うつ感，思考力や判断力の低下も認めない．悲哀感はないが，自己肯定感は低下している． ●職場で「このようなこともわからないのか」と言われる．他の人には暗黙の了解や状況判断から当然のことが本人にはわからず，今も叱責された理由がよくわからないと言う． ●趣味のプラモデルはプロはだしというが，こだわりとして明確なものは，特に認められない． ━ 解説　特定の趣味への没頭は，それ自体はASDの特徴とはいえない．通常の趣味とは異なる性質，たとえば同じプラモデルしか作らない，人と趣味の共有ができない，没頭の程度が著しく生活に支障をきたすなど，踏み込んで特徴を確認することは重要である．		

検査結果	**WAIS-R**：言語性 IQ 112，動作性 IQ 93，全 IQ 108． **AQ スコア**：32 点（カットオフ 26）． ● 検査結果からは，言語性 IQ 優位でディスクレパンシー 19 あり，聴覚優位での認知特性がある．下位項目のばらつきはあまり顕著でなかった事例であるが，自閉症スペクトラム評価尺度の点数はカットオフレベルを超えており，社会性の問題が顕著にみられていた．
診断結果	本人を通して家族から間接的に得た発達歴からも問題を同定するのに十分な情報がない．上司から収集した情報からも，広汎性発達障害の診断基準（DSM-Ⅳ-TR）を満たさない．ASD/PDD とは診断されない閾下症例だろうと考える． ■ 解説　病名については，患者には自閉症と類似した認知特性が認められることから生じる適応上の問題と説明した．告知に当たっては，言うまでもなく，患者の自己肯定感を傷つけず，治療へのモチベーションを高めることに配慮が必要である．単純な診断基準の当てはめに基づく告知ではなく，問題の明確化と現状の症候の意味づけを行うことがこのような症例では特に重要といえよう．
治療方針	● ASD 特性を部分的に持っているため，本人の認知特性を踏まえた職場の環境調整が必要と考えられた． ● 適切な指導を行う上で，本人の状況をモニタリングするために必要な，日常で起こった出来事を数行記載する形式の日記指導を併用することとした． ■ 解説　閾値下の診断であっても，患者は自身は種々の不適応状況からストレスを感じている．この状態の持続は，抑うつや不安緊張の持続による 2 次的障害を来しやすい．症候の程度により薬物療法は考慮されるべきだが，基本的には環境調整を優先する．
治療経過	検査結果に基づいて，職場に対して会社での対応のあり方などを具体的に説明した．本人に日記指導を続けていくうちに本人の日記のなかに，日常の会社での行き違いの状況，反省点などが振り返って記載されるようになってきた．このことを面接場面で取り上げて状況ごとの具体的な対処を説明していった．このため現実的に適応行動をとれるようになってきた．同年中には社内公募の事案に応募して入賞したことから自信もつき，安定してきた． ■ 解説　発達障害では，ともすれば低い自己評価から，抑うつ，不安などの 2 次的な問題を来しやすい．問題にのみ注意を向けるのではなく，患者の行動を評価しつつ自己肯定感を高めるアプローチが重要である．
転帰	● 現在，1 か月に一度の日記指導および通院カウンセリングのみを継続している． ● 職場での適応状態は著明に改善し，業績が評価され昇格した．

転帰	■ 解説　安定した状態においても，日常の出来事や起こることが予想される問題について，必要なアドバイスができる程度のコンタクトを維持することは予防的に有用である．

> **→ ワンポイント・アドバイス**
>
> 　種々の事情により，親から幼少期や生育状況の情報が得にくい成人ASD患者の場合，暫定的な閾下診断を行って，患者の通院時の情報の蓄積により，診断および治療を進めていくことが有効な事例が存在する．この場合，例えば日記療法（日々の状況の記録を決められた分量で患者に記載させ，診察時に開示してもらい治療者がコメントを加えていく方法）などを併用し，生活状況や認知行動様式の特性に関する情報を，面接場面で取り上げたり，こちらで必要な対処方法を記載したりして，日記という視覚構造化されたスタイルを利用しながら，徐々に患者との治療関係を築きあげていくことは，対人認知に困難を持つ患者に一定の視座を与えることが可能である．このような視座の定立は，患者の不安を減弱して，支持的に働き，処方も簡素化できる場合も少なくない．一方，日記記載が，単調化したり，逆に過剰である場合も生じやすい．この場合には，1日の記載枠を定め，その中に記載してほしいことのテーマを決めておく．構造の明確化と内容の焦点化がこの場合の方略である．

Case 27 発達の遅れや特性に応じた支援なく大学に進学した23歳男性

「大学を卒業したい」から「働きたい」へ

初診時年齢	23歳	性別	男性
主訴	他人とのコミュニケーションについて今よりうまくなりたい.		
家族歴	両親と3人暮らし.精神科的遺伝負因はない.		
生育歴・生活歴	● 自然分娩(40週2,680g)で出生した. ● 3歳児健診でことばの遅れの指摘があったが,小学校は普通学級で不登校もなかった. ● 中学で暴力を伴ういじめを受けたためスクールカウンセラーに通う. ● 高校2年生の時も教育相談センターのカウンセリングを月1回,1年続けた.母親はこのとき発達障害を疑うもはっきりと診断されていないと言う. ● 大学では本人の希望で学生相談室を利用した.単位は全取得したが卒業論文が書けずに卒業直前に休学した. ― 解説　本ケースは記憶力に依存したテストでは単位取得ができるが,自分でテーマを決め,系統的に収集した情報を整理して論文を書くといった統合的作業でつまずいた.ASD者は大量の情報を網羅的に収集するのは得意でも,意味の優先順位や全体の中での組織化は苦手である.		
現病歴	大学4年生時,休学を決めた前後から強い不安が生じ,パニック発作が繰り返し現れるようになった.そのころからインターネット依存になった.		
初診時所見	● 積極的に他者に話しかけるが,社交辞令や行間が読めず,相手の言葉をそのまま受け止める.状況や心情が理解できず,過剰なメール送信など大学でトラブルになったことがある. ● 予定や生活上の事柄などは口頭伝達で理解でき,意思も伝えられるが,概念的,抽象的な説明の理解は苦手であり,話の繰り返しが多い. ● 公共交通機関で痴漢に間違われるのではないかという不安も強い. ● 神経学的に巧緻運動拙劣.神経心理学的にワーキングメモリー低下.決められた手順や作業は問題なく遂行できるが,自ら計画し手順を考えるのは困難など,遂行機能の障害が認められる.		
検査結果	WAIS-Ⅲ:言語性IQ 70,動作性IQ 54,全IQ 60. AQ-J:総合31点(カットオフ26).		

検査結果	PARS：幼児期 6（カットオフ 9），思春期成人期 19（カットオフ 20）． ● MRI，脳波，血液検査：異常なし
診断結果	特定不能の広汎性発達障害（PDD-NOS），広場恐怖を伴わないパニック障害． ■ 解説　対人行動がきわめて受動的で親にひどく従順であった本ケースでは，親は発達の問題を明確に認識しておらず，直面することもないままであった．
治療方針	● 不安障害は SSRI を中心とする薬物療法で軽快した． ● 当初，家族は大学卒業を強く希望し，本人も同じ希望を述べた．本人との信頼関係ができた時点で家族と本人に診断結果を説明し，将来実現可能な選択肢について繰り返し説明し，家族と話し合った．その結果，本人，家族の納得の上で障害者支援施設に通所しての生活訓練を開始した．
生活訓練・就労移行支援における経過	● 通所期間（約 1 年），精神科では定期的に不安障害の治療を継続．以下は主たる支援である生活訓練・就労移行支援（主治医もチームに関与）の経過について述べる．この間不適切な性的関心と性的行動が課題となり，訓練スタッフチームで対応した． ● 両親が発達障害について無理解で，時に本人を混乱させる介入をするため，継続して家族へのサポートを行った． ● 就労に必要なハローワークへの意見書，精神障害者保健福祉手帳申請のための診断書作成は連携している医療サイドで行った． ● 課題と対応については下記の通り． **コミュニケーション** ・年長者，同輩，後輩に対する話し言葉を使い分けることが困難で混乱する．敬語を指導すると，家族や後輩にも敬語を使用する． 　➡ 対応として，スタッフが各場面で 1 つ 1 つ具体的に取るべき言動について支援した． ・小学生女児への過度の性的関心を示した． 　➡ 外部の児童精神科医にも相談し，その指示（本人に対してわかりやすいルールの提示）をスタッフチームが共有して一致した対応を行い，また環境面で配慮した．興味を口に出すことは激減した． ・話したいことをあらかじめ箇条書きし，優先順位をつけるよう支援した． ・ネット上での個人情報の取り扱いに対する知識がなく，不適切な個人情報の漏えいが発覚． 　➡ 要点を簡潔にまとめた教材を本人向けに作成し，ネチケットに関する支援をした． ・家族にわかってもらえないことに不満を持ち，孤立感，疎外感を強く抱いていた． 　➡ スタッフから直接家族の障害理解に働きかけ，就労後の家族役割について

生活訓練・就労移行支援における経過	ともに考えながら支援した. **適職・能力理解** • 遅刻や欠席は少ないが,インターネット依存のため睡眠時間が極端に少なく,作業効率が下がることがある.自己コントロールは困難. 　➡ 本人とともに1日のスケジュールを立て,それを守る. • インターネットへの依存. 　➡ 医師の指示でパソコン操作を週末の数時間と指示(医師の指示は几帳面に守る). 　➡ 職業訓練内容をパソコン訓練からクリーニングに変更し,作業系での就職を目指す.ここで技能習得とともに,集団作業の中で役割を認められ,自信となる. • 数千円程度までの金銭イメージしかなく,自己管理が困難. 　➡ スタッフとともに実際の買い物を行う. • 慣れない場面では緊張が高く,稀にパニックが出るほか,抜毛癖が出現する. 　➡ 自信がつくに伴い,強い不安はなくなり,抜毛癖は消失した. • 通常の青年と比べて生活場面での体験が限定され,きわめて乏しく,日常的な道具(はさみ,カッター,コピー機など)の使用法や郵便物の発送方法(宛名や差出人の記載場所や切手そのもの)の知識がない. 　➡ 経験を増やすことをねらいとして,家事動作の一部を訓練に取り入れた. • 就労移行支援の一環で,所外実習として特例子会社で洗い場を中心としたクリーニング作業に従事した.訓練と関連した所外実習であったが,汎化できず,訓練のなかでの評価に比べて低い評価だった.訓練場面では捉えきれない課題が明らかになった. 　➡ 作業経験の幅を拡げるために,多種類の作業を訓練した. **━ 解説** 本来なら,療育的サポートを受けて獲得しているはずの日常的な活動をいっさい経験せず本人に不向きな学習のみに明け暮れていた症例.訓練中,身についていくスキルを本人が喜び,また周囲に認められることでこれまでみられなかった意欲がめばえた.
転帰	● 大手ショップのバックヤード業務に採用された. ● 採用後は,指導員がジョブコーチとして職場に出向き,職場定着に向けた支援を行った.また,障害者就業・生活支援センターと連携した,長期的な支援体制づくりに向けて調整を開始した.職員やほかの利用者との関わりのなかで「自分の状況や障害を知りたい」という発言が出るとともに,「○○さんもうまくいかずにつらかったのかな」と共感的な発言がみられた. ● 今後は,就労後の金銭管理支援や地域支援機関とも情報交換を進めながら不安なことを安心して話せる場作りの支援を進める. ● 精神科での薬物治療は継続中である.

> **→ ワンポイント・アドバイス**
>
> 　Case3(p92)と同様,障害者自立支援法下の日中活動系サービスの1つである,生活訓練および就労移行支援を受け,一般就労に成功した例である.発達障害成人が利用できる障害者自立支援法下の福祉サービスとしては,このほかに就労継続支援事業がある.また発達障害成人に対する就労支援としては,福祉サービスのほかに,地域障害者職業センター(独立行政法人高齢・障害者雇用支援機構が運営),ハローワーク(公的職業紹介所),障害者就業・生活支援センター(公益法人,社会福祉法人,NPOなどが運営)などで支援を行っている.

Case 28 児童期初診例 1 ★★★

この学校に通えて本当に楽しかった

初診時年齢	6歳（現在19歳）	性別	男性
主訴	養育ガイダンス希望（両親の希望）．入学後，いじめられないか心配．		
紹介元・紹介に至るまでの経緯	転居に伴う前医（児童精神科医）からの紹介．		
家族歴	● 両親と弟との4人暮らし．父親は会社員で，母親は専業主婦．近くに住む祖父母も教育熱心で，一家で情愛深く育てている． ● 弟は対人的に幼いところがあり，小学校でいじめを受け不登校となった．一時，精神科でアドバイスを受けた．きょうだい仲は良い． ■ 解説　弟は定型発達であるが，対人的不器用さがあり，ウェクスラー知能検査のプロフィールの言語性下位検査のばらつきは兄とよく似ている．		
生育歴・生活歴	● 胎生期・周産期に特記すべき異常はない． ● 運動発達は，はいはいがなく，1歳10か月で突然歩き出した．言語発達は明らかな遅れがあり，3歳前はオウム返しのみで自発的な発語はなく，3歳過ぎに初めて2語文（「あんよいたい，おくすりぬてあげる」）を話した． ■ 解説　DSM-IV-TRのアスペルガー障害では言語に明白な遅れがないこと，が基準として挙げられている．この遅れがないということは，「2歳までに単語が出ており，3歳までに2語文を話す」と定義されている．したがって，本ケースは該当しない．		
現病歴	3歳児健診後，言語治療を受けていた．4歳で児童精神科医により，「典型的な高機能自閉症」と診断を受け，当地に転居するまでの約1年半の間，集団療育を受けていた．転居後まもなく，両親に連れられた患児がB病院精神科を受診．現在は，幼稚園が，手厚く対応してくれているので大きなトラブルには至らず，心配ない． ■ 解説　早期診断後，一貫して専門家からの支援を受け，家族が一貫したやり方で熱心に本児をサポートすることができた．早期診断の1つのメリットである．		
初診時所見	● 初診時，患児はゲーム機を手放すことができず，質問をしてもゲーム機から目を離さず横向きのまま答える，といった状態であった． ● 両親に叱られてもやめることができず，独語をしながらゲームに夢中であった．		

初診時所見	その一方で，両親が説明している途中で，突然，親の記憶違いを訂正した．
	━ **解説** 言語能力は検査で高い点が出るが，この時点では，本人はまだ，言語がコミュニケーションとして使うものだということを理解していないことが窺える．
検査結果	**WISC-Ⅲ**：言語性 IQ 102，動作性 IQ 114，全 IQ 108．知能検査の結果から知能が正常範囲であることが確認された．特に，言語の遅れの既往があることを考えると，言語の伸びは著しかった．しかしプロフィールは山（数唱，積木模様）と谷（理解，絵画配列）の極端なアンバランスさが目立った． 定型発達児なら 4〜5 歳で通過する「心の理論」課題に失敗し，年齢や知能水準と照らし合わせると他者の意図理解に困難があることがわかった．
診断結果	両親からの聴取と，患児の行動観察に基づいて，自閉症〔DSM-Ⅳ-TR，299.00 診断基準 A (1) a, b, c, d，(2) a, b, c, d，(3) a, b に該当〕と 4 歳時の診断と同様であった．
治療方針	● 当面は自閉症状以外は問題がみられなかったので，今後の学校集団への不適応の蓄積から生じやすい 2 次障害の予防を，第一の治療目標とした． ● 養育上のガイダンスに加え，学校で予想されるさまざまな対人トラブルについて家庭と学校との話し合いをもとに事前に環境調整を行い，問題発生時には医療も含めた早期介入を行う，という方針を両親と確認した． ● 医療では定期的なモニター（各学期末）を行うこととした．
治療経過	小学校入学後は，注意されるとしばしばパニックを起こしたり号泣しながら反論したりするので，同級生のからかいの対象となった．患児にはいじめられている認識がなかったが，発熱や発疹などの身体症状が現れた．その都度，不審に思った母親が教師に相談したり，通学に同伴して子ども同士のやりとりを直接見たりすることで，いじめが発覚し，学校で早期に対応することができた．テストの点数にこだわりが強く，試験前後には運動チック（首振り）や音声チック（咳払い）がほぼ毎日頻繁に出現し，抜毛癖も認めた．患児自身もチック症状を苦痛と感じていることがわかったので，ピモジド（1〜2 mg/日）を処方した．約 2 か月後には気にならない程度に症状は軽快し，薬物は中止した． ━ **解説** 合併症状への対応が早く，適切な環境調整をその都度行ったことが効を奏して，症状は持続することはなかった． 中学校までは，普段と違う学校行事は苦手で，行事のたびにストレスから体調を崩すため，できるだけ家族で遠足の予定地に出かけるなど，楽しみながらリハーサルを行い，学校行事の際の混乱を予防する工夫を行った．学年が上がるにつれて，ほとんどの行事に問題なく参加できるようになった．高校は何度か見学に行き，本人が希望する学校を選んだ．

治療経過	■ **解説** 突然の状況への対応で混乱しやすい場合は，リハーサルなど前もって予測できるような準備が必要である．
	入学後は，担任教師からは，本人なりに参加できている，と言われている．実際，友人も複数おり，学校生活を楽しんでおり，学業成績も安定している．反復的な儀式は学校では抑えているのか問題になることはなかったが，家では，自分の好きなアニメのシーンの再現を家族にも要求することが毎日の儀式となっていた．ストレス時には，単純チックが一時的に出現する傾向は持続しており，適宜，ピモジドを使用する．将来については，自分なりに自分の特性を考えて理工系大学を選んで進学した．
	■ **解説** 小・中・高を通じて学校-家族の関係はきわめて良かった．教師を味方につけて，良いサポート体制を維持してきた母親の努力と熱意の賜物である．時に，学校と対決してしまう家族があるが，ともに子どもの成長を願う立場であるので，尊重し合える関係作りが鍵となる．
転帰	● 典型的な高機能自閉症の，予後良好な例．児童期を通して他者への気づき，対人認知，対人コミュニケーション，そして対人関係への意欲が伸びた症例である． ● 予後良好な要因として，家族が患児を理解して，機会を見つけては社会的マナー，具体的な対処方法を教え，また学校，医療と連携しながらのサポート体制をとっていたことも患児や家族の安心に役に立った． ● 患児の穏やかで寛容な性格は他児からのサポートまで引き出したように思える． ● 本人への告知はまだ行っておらず，今後の課題である．

> **→ ワンポイント・アドバイス**
>
> 　自閉症という深刻な発達障害においてすら，適切な支援を受ければ，長い成長過程で中核的な障害は改善する．青年期以降に良い適応や QOL をもたらすのは，必ずしも中核症状の顕著な改善ではない．ポジティブな社会的経験，周囲の理解，継続的な専門家の支援などの環境要因も大きな役割を果たす．また成長過程における良好なメンタルヘルスの維持も大事である．

Case 29 児童期初診例2 ★★

先生, 友だちができたよ

初診時年齢	7歳(現在16歳)	性別	男性
主訴	他の子どもと遊べない.		
紹介元・紹介に至るまでの経緯	学習障害を疑った近医からの紹介. ■ 解説　知能検査を実施しておらず精神遅滞と判断されていなかった.		
家族歴	両親と兄の4人暮らし. 兄は高機能自閉症と診断されている. ■ 解説　兄は普通高校進学後にいじめにあい不登校となっている.		
生育歴・生活歴	● 周産期異常としては20時間以上の遷延分娩であった. そのほかの問題は特に指摘されていない. ● 小学校では普通学級に在籍.		
現病歴	落ち着きがなく, 勝手に飛び出す, 注意集中が困難であるというような多動性・衝動性, 回転するものへ興味があったり, 物を並べたりするという常同行動がみられた. また甘えたい時に頭痛や腹痛を訴えるという心気症状を認めた. 両親は指しゃぶりが気になるとのことであった. 小学校場面では集団生活ができず, 一人で学校から出て行ってしまったり, 授業中に席を立ってじっとしていられなかったり, 机の上で器用に寝たりという多動行動が目立っていた. 成績は不良で, 計算, 文章理解, 時計の見方も十分できなかった. 漢字は1つの漢字に1つの読みということしか理解できなかった. 対人関係では同年代の子どもより小さな子どもと遊ぶことが多く, 一人でテレビゲームをしたりビデオを繰り返し観たりしていた.		
初診時所見	● 診察場面では, 多動で, 質問に対して的確な答えが返らず, 「眠い」と訴えていた. ■ 解説　3歳までになぜ指摘されたり, 相談につながらなかったのか不明. 兄が高機能自閉症で親の関心は兄に向かっていたのかもしれない.		
検査結果	WISC-Ⅲ(初診時)：言語性 IQ 62, 動作性 IQ 64, 全 IQ 59. 軽度精神発達遅滞レベルであった. 下位項目にばらつきがあり, 一般的な知識量が乏しい, 視覚的に関係性を予測したり場の流れを理解したりすることが困難であることが指摘された. ■ 解説　数年後には言語性 IQ 67, 動作性 IQ 79, 全 IQ 70, と伸びをみせ, さらに2年後, 言語性 IQ 66, 動作性 IQ 87, 全 IQ 74 と改善を示した. しかし		

検査結果	ながらこの結果をもって療育手帳が取得できなくなってしまった．精神遅滞がなくても本ケースのように境界線級知能の療育手帳が取得できる地域もある．このような判定基準は地域差がある．
診断結果	●対人関係の障害を認めるものの，言葉の発達には特に問題はなく，ものを並べること，回転するものへの興味が強いことから特定不能の広汎性発達障害（PDD-NOS）と判断した． ●就学以前（6歳未満）からの多動性・衝動性の問題があり，同世代の子どもと比べて著しいこと，そのために学校生活に困難が生じていること，学校・自宅・診察室と2つ以上の場面で顕著であることなどから注意欠如・多動性障害（ADHD）傾向があると判断した． ●DSMの診断基準のルールではADHDとPDDの重複例はより上位のPDDと診断することになっている．また，軽度の精神発達遅滞（MR）の疑いと評価した．
治療方針	多動・衝動行為の改善を目指し，薬物治療を，そしてADHDとASDの発達障害に対しては家族と本人に対するガイダンスを行うこととした．
治療経過	ADHD症状には適応外使用ながら即効性メチルフェニデート（リタリン®）20 mg/日から投薬を開始した．いらいらには，適応外使用であるがハロペリドール（セレネース®）0.75 mgを眠前に追加したところ，文字を書くスピードが速くなった，集中する時間が増えた，という改善を認めた．ここで常同行為に対して抗うつ薬であるフルボキサミン（デプロメール®）25 mgを1日1回・朝食後で開始したところ，集団生活に少しずつ参加できるようになった．気に入らないことがあると奇声を発することはあるものの授業は集中できて夜間も良眠となった．食欲も問題なかった． 小学校3年の秋，社会性の改善を目指して子ども向けソーシャルスキル訓練（child social skill training；CSST）を導入した．また，不眠時ハロペリドールにて持ち越し効果がみられたため，不眠時をクロルプロマジン（ウインタミン®）12.5 mgとした．その翌年，兄とのトラブルで家の玄関のガラスを割ったり，車のサイドブレーキを外したりという危険な衝動行為が再燃．また，塾やお絵かき教室で集中力が続かないということで，メチルフェニデートを40 mg/日まで漸増したが，安定してきたため，以後30 mg/日で継続した．次第にCSSTの効果も相まって，怒った時の行動化にセーブがかかるようになり，また，怒られること自体が減ってきた．中学校進学．特別支援学級に進学，特別児童扶養手当を申請した． 中学校1年生の1月，リタリン®が流通規制となり処方できなくなった．代わりにADHDの治療薬として適応が通ったメチルフェニデート徐放製剤（コンサータ®）27 mg/日へと置換し，36 mg/日まで増量した．この頃，大学受験の勉強をしている兄の存在が気になり，執ように兄の勉強の邪魔をすることが続いた．また，学校の女子生徒の言動に過剰に反応してトラブルとなることがあった．このような思春期になって再び高まった衝動性・易怒性に対して，フルボキサミンを75 mg/日から100 mg/日へ漸増し，バルプロ酸ナトリウム（デパケン®）を100 mg/日から開

治療経過	始とした．同時に，本人のストレスの要因であった，中学卒業後の進路を養護学校にするか普通高校にするかについて家族と本人とで検討を始めた．いくつかの高校を見学に行き，体験を通して本人にも具体的に考える機会をもたせた． その翌年1月，養護学校に合格した．この頃には成績も伸び，修学旅行も順調に済み，学習発表会では絵画で銀賞をとった．特別支援学級の合同スポーツ大会があり，個人戦で優勝した．自信もつき，養護学校への進学を決めた．進学予定の養護学校高等部の体験入学で友人ができたと報告があった．入学後，楽しく学校には行っている．また，約3週間の職場実習があり，箱折りの仕事に取り組んだ．母親によると最近は1度注意すれば話が通じるようになったという．
転帰	● ASDのADHD重複症例で，メチルフェニデートの投薬は有効であった．また，CSSTが奏効した．継続的なサポートのもと本人なりに成長しているともいえた． ● 初診後(7歳)の検査ではWISC-Ⅲ全IQ 59と軽度精神発達遅滞レベルであったが，13歳時WISC-Ⅲで全IQ 70，15歳で全IQ 74と伸びたため，特別児童扶養手当は継続できたが，当地域では療育手帳が取得できなくなり，精神障害者福祉手帳を申請した．
	▬ 解説　高機能ASDの診断を受けた患者は行動上の問題は残存しているにもかかわらず，知的障害がないと判断されると地方自治体によっては療育手帳を受けられなくなる場合があり，注意を要する．

> **→ ワンポイント・アドバイス**
>
> 　発達段階に応じて直面する問題に対して，対症療法的に薬物療法や精神療法を織り交ぜながら治療を続けたが，経過を通してみると，その問題行動は沈静化し，本人なりに学校適応が改善していることが明らかである．理解ある環境のなかでは，子どもは自らのASD特性を受け入れ，子どもなりに克服の工夫をするものである．

Case 30 児童期初診例3

自分に合ったアルバイトで達成感を得る

初診時年齢	7歳（現在22歳）	性別	男性
主訴	他児と遊べない．音声チック．		
紹介元・紹介に至るまでの経緯	A病院小児科に通院して臨床心理士の療育指導を受けていたが，就学後に音声チックが増悪したため，B病院児童精神科へ紹介された．		
家族歴	研究者の父親と元看護師で専業主婦の母親と本児の3人暮らし．母親にうつ病の既往あり． ■ 解説　ASDでは気分障害の家族歴は多い．経過中に，親に気分障害の発症や増悪が生じ，それが本人の治療経過に影響することも多い．外来診療でも見過ごされがちであり，注意を要する．		
生育歴・生活歴	● 満期正常産で妊娠～周産期に特記すべき異常なし． ● 乳児期の人見知りや甘え，後追いなどはあり，抱っこ時も親のほうへ手を伸ばして期待するような反応をしていた．運動発達は平均的だったが，3歳健診で言葉の遅れを指摘された．		
現病歴	3歳児健診後，小学校入学まで療育指導と遊戯療法を受けた．診断は特に聞いていない．幼稚園では母との分離に抵抗なく，子ども同士の遊びに参加することはなく，少し離れて見ていることが多かった．就学時健診では特に問題を指摘されず，普通学級で就学．授業中の立ち歩き，しばしば大声を出すこと（音声チック），驚くと動作が止まってしまうことなどから級友に揶揄されるようになり，下校途中は上級生からもよくからかわれた．本人は学校や通学路での出来事を報告しなかったため，両親は特に具体的な対応策を講じなかった．小学校2年になると大きな声を出すことが頻繁になってきた．		
初診時所見	● あいさつはできており，単語で返答できるような質問への応答は可能だが，診察室でも「うん，うん」と音声チックがしばしば現れた． ● 表情は無表情で感情表出が乏しく，担当医が母親に質問を向けると離席して室内の棚の玩具を触るなど，注意の転導性やコミュニケーションの未熟さが目立つ．		
検査結果	**WISC-R**：言語性IQ 92，動作性IQ 121，全IQ 108と動作性優位で，特に積木模様が突出して高かった． ● 一般的な血液検査では特記すべき異常所見はない．		

診断結果	注意欠如・多動性障害，音声チック，PDD-NOS と診断した．日常生活の困難は主に自閉傾向によると考えられた．
治療方針	● 音声チック症状には少量のハロペリドールを処方し，少しチックが減る印象を受けたため，その後は不調時のみ約1か月内服し，やや軽減すれば中止とした． ● 学校場面での困難に対しても特性を踏まえて適切な対処を図るために，臨床心理士による療育ならびに療育指導は継続する方針とした． ■ 解説　Case 29 のように原則としては，PDD の診断がくだされると ADHD の二重診断はしないというのが，DSM-Ⅳ のルールである．しかしながら実際には ADHD の側面も日常の困難につながっている場合に，このような並列診断で説明するほうが理解されやすいことも多い．
治療経過	数か月後からは運動チックも加わり，さらにからかわれることが増えた．中学校でもいじめが続いて不登校になり，中学2年生からフリースクールに通った．このころからささいな注意を受けると過去にいじめられた状況を思い出して興奮することが常となり，努力や我慢を要する作業を避ける傾向が目立った．他児に会うのを避けるために近所を出歩くことが困難になり，好きな鉄道で遠出しては書店で立ち読みして帰宅することがおもな娯楽になっていた． 　高校は通信制高校のサポート校に入学した．中学時代のいじめ被害について母親に語るようになり，それが高じて長時間大声で加害者の発言を繰り返し再現するようになった．次第に登校できない日が増えていき，高校2年生からは不登校になった．フラッシュバックの内容はいじめ以外に，母親に叱責されたことなども含まれた．ほかの生徒に対して，自分が受けたいじめを再現して校内で問題となったこともある． 　卒業後は専門学校に入学した．その後，アルバイトを短期でクビになることが続き，将来を悲観するようになった． 　精神障害者保健福祉手帳を取得し，統合失調症患者をおもな対象とする精神科デイケアや，知的障害者の作業所などに参加し，社会適応の改善を目指したが，慣れてくると通所先の担当者に以前のいじめ被害を連想して被害的となりトラブルをしばしば起こした．フラッシュバックの誘因となる対人刺激を避けるように環境調整と生活の見直しを助言した．新たに新聞配達のアルバイトを開始した． ■ 解説　過去の外傷体験に苦しむ PTSD 様症状は ASD に時にみられる．想起内容が鮮明なまま固定したり，時には迫害的なファンタジーが混入することがある． 　外傷体験を共感してくれる他者に話すことによって改善するのではなく，逆に繰り返し話し，さらには再現することによって状態が悪化するというのが，ASD 者にみられる独特な PTSD 様症状の経過である．対応としては，つらい記憶への理解と共感を伝えるとともに，話しすぎることの危険を伝え，限界設定を

治療経過	する，などの工夫が必要である．しかし，特にチックの体質の強い患者では，話す予定になってしまった内容を止めるのは困難であり，この部分に対しても薬物療法的な支援が有用である．
転帰	● 新聞配達は配達エリア地図が一度で覚えられる特性が役立ち，比較的合ったようである．配達し忘れは多く，そのことを注意されると興奮しやすいが，賃金がもらえるのは楽しみになり，継続できている． ● 現在，チック症状も減り，内服はなく，小康状態である．

> **→ ワンポイント・アドバイス**
>
> 　長い経過中，一番問題となったのが，ASD にしばしば伴うフラッシュバック様の記憶想起とその再現であった．本ケースでは少量の薬物と環境調整や達成感をもてる課題を探すことで，悪化へのサイクルを止めることにある程度，成功した．

付録 1

自閉症スペクトル指数日本版（AQ-J）

1. 私は物事を自分1人でよりも他の人とすることを好む	a. 確かにそうだ	b. 少しそうだ	c. 少しちがう	d. 確かにちがう
2. 私は物事を何回も何回も同じようにすることを好む	a. 確かにそうだ	b. 少しそうだ	c. 少しちがう	d. 確かにちがう
3. もし私が何かを想像しようとすると，心の中に映像を作り出すのはとても簡単だ	a. 確かにそうだ	b. 少しそうだ	c. 少しちがう	d. 確かにちがう
4. 私は，しばしば他のことが見えなくなるほど1つのことに強く夢中になる	a. 確かにそうだ	b. 少しそうだ	c. 少しちがう	d. 確かにちがう
5. 私は，他の人が気づかないときにも，よく小さな音に気づく	a. 確かにそうだ	b. 少しそうだ	c. 少しちがう	d. 確かにちがう
6. 私は，車のナンバープレートまたは同様な一連の情報にいつも注目する	a. 確かにそうだ	b. 少しそうだ	c. 少しちがう	d. 確かにちがう
7. 他の人たちは，私が言ったことをよく失礼だと言う，たとえ私がそれは丁寧だと思っていても	a. 確かにそうだ	b. 少しそうだ	c. 少しちがう	d. 確かにちがう
8. 私は物語を読んでいるときに，登場人物たちがどのように見えるだろうかを簡単に想像できる	a. 確かにそうだ	b. 少しそうだ	c. 少しちがう	d. 確かにちがう
9. 私は日付に魅せられている	a. 確かにそうだ	b. 少しそうだ	c. 少しちがう	d. 確かにちがう
10. 社交的な集まりの中で，私はいくつかの異なった他人の会話を容易に聞きとることができる	a. 確かにそうだ	b. 少しそうだ	c. 少しちがう	d. 確かにちがう
11. 私は社交的な場面を気軽に思う	a. 確かにそうだ	b. 少しそうだ	c. 少しちがう	d. 確かにちがう
12. 私は，他人が気づかない細かいことに気づく傾向がある	a. 確かにそうだ	b. 少しそうだ	c. 少しちがう	d. 確かにちがう
13. 私はパーティよりはむしろ図書館に行きたい	a. 確かにそうだ	b. 少しそうだ	c. 少しちがう	d. 確かにちがう
14. 私は物語を作るのは簡単だ	a. 確かにそうだ	b. 少しそうだ	c. 少しちがう	d. 確かにちがう
15. 私は，自分が物よりも人により強くひきつけられているのに気づいている	a. 確かにそうだ	b. 少しそうだ	c. 少しちがう	d. 確かにちがう
16. 私は，もし追求することができないと当惑してしまう，とても強い興味をもつ傾向がある	a. 確かにそうだ	b. 少しそうだ	c. 少しちがう	d. 確かにちがう
17. 私は，社交的なおしゃべりを楽しむ	a. 確かにそうだ	b. 少しそうだ	c. 少しちがう	d. 確かにちがう
18. 私が話すときには，他人が横から口を出すのは，必ずしもいつも簡単とは限らない	a. 確かにそうだ	b. 少しそうだ	c. 少しちがう	d. 確かにちがう
19. 私は数に魅せられている	a. 確かにそうだ	b. 少しそうだ	c. 少しちがう	d. 確かにちがう
20. 私は物語を読んでいる時に，登場人物の意図を理解するのが難しい	a. 確かにそうだ	b. 少しそうだ	c. 少しちがう	d. 確かにちがう
21. 私は物語を読むことを特別には楽しまない	a. 確かにそうだ	b. 少しそうだ	c. 少しちがう	d. 確かにちがう
22. 私は，新しい友達をつくるのは難しいことに気づく	a. 確かにそうだ	b. 少しそうだ	c. 少しちがう	d. 確かにちがう
23. 私は，いつも物事のパターンに気づく	a. 確かにそうだ	b. 少しそうだ	c. 少しちがう	d. 確かにちがう
24. 私は，博物館よりはむしろ劇場に行きたい	a. 確かにそうだ	b. 少しそうだ	c. 少しちがう	d. 確かにちがう
25. もし日課が妨げられても，それは私を当惑させない	a. 確かにそうだ	b. 少しそうだ	c. 少しちがう	d. 確かにちがう

26. 私は，しばしば，私がどうやって会話を続けていくかを知らないことに気づく	a. 確かにそうだ	b. 少しそうだ	c. 少しちがう	d. 確かにちがう
27. 誰かが私に話しているときに，私は"行間を読む"のが簡単なことに気づく	a. 確かにそうだ	b. 少しそうだ	c. 少しちがう	d. 確かにちがう
28. 私は，いつも，細かなことよりは，むしろ全体像に集中する	a. 確かにそうだ	b. 少しそうだ	c. 少しちがう	d. 確かにちがう
29. 私は，電話番号を覚えているのがとても上手ではない	a. 確かにそうだ	b. 少しそうだ	c. 少しちがう	d. 確かにちがう
30. 私は，状況や人の外見の小さな変化に，いつも気づくわけではない	a. 確かにそうだ	b. 少しそうだ	c. 少しちがう	d. 確かにちがう
31. もし私が話しているのを聞いている人が退屈しているなら，私はどのように話すかを知っている	a. 確かにそうだ	b. 少しそうだ	c. 少しちがう	d. 確かにちがう
32. 私は，一度に2つ以上のことをするのは簡単だ	a. 確かにそうだ	b. 少しそうだ	c. 少しちがう	d. 確かにちがう
33. 私は，電話で話しているとき，いつ自分の話す番かがはっきりしない	a. 確かにそうだ	b. 少しそうだ	c. 少しちがう	d. 確かにちがう
34. 私は，物事を自発的にすることを楽しむ	a. 確かにそうだ	b. 少しそうだ	c. 少しちがう	d. 確かにちがう
35. 私は，しばしば冗談の意味をわかるのが最後になる	a. 確かにそうだ	b. 少しそうだ	c. 少しちがう	d. 確かにちがう
36. 私は，人の顔を見るだけで，その人が考えていることや感じていることが容易にわかる	a. 確かにそうだ	b. 少しそうだ	c. 少しちがう	d. 確かにちがう
37. もし中断があっても，私はやっていたことにとても早く戻ることができる	a. 確かにそうだ	b. 少しそうだ	c. 少しちがう	d. 確かにちがう
38. 私は，社交的なおしゃべりが上手だ	a. 確かにそうだ	b. 少しそうだ	c. 少しちがう	d. 確かにちがう
39. 人は，私が同じことを長々と話し続けるとよく言う	a. 確かにそうだ	b. 少しそうだ	c. 少しちがう	d. 確かにちがう
40. 子どもの頃，私は他の子どもたちと，ごっこ遊びが入ったゲームをよく楽しんだものだ	a. 確かにそうだ	b. 少しそうだ	c. 少しちがう	d. 確かにちがう
41. 私は，物事のカテゴリーについての情報を集めるのが好きだ（たとえば，自動車，鳥，電車，植物の種類など）	a. 確かにそうだ	b. 少しそうだ	c. 少しちがう	d. 確かにちがう
42. 誰か他の人だったらどうだろうと想像することは，私には難しい	a. 確かにそうだ	b. 少しそうだ	c. 少しちがう	d. 確かにちがう
43. 私は，私が関与するどんな活動も注意深く計画することを好む	a. 確かにそうだ	b. 少しそうだ	c. 少しちがう	d. 確かにちがう
44. 私は，社交的な機会を楽しむ	a. 確かにそうだ	b. 少しそうだ	c. 少しちがう	d. 確かにちがう
45. 私は，人の意図をわかるのがむずかしい	a. 確かにそうだ	b. 少しそうだ	c. 少しちがう	d. 確かにちがう
46. 新しい状況は，私を不安にする	a. 確かにそうだ	b. 少しそうだ	c. 少しちがう	d. 確かにちがう
47. 私は，初めての人に会うのを楽しむ	a. 確かにそうだ	b. 少しそうだ	c. 少しちがう	d. 確かにちがう
48. 私はよい"外交官"である	a. 確かにそうだ	b. 少しそうだ	c. 少しちがう	d. 確かにちがう
49. 私は，人の誕生日を覚えているのがとても上手ではない	a. 確かにそうだ	b. 少しそうだ	c. 少しちがう	d. 確かにちがう
50. 私は，ごっこ遊びが入ったゲームを子どもたちとするのは，とても簡単だ	a. 確かにそうだ	b. 少しそうだ	c. 少しちがう	d. 確かにちがう

自閉症スペクトラム指数（AQ）〔Baron-Cohen S, Wheelwright S, Skinner R, et al：The Autism-Spectrum Quotient（AQ）；Evidence from Asperger syndrome / high-functioning autism, males and females, scientists and mathematicians. J Autism Dev Disord 31：5-17, 2001〕

日本語訳は複数あるが，ここでは栗田らによる訳を紹介した〔栗田広，長田洋和，小山智典，他：自閉症スペクトル指数日本版（AQ-J）の信頼性と妥当性．臨床精神医学 32：1235-1240, 2003〕．

付録 2

日本語版 M-CHAT
the Japanese version of the M-CHAT

1歳6か月から2歳までの幼児の行動について保護者に回答してもらう．

以下の太字で示した項目は，特にこの時期の幼児のASD早期兆候に関連する行動である．これらがこの年齢帯でまだない，ということを問題とする．これらの項目は，定型発達児では1歳前後ですでに獲得しているコミュニケーションの基礎となる社会的行動である．

1. お子さんをブランコのように揺らしたり，ひざの上で揺すると喜びますか？	はい・いいえ
2. 他の子どもに興味がありますか？	はい・いいえ
3. 階段など，何かの上に這い上がることが好きですか？	はい・いいえ
4. イナイイナイバーをすると喜びますか？	はい・いいえ
5. 電話の受話器を耳にあててしゃべるまねをしたり，人形やその他のモノを使ってごっこ遊びをしますか？	はい・いいえ
6. 何かほしいモノがある時，指をさして要求しますか？	はい・いいえ
7. 何かに興味を持った時，指をさして伝えようとしますか？	はい・いいえ
8. クルマや積木などのオモチャを，口に入れたり，さわったり，落としたりする遊びではなく，オモチャに合った遊び方をしますか？	はい・いいえ
9. あなたに見てほしいモノがある時，それを見せに持ってきますか？	はい・いいえ
10. 1, 2秒より長く，あなたの目を見つめますか？	はい・いいえ
11. ある種の音に，とくに過敏に反応して不機嫌になりますか？（耳をふさぐなど）	はい・いいえ
12. あなたがお子さんの顔をみたり，笑いかけると，笑顔を返してきますか？	はい・いいえ
13. あなたのすることをまねしますか？（たとえば，口をとがらせてみせると，顔まねをしようとしますか？）	はい・いいえ
14. あなたが名前を呼ぶと，反応しますか？	はい・いいえ
15. あなたが部屋の中の離れたところにあるオモチャを指でさすと，お子さんはその方向を見ますか？	はい・いいえ
16. お子さんは歩きますか？	はい・いいえ
17. あなたが見ているモノを，お子さんも一緒に見ますか？	はい・いいえ
18. 顔の近くで指をひらひら動かすなどの変わった癖がありますか？	はい・いいえ
19. あなたの注意を，自分の方にひこうとしますか？	はい・いいえ
20. お子さんの耳が聞こえないのではないかと心配されたことがありますか？	はい・いいえ
21. 言われたことばをわかっていますか？	はい・いいえ
22. 何もない宙をじぃーっと見つめたり，目的なくひたすらうろうろすることがありますか？	はい・いいえ
23. いつもと違うことがある時，あなたの顔を見て反応を確かめますか？	はい・いいえ

M-CHAT copyright (c) 1999 by Diana Robins, Deborah Fein, & Marianne Barton. Authorized translation by Yoko Kamio, National Institute of Mental Health, NCNP, Japan.

M-CHATの著作権はDiana Robins, Deborah Fein, Marianne Bartonにあります．この日本語訳は，国立精神・神経医療研究センター精神保健研究所児童・思春期精神保健部部長の神尾陽子が著作権所有者から正式に使用許可を得たものです．

（稲田尚子，神尾陽子：自閉症スペクトラム障害の早期診断へのM-CHATの活用．小児科臨床 特集「最近注目されている発達障害」61：2435-2439，2008．http://www.ncnp.go.jp/nimh/jidou/aboutus/mchat-j.pdf）

付録 3

Autism Diagnostic Observation Schedule

　Autism Diagnostic Observation Schedule（ADOS）は，米国の Lord C や英国の Rutter M らの著名な自閉症学者によって開発された ASD 診断に特化した検査で，被検者の行動を直接観察することにより評価を行う．

　ADOS は，発達と言語水準によって 4 つのモジュールに分けられ，標準化された検査用具や質問項目を用いて，対人コミュニケーションスキルを最大限に引き出すように意図されている．「観察（observation）」「評定（coding）」「アルゴリズム（algorithm）」の部分から構成され，「観察」の部分で引き出された対人コミュニケーション行動を，「評定」し，その後「アルゴリズム」にそって ASD かどうか判定するようになっている．

　特徴的なのは，「観察」のなかで定められている課題で見られた行動について 1 つ 1 つ評定するのではなく，「評定」の部分では，検査全体を通してみられた行動のすべてを総合して，相互的対人関係，意思伝達，想像力/創造性，常同行動と限局された興味，他の異常行動の 5 領域を構成する各項目に対して，0～2 点，または 0～3 点で段階評定するところである（0 は異常が無いレベルであり，2 または 3 が最も異常）．流暢に話すレベルの思春期から成人にはモジュール 4 を用いた面接を行う．

　モジュール 4 の観察項目は，パズル，本のストーリーの説明，絵の叙述，漫画の実演などに加え，「現在の仕事や学校」「友人」「結婚」「孤独」「感情」「将来の計画と希望」などについて話してもらうことから成る．単に事実を聞くのではなく，本人がどのようにこれらを概念的に理解しているのか，人間関係のなかでの経験と結びつけて自分の役割としてどのように理解しているかに焦点を当てているので，通常の診療では見逃されやすい対人認知の問題が浮き彫りになる．

　また，「評定」の部分でも ASD の特徴をとらえられるように工夫がこらされている．同じ流暢といっても，相互的なやりとりの必要のない新しい事実を一方的に話すだけの場合には「情報提供」とし，話すできごとを選択し，それについて検査者が補足質問を必要としないくらいわかりやすく述べることができる場合には「出来事の報告」として，両者を明確に区別し，相手の視点にたって話すことができるのかという点も評定するようになっている．

「観察」の課題の回答例

●他者との情緒的相互交流が困難な例

そうした人間関係をもてておらず，また，理解も乏しい．
質問者「特に親しい友人，親友はいますか」
回答者「はい，います」
質問者「名前を教えてもらえますか」
回答者「佐藤君と山本君と鈴木君と…」

質問者「親友とクラスメイトとはどこが違いますか」
回答者「え？　違うんですか」
質問者「あなたにとって，友達とはどんな意味がありますか」
回答者「いろいろ情報を教えてくれます」

● **人間関係の距離や関係性の理解が難しい例**
質問者「彼女はいますか」
回答者「はい，います」
質問者「どこで知り合ったのですか」
回答者「高校で一緒でした」
質問者「どうして，その人が彼女だとわかりますか」
回答者「年賀状を交換しているからです」

● **他者の感情理解の困難の例**
Baron-Cohen S のいう「心の理論」障害がよく表れている．
質問者「今まで寂しいと感じたことはありますか」
回答者「はい，あります」
質問者「家族や同僚も寂しいと感じたことがあると思いますか」
回答者「寂しいかどうか尋ねたことがないので，わかりません」

参考文献

- Lord C, Rutter M, DiLavore PC, et al：Autism Diagnostic Observation Schedule. Los Angeles, Western Psychological Services, 1999
- 黒田美保，稲田尚子：Autism Diagnostic Observation Schedule（自閉症診断観察検査）日本語版の開発状況と今後の課題．精神医学 54；427-433，2012

（黒田美保）

索引

太字(ゴシック)頁数は，症例編を示す．

欧文

A・C

ADHD 成人患者の薬物治療　63
alexithymia　68
ASD 患者
　── との面接　25
　── の生きにくさ　65
ASD 成人の社会参加　79
attention-deficit/hyperactivity disorder(ADHD)
　　45, **107**
Autism Diagnostic Interview-Revised(ADI-R)
　　39
Autism Diagnostic Observation Schedule(ADOS)
　　40
autism spectrum disorders(ASD)　2
　── と合併精神疾患　7
　── の症状　32
　── の診断基準　31
　── の認知特性　15
　── の病因　66
Autism-Spectrum Quotient(AQ)　41
Childhood Autism Rating Scale-Second Edition-High Functioning Version(CARS2-HF)　41

D・G

Diagnostic Interview for Social and Communication Disorders(DISCO)　39
diffusion tensor image(DTI)　10
DSM における定義　6
Grandin, Temple　15, 21

O

obsessive-compulsive disorder(OCD)　48
obsessive-compulsive spectrum disorders(OCSDs)　48

P

pervasive developmental disorders(PDD)　31
Pervasive Developmental Disorders Assessment System(PDDAS)　39
Pervasive Developmental Disorders Autism Society Japan Rating Scales(PARS)　32, 38
probable ASD　30, **114**
PTSD 様症状　**174**

S

schizophrenia(SZ)　46
Social Responsiveness Scale for Adults(SRS-A)
　　41
somatization disorder　69
SSRI を用いた治療，ASD における　62

和文

あ

アスペルガー障害(症候群)　2, **100**, **110**
　── とうつ病との併存　**120**
　── と双極Ⅱ型障害との併存　**123**
アレキシサイミア　68

い

いじめ　**86**
異性間のトラブル　24
胃腸症状　69
遺伝要因，ASD の　5

う・お

ウェクスラー知能検査，自閉症者の　16
うつ状態への対応　58
うつ病との併存，アスペルガー障害と　120
親，ASD特性のある　67

か

買い物依存　103
解離性健忘　157
拡散テンソル画像　10
学習障害　107
家族とのトラブル　86
家族へのサポート　65
合併精神疾患，ASDと　7
環境要因，ASDの　5
鑑別診断
　──，成人期におけるASDの　44
　──，発達障害とパーソナリティ障害の　53

き

記憶　17
偽神経学的症状　69
気分障害　48
境界性パーソナリティ障害　100, 103
共同注意　97
強迫症状への対応　59
強迫スペクトル　9
強迫性障害　48, 125
強迫性スペクトラム障害　48
拒食　89

け

経過，ASDの　6
言語　15
検査，PDD/ASDの　33
幻聴　129

こ

高機能ASD　4, 13
高機能ASD患者の特徴　56
高機能自閉症　2, 116
　──，受動型の　151
　──，予後良好な　169
行動観察に基づく評価尺度　39
高等教育（大学）支援　80
広汎性発達障害　2, 31
広汎性発達障害日本自閉症協会評価尺度　32, 38
広汎性発達障害評定システム　39
交友関係，ASDにおける　120
誤診，統合失調症と　115
雇用支援　79

さ・し・す

算数障害　107
自殺企図　118
質問紙による評価尺度　41
指定障害者福祉サービス事業所　79
児童期初診例　167, 170, 173
自閉症者のウェクスラー知能検査　16
自閉症診断観察検査　40
自閉症診断面接改訂版　39
自閉症スペクトラム障害　2
　──の症状　32
自閉症スペクトラムの変遷　6
自閉症スペクトル指数　31, 41
自閉症成人，精神遅滞を伴う　9
自閉症の性差　13
社会参加，ASD成人の　79
社会適応，成人期の　11
就労，ASD者の　155
就労支援事業，障害者自立支援法における　83
主治医の意見書　81
趣味への没頭，特定の　160
障害者自立支援法における就労支援事業　83
小児自閉症評定尺度高機能版　41
職業，ASDの人に向いている（いない）　23
職業選択　29
助言の仕方　27

女性
　　——に多い身体化障害　69
　　——の自閉症状　13
身体化障害　69
診断告知の保留　133, 136
診断書，精神障害者保健福祉手帳用の　71
診断に関する注意点　28
診断面接　31
遂行機能　19

せ・そ

生育歴　32
性差，自閉症の　13
精神運動興奮状態への対応　57
成人期の社会適応　11
精神障害者保健福祉手帳用の診断書　71
精神遅滞を伴う自閉症成人　9
性的症状　69
専門医への紹介　34
双極Ⅱ型障害との併存，アスペルガー障害と　123

た

対人応答性尺度成人版　41
対人認知　21
脱抑制，多剤併用処方による　138
単純型統合失調症　46
男性の自閉症状　13

ち

父親，ASD特性のある　67
知覚　20
注意　19
注意欠如・多動性障害　45, 107
治療の進め方　56

と

統合失調症　46
　　——と誤診　115
　　——の疑い　147
疼痛　69

に

日記療法　162
日本自閉症協会版広汎性発達障害評定尺度　32, 38
認知特性，ASDの　15

は

パーソナリティ障害，発達障害と　52
発達障害
　　——とパーソナリティ障害　52, 53
　　——にまつわる誤解　8
発達障害者支援センター　88
発達早期の情報が得られないときの対応　34
パニック　129

ひ

ひきこもり　92, 122
　　——，青年期の　51
　　——，不登校からの　97
病因，ASDの　5
評価尺度　38
病名告知　28

ふ

不安緊張状態への対応　59
不安障害　48
副作用，薬物治療の　60
福祉サービス　79
復職　78
不適応状態への対応　58
不登校からのひきこもり　97
フラッシュバック　89

め

面接，ASD患者との　25

や・ゆ

薬物治療　60
　　——，ASDへの　98
有病率，ASDの　4

よ

幼児自閉症　6
予後，ASDの　6

り・ろ

リスペリドンを用いた治療，ASDにおける　61
労働支援　79